D1327994

Sarah et moi

ROMAN

Édition : François Couture
Infographie : Johanne Lemay
Correction : Céline Vangheluwe et Ginette Choinière

DISTRIBUTEURS EXCLUSIFS :

Pour le Canada et les États-Unis :
MESSAGERIES ADP inc.*
Téléphone : 450-640-1237
Internet : www.messageries-adp.com
* filiale du Groupe Sogides inc.,
   filiale de Québecor Média inc.

Pour la France et les autres pays :
INTERFORUM editis
Téléphone : 33 (0) 1 49 59 11 56/91
Service commandes France Métropolitaine
Téléphone : 33 (0) 2 38 32 71 00
Internet : www.interforum.fr
Service commandes Export – DOM-TOM
Internet : www.interforum.fr
Courriel : cdes-export@interforum.fr

Pour la Suisse :
INTERFORUM editis SUISSE
Téléphone : 41 (0) 26 460 80 60
Internet : www.interforumsuisse.ch
Courriel : office@interforumsuisse.ch
Distributeur : OLF S.A.
Commandes :
Téléphone : 41 (0) 26 467 53 33
Internet : www.olf.ch
Courriel : information@olf.ch

Pour la Belgique et le Luxembourg :
INTERFORUM BENELUX S.A.
Téléphone : 32 (0) 10 42 03 20
Internet : www.interforum.be
Courriel : info@interforum.be

Catalogage avant publication de Bibliothèque et Archives nationales du Québec et Bibliothèque et Archives Canada

Tétreault, Christian, 1954-

   Sarah et moi

   ISBN 978-2-7619-4589-9

   I. Titre.

PS8639.E89S27 2016   C843'.6   C2016-940708-X
PS9639.E89S27 2016

08-16

Imprimé au Canada

© 2016, Les Éditions de l'Homme,
division du Groupe Sogides inc.,
filiale de Québecor Média inc.
(Montréal, Québec)

Tous droits réservés

Dépôt légal : 2016
Bibliothèque et Archives nationales du Québec

ISBN 978-2-7619-4589-9

Gouvernement du Québec – Programme de crédit d'impôt pour l'édition de livres – Gestion SODEC – www.sodec. gouv.qc.ca

L'Éditeur bénéficie du soutien de la Société de développement des entreprises culturelles du Québec pour son programme d'édition.

Conseil des Arts du Canada   Canada Council for the Arts

Nous remercions le Conseil des Arts du Canada de l'aide accordée à notre programme de publication.

 Canadä
Financé par le gouvernement du Canada
Funded by the Government of Canada

Nous reconnaissons l'aide financière du gouvernement du Canada par l'entremise du Fonds du livre du Canada pour nos activités d'édition.

CHRISTIAN TÉTREAULT

Sarah et moi

ROMAN

LES ÉDITIONS DE
L'HOMME
Une société de Québecor Média

Avant-propos

Je m'appelle Emma Lauzon. C'est à toi que je parle.

Ne cherche pas un personnage fictif dans ta tête. Ou un lecteur imaginaire dans la mienne. Quand je dis « toi », c'est toi. Je ne sais pas qui tu es. Ni où tu es. Je ne sais pas si tu es dans ta chambre, à bord d'un autobus, assis à la bibliothèque, sur une pelouse ou un banc de parc. Tu es peut-être au bord de la mer, en vacances quelque part, à l'école. Tu es peut-être dans une maison de retraite, un chalet, un avion.

Tu as peut-être dix ans, tu en as peut-être quatre-vingts. Tu es peut-être un garçon, une fille. Tu es peut-être sensible, ou curieux, triste ou non.

La seule chose que je sais de toi, c'est qu'en ce moment tu as entre les mains un livre dans lequel je raconte mon histoire.

J'aimerais que tu te lèves et te regardes dans un miroir quelques secondes. Juste pour bien voir à qui, et de qui, je parle. Pince-toi.

Je me souviens d'avoir entendu un jour à la radio un animateur qui parlait de son métier. Il expliquait que la radio est très personnelle, c'est-à-dire qu'on n'écoute jamais la radio en groupe. On le fait seul. Ainsi, la relation entre la personne qui parle et celle qui écoute est une relation intime. Même si cent mille personnes écoutent la même émission en même temps, le lien qui est créé demeurera personnel. Un tête-à-tête entre deux individus.

Le livre pousse encore plus loin cette idée d'intimité. Il ne peut pas en être autrement. C'est juste à toi que je raconte cette histoire, toi seule, toi seul. Au fur et à mesure que je l'écris, je n'ai en tête que toi. Comme si je t'adressais une lettre.

Merci de comprendre que ce n'est qu'à toi que je m'adresse. Ça simplifie l'exercice d'écrire, car je sais que tu pardonneras mes maladresses, mes petites fautes, mon enthousiasme parfois brouillon et mes exagérations.

Tu as beaucoup d'importance pour moi. Si tu n'es pas là, avec cet objet entre les mains et tes yeux qui suivent le chemin, mot après mot, si tu n'es pas là, fidèle comme en amitié, je n'existe pas.

Grâce à toi, je suis.

Merci et câlins.

Prologue
Mon monde

J'ai quinze ans, bientôt seize, et je te raconte l'histoire d'une amitié qui ne mourra jamais.

Un jour, ma mère adoptive m'a révélé que ma famille biologique est Écossaise. Père, mère, grands-parents, aïeux, tout le monde est Écossais. Je suis rousse. Bien des gens pensent que les rousses se font toujours agacer et crier des noms. C'est vrai, mais pas tant. Bien sûr, quand j'étais petite, on m'appelait la Carotte ou la Citrouille, mais comme j'ai un caractère inventif et la parole facile, je trouvais toujours une réponse pour clouer le bec même aux esprits belliqueux.

De nos jours, on entend souvent parler d'intimidation, et quand on est rousse, on est une proie en apparence facile. Mais je n'ai jamais accepté d'être intimidée, et je ne l'ai presque jamais été. Enfin, pas souvent.

Je me suis battue une fois, juste une. J'étais toute petite et un garçon a voulu baisser mes pantalons pour faire rire les autres et pour voir si j'avais des picots sur les fesses. C'est lui qui a fait rire de lui quand il s'est retrouvé les culottes aux genoux. Tous les témoins l'ont compris alors : on laisse la rousse tranquille !

Avec le temps, tout ça a cessé, les surnoms et les remarques. Aujourd'hui, je ne changerais jamais ma couleur de cheveux. Pour tout dire, je me trouve belle. Pour une fille de quinze ans, c'est plutôt rare. Mais que veux-tu! C'est vrai. Je suis belle.

J'ai une mère qui n'est pas ma mère et une sœur qui n'est pas ma sœur. Ma mère, qui n'est pas ma mère, s'appelle Marie-Andrée Lauzon. Ma mère n'est pas la mère de ma sœur non plus.

Nous formons un trio original.

Ma sœur, c'est Sarah. Elle a exactement mon âge, quinze ans.

Normalement, la mère de deux filles de quinze ans devrait avoir quelque part entre trente-huit et quarante-cinq ans. «Normalement», je dis bien. Maman en a soixante-quatre. Elle est en pleine forme et très énergique. Elle fait du vélo, de la course à pied et de la corde à danser. Elle donne dans la couture et crée de la bouffe comme une magicienne. Sa spécialité, c'est la soupe. Elle doit connaître dix millions de recettes de soupe. Nous n'avons jamais mangé la même soupe deux fois, et chacune était meilleure que la précédente. Elle connaît aussi l'électricité, la menuiserie, la peinture, le jardinage et la plomberie. Elle a toujours des idées originales. Elle nous a traînées partout, Sarah et moi. Elle n'a pas beaucoup d'argent, mais on ne manque de rien.

Je te raconte un peu comment on s'est rencontrées toutes les trois. Je dis «un peu» parce que ça pourrait être très long. Ce n'est pas une histoire simple.

Ma mère a eu une vie compliquée. Son père est mort alors qu'elle était petite. Je lui ai souvent demandé comment il était mort et, jusqu'à l'an dernier, sa réponse était vague. Je la sentais mal à l'aise d'élaborer. Elle nous disait toujours qu'un jour, elle allait tout nous confier, mais pas tout de suite. L'an dernier, elle nous a finalement raconté que son père était une personne dépressive et qu'il avait décidé d'en finir avec la vie. Sarah lui a demandé comment il avait fait ça et elle a répondu que ce n'était pas important. Qu'il s'était noyé quelque part dans le Bas-du-Fleuve. Une noyade troublante. Il disait qu'il était un écrivain raté.

Dans les semaines qui ont suivi le suicide de son mari, la mère de ma mère, Janine, est partie en Inde, où elle est devenue missionnaire laïque. Ma mère ne l'a revue qu'une seule fois, longtemps après son départ. Elle l'avait rejointe dans une ville qui s'appelle Jaipur, au sud-ouest de New Delhi. Elle y est restée une semaine. Elle en a rapporté une photo que nous avons vue tous les jours de notre vie. La fameuse photo de maman et de sa mère, sur le mur du couloir. Elle est sur le même mur depuis toujours.

Maman n'a jamais revu sa mère, mais elle reçoit une lettre d'elle tous les cinq ans.

Dernièrement, elle a appris que sa mère, qui a quatre-vingt-cinq ans, était très malade. Elle serait atteinte d'une maladie qui s'apparente à l'Alzheimer.

Maman veut retourner à Jaipur avant la fin. Elle a souvent dit que Sarah et moi, on irait avec elle. Elle économise depuis, pour pouvoir payer tout ça. Ça coûte cher.

Ma mère, fille unique, a donc grandi dans des foyers nourriciers, puisque son père et sa mère étaient aussi des enfants uniques. Elle a toujours dit qu'elle a été chanceuse et qu'elle ne garde que de bons souvenirs des gens qui l'ont élevée. Surtout monsieur et madame Prud'homme, avec qui elle est demeurée pendant plus de dix ans.

Quand elle a eu quinze ans, madame Prud'homme est tombée malade et c'est sa cousine Augustine qui a gardé maman jusqu'à ce qu'elle termine ses études. Elle a étudié en sciences sociales. À sa sortie de l'université, elle a déniché un emploi dans une maison d'hébergement pour jeunes filles en difficulté, dans l'est de Montréal.

Elle y a travaillé pendant trente ans.

Aujourd'hui, elle travaille pour le gouvernement, dans le même domaine. Elle est devenue consultante. Elle est appelée à voyager un peu partout au Québec. Quand elle le peut, elle nous emmène avec elle. Dans ma vie, je n'ai pas voyagé hors du pays, mais je connais beaucoup de villes d'ici. Ma préférée, c'est Trois-Rivières.

Ma mère n'a jamais eu de mari. Elle est gaie. Elle a vécu avec Diane pendant très longtemps et Diane est décédée des suites d'un cancer du sein, quand Sarah et moi avions huit ans. Je me souviens très bien de Diane. Elle était drôle. Rousse comme moi, elle m'aimait beaucoup et me racontait toujours des histoires de rousses. Elle a été une des premières femmes policières à Montréal.

Quand elle était à l'hôpital, on allait souvent la voir. Maman y était tous les jours.

Je me souviens d'une fois où nous lui avons rendu visite alors qu'elle était tout amaigrie dans son lit. Comme elle n'avait plus de cheveux, elle s'était dessiné une moustache.

« Est-ce que j'aurais fait un beau policier ? » a-t-elle demandé pour rire.

C'est la dernière fois que nous l'avons vue.

Ma mère n'a jamais pleuré devant nous, mais elle était triste. Ça se voyait. Elle n'a plus jamais eu de blonde par la suite.

Sarah et moi, on a à peu près la même histoire. On est comme des jumelles. J'ai quatre jours de plus qu'elle. Maman a obtenu le droit de s'occuper de nous à partir du tout début. Toutes les deux avons de très jeunes mères biologiques : des adolescentes, en fait. Nous sommes nées, toutes les deux, dans des conditions similaires.

Au moment de ma naissance, ma mère biologique avait quinze ans et arrivait de Kirkcaldy, au nord d'Édimbourg, en Écosse. Elle est venue accoucher à Montréal. Elle n'aurait jamais pu me garder. Tant mieux pour moi, dans le fond. Après m'avoir donné naissance, elle est retournée à Kirkcaldy.

La mère de Sarah avait seize ans quand elle est née. Elle était autochtone. Une Assiniboine. Elle est arrivée en train d'une réserve de l'Ouest canadien, au nord de Regina, en Saskatchewan. Elle non plus ne pouvait pas garder sa fille. Ce qu'on sait, c'est qu'elle avait peur de son mari, qui la battait. Je le déteste même si je ne le connais pas.

Maman a tenté de demeurer en contact avec nos mères, sans succès. Jamais de réponse à ses lettres et appels, ni d'un côté ni de l'autre. Au début, elle ne pouvait pas nous adopter officiellement. Elle nous disait qu'un jour, il faudrait peut-être que nous la quittions, pour éviter de nous faire trop d'illusions et de nous mettre à penser qu'on resterait toujours avec elle.

C'était difficile à entendre quand nous étions petites, mais en même temps, cette situation nous a beaucoup rapprochées, Sarah et moi. On était toujours collées l'une sur l'autre. Moi je pleurais, mais pas Sarah. Sarah me consolait.

Grâce aux contacts qu'elle avait au gouvernement, ma mère a pu nous garder en foyer d'accueil chez elle. Au bout de quelques années, l'adoption a été régularisée. Depuis ce temps, on s'est juré qu'on serait ensemble pour toujours. Et on tiendra parole.

Notre maison est ordinaire, mais c'est la plus belle parce qu'elle respire. C'est un duplex, et nous habitons le rez-de-chaussée et le sous-sol. Nous avons une toute petite cour avec un potager, où poussent surtout des tomates italiennes. Maman dit que les tomates italiennes font une meilleure sauce à spaghetti parce qu'elles sont plus charnues. Je n'y connais rien, sauf que sa sauce, je te le jure, est la meilleure de l'univers.

Le locataire d'en haut est un vieux monsieur, monsieur Robitaille. Il a à peu près soixante-quinze ans. Il est muet. Il s'est fait enlever les cordes vocales à cause de la cigarette. Il est gentil et calme et il vit avec un chien bâtard. C'est le seul chien que je connaisse qui n'a pas de nom. Monsieur Robitaille communique avec lui en tapant des mains ou en claquant des doigts. Ils sont tous les deux très gentils et font de longues marches deux fois par jour. Le chien sans nom vieillit. Il a des problèmes avec ses hanches.

Chapitre 1
Boum

Nous sommes le 23 juin, le formidable 23 juin. La première journée des vacances.

Un de nos voisins, monsieur Perazzino, est propriétaire de Mille Glaces, une crémerie. Cet été, toutes les fins de semaine, j'irai travailler chez Mille Glaces. Je vais faire des cornets et des laits frappés, des *sundaes*, des *slotches* et des *banana splits*. Mon premier emploi. Sarah aussi travaillera chez Mille Glaces.

On a décidé qu'on allait s'ouvrir un seul et même compte en banque. On mettra tout notre argent ensemble. Quand on en aura assez, on s'achètera quelque chose de gros. Genre des billets d'avion pour un voyage, ou une auto, ou une petite cabane dans une forêt, avec un foyer pour se chauffer. On rêve aussi de faire un safari. Mais maman nous a dit que ça coûtait très cher, un safari.

Pour l'instant, c'est les vacances. L'année scolaire qui vient de se terminer a été excellente. Nous avons, toutes les deux, bien réussi notre secondaire quatre. Sauf les cours de chimie pour moi. Je ne suis pas bonne en chimie. Je trouve ça inutile et compliqué. J'aurais pu étudier un peu plus, je sais, mais j'ai tendance à paresser par bouts, surtout quand le sujet ne m'intéresse pas.

Sarah, elle, est bonne dans tout, même en chimie.

Pour commencer les vacances, on a décidé qu'on allait passer la journée à revisiter notre enfance. Retourner, pour une dernière fois, y faire un tour.

Toute la journée à ne rien faire.

Rien.

Juste être bien, toutes les deux, parler de nos projets, de nos souvenirs et de l'été qui nous attend. Nous parlerons aussi de crème glacée. Nous mangerons plein de cornets gratuitement cet été.

Alors ce matin, on s'est préparées. Maman a voulu nous aider.

– Non, m'man. On s'en occupe.

Il est 8 h 30 et on a préparé notre dîner. Je sais que ce n'est pas la préparation de l'enfer, mais on aime ça pareil. Deux sandwiches aux œufs, des cornichons amers, un sac de croustilles au ketchup, du lait au chocolat et des carrés aux Rice Krispies. Un festin.

Nous avons sorti deux chaises longues et une petite table. On s'est installées dans la cour. On a tiré nos bandes dessinées favorites de l'énorme collection de maman. Pas de romans, juste des bandes dessinées.

Et surtout pas d'iPhones!! Interdit. On les a laissés dans nos chambres.

Maman a au moins mille bandes dessinées. Pour moi, c'est Tintin. *Les Sept Boules de cristal* et *Le Temple du soleil*, je les ai lus un milliard de fois. Je les redécouvre chaque fois. Sarah a choisi quelques *Boule et Bill*. On passera la journée à retomber en enfance en lisant nos bandes dessinées. On va manger des sandwiches aux œufs et jaser. Parler. Planifier. Se jurer de s'aimer toute la vie.

Il fait beau aujourd'hui, juste assez chaud, pas trop.

Nous sommes nerveuses de commencer à travailler. Jeudi matin, nous avons rendez-vous chez Mille Glaces avec monsieur Perazzino, question de se familiariser avec notre travail. Jeudi, c'est dans cinq jours, et nous avons plein de temps, d'ici là, pour ne rien faire.

Ne rien faire : n'est-ce pas la plus formidable des choses à faire ?

Yé !

Sarah et moi on a déterminé, en ce merveilleux samedi matin, que la vie est un sac de billes. C'est une autre de nos conversations secrètes.

Quand on est arrivées dans l'univers, la vie nous a donné chacune un sac de billes. Une bille est le talent, l'autre est l'intelligence, l'autre est la force. La bille suivante est la beauté, puis la patience, et la créativité. Les autres billes sont celles du courage, des craintes et des convictions.

Plein de billes. Pas les mêmes pour tout le monde.

Ce matin, on a fait un pacte. On a bien ri aussi. On s'est juré que ce pacte allait demeurer secret, entre nous deux et nous deux seulement. Nous deux et toi, c'est sûr. Même maman ne doit pas savoir. Le pacte : mettre toutes nos billes dans le même sac. Nous allons vivre nos deux vies comme si nous n'en avions qu'une. C'est une promesse sacrée, un engagement. Nous aurons une seule vie, mais une vie deux fois plus belle, plus excitante, plus enivrante.

Une vie deux fois plus remplie.

Si un jour, je perds la vue, elle verra pour moi.

Si elle n'entend plus, j'écouterai pour elle.

Si je ne marche plus, elle courra pour moi.

Ça peut te sembler déraisonnable, immature ou utopique, mais ce matin, quand nous en avons parlé, c'était, et ça demeurera, une conviction, une réalité. Notre défi. Deux cœurs, une vie. Deux corps, une vie. Deux âmes, une vie.

Puis on a eu envie de bouger.

Juste à la fin des cours cette année, maman nous a acheté, à chacune, un vélo presque neuf. Un rouge et un bleu. Nous avons déjà roulé plus de cent kilomètres. Pas d'un seul coup, bien sûr. Quelques tours ici, autour du voisinage.

On a laissé les bandes dessinées et enfourché nos nouvelles montures.

– Au moins vingt-cinq kilomètres, OK?

– Au moins…

J'ai averti maman de ne pas s'inquiéter.

– N'oubliez pas vos casques, les filles. Vos casques!

Le mien est un peu serré, mais je le mets quand même. Celui de Sarah est nettement trop serré. Grosse tête d'Assiniboine. Faudra lui en acheter un autre. Elle l'a laissé à la maison. Maman l'a vue faire. Elle crie:

– Sarah!! Ton casque!

– Il est beaucoup trop petit, il me fait mal!

– Je n'aime pas ça, Sarah!

– On ira en acheter un nouveau avant le souper, OK?

– Bon. Soyez prudentes, les filles.

* * *

C'est très difficile pour moi de t'écrire la suite. Très souffrant d'en parler. Les yeux me chauffent. Ce n'est pas une boule que j'ai dans la gorge, c'est pire.

Pire que tout.

La tête me tourne.

J'ai eu une idée. Une idée bête. C'est mon genre. Depuis, je pense juste à mourir. J'ai de la difficulté à respirer, je ne peux plus manger. Je suis défaite. Je te raconte, mais s'il te plaît, ne me juge pas. Je le fais moi-même. Je suis une parfaite imbécile. Une idiote. Une malheureuse imbécile qui ne veut plus vivre.

Dans le voisinage ici, il y a plein de côtes et de petites rues. C'est un territoire intéressant où faire du vélo. Facile en descendant, difficile en remontant. Ça aide à garder la forme.

Pour rendre la balade plus drôle, j'ai suggéré à Sarah :

— Laisse-moi être tes yeux !

— Qu'est-ce que tu dis ?

— Laisse-moi être tes yeux. Tu pédales juste devant moi, avec les yeux fermés, et je te guide. Je vais te dire de te tasser à droite, ou à gauche, de ralentir, d'aller plus vite, d'arrêter. Fais-moi confiance. Tu as juste à pédaler et à suivre mes directives. Après, ce sera ton tour, tu seras mes yeux.

— Tu es folle ou quoi ?

— Es-tu *game* ?

— Oui. On commence ?

Sarah a fermé les yeux. Tout s'est super bien déroulé au début. Même que j'ai dû lui dire d'arrêter de rire. Quand on rit, on entend moins bien.

— Arrête de rire, Sarah !

Elle a cessé, elle s'est calmée.

Devant une pente descendante je lui ai dit de ralentir, de ne pas pédaler, de se laisser aller avec une main sur les freins. Elle l'a fait. Juste derrière moi, une auto en haut de la pente venait vers nous, je l'ai dit à Sarah.

— Attention, Poca, il y a une auto qui vient derrière.

Je l'appelle souvent Poca, comme dans Pocahontas. Elle m'appelle Fifi Brindacier ; c'était une petite fille rousse espiègle dans une très vieille émission de télé.

Sarah s'est retournée pour voir, elle a ouvert les yeux, bien vu la voiture, s'est un peu tassée vers la droite. C'était plus prudent. Ce n'était pas tricher. Une fois la voiture passée, elle a repris le jeu.

C'est là que c'est arrivé.

Comme Sarah s'était retournée pour voir l'auto, j'ai cru, parce que je suis conne, qu'en ramenant la tête devant, elle n'avait pas refermé les yeux. Alors, je ne lui ai plus rien dit, j'ai arrêté mes indications.

Tout en bas de la pente, un gros camion à benne était stationné. Tu sais, les camions qui transportent la neige l'hiver et la terre l'été ? Le camion était garé à droite.

Comme on était dans une pente, Sarah ne pédalait plus, mais elle allait quand même très vite. Je voyais bien qu'elle se dirigeait vers le camion, mais je pensais qu'elle le faisait exprès.

Elle a foncé dessus. Je lui ai crié :

— Sarah !!! Tourne !! Tourne !!

Ça a fait boum.

Un boum qui résonne encore dans ma tête.

Elle a frappé la boîte du camion avec son visage et est tombée par terre. J'ai arrêté de respirer. Je suis descendue de mon vélo en roulant, me suis éraflé les genoux et me suis foulé une cheville. J'ai couru vers elle, j'étais sans connaissance moi-même.

J'étais ailleurs. Ma tête tournait, la scène était irréelle.

— Es-tu correcte !!? Es-tu correcte !!? Sarah !!

Son vélo était sous le camion. Je lui ai tourné le visage, elle avait les yeux fermés et le visage tout en sang, son beau visage coupé partout. Sa tête était fendue. Sa belle tête.

Le cœur voulait me sortir du ventre.

J'ai couru tout de suite à la maison juste en face, donné des coups de poing dans la porte de toutes mes forces. Une jeune femme est venue m'ouvrir. Les yeux exorbités, elle m'a demandé ce qui se passait… J'étais en pleine crise.

— Ma sœur a eu un accident!! Juste ici, en face!! Appelez l'ambulance!! Appelez la police!! Elle saigne!!

La jeune femme m'a regardée sans rien faire pendant quelques secondes, complètement soufflée, sous le choc.

— Elle est où, ta sœur?

— Appelez l'ambulance!!

— Elle est où ta sœur?!

— Elle est juste là, en face, elle est en train de mourir, je suis sûre, appelez l'ambulance!! Elle a la tête défoncée, elle est pleine de sang!!

— Je suis infirmière, laisse-moi voir!

— Appelez l'ambulance, s'il vous plaît!! Tout de suite!!

Elle a appelé Urgences-Santé sans même avoir vu Sarah. Puis elle est sortie pour aller la voir.

Pauvre Sarah.

La dame a tout de suite constaté que je n'exagérais pas. Sarah ne réagissait à rien.

— Elle respire, elle respire. Son cœur bat.

Je voudrais bien te dire comment je me sentais à cet instant, mais j'en suis incapable. Je ne m'en souviens pas. Je vois ma sœur, mon amie, ma personne préférée. Je la vois étendue dans la rue, derrière un camion, tout ensanglantée. Il y a une large fente sur son front.

La dame est vite rentrée, puis est revenue avec quelques débarbouillettes et de l'eau dans une chaudière. De l'eau froide. Elle a lavé délicatement ma sœur.

Je regardais tout ça, incapable de réagir, je ne pleurais même pas. J'étais ailleurs. Je n'y croyais pas.

La dame m'a adressé la parole. Je ne comprenais pas ce qu'elle me disait. Elle a répété. Je lui ai dit :

— Je ne le sais pas.

Elle m'avait demandé où j'habite.

J'ai voulu prendre Sarah dans mes bras, je ne pouvais pas la laisser là, étendue sur l'asphalte. La dame m'a dit de ne pas la bouger, qu'il valait mieux attendre les ambulanciers. Elle m'a prise dans ses bras.

— Je l'ai tuée ! J'ai tué ma sœur !

— Non, non, arrête, elle respire. Elle n'est pas morte.

— Elle saigne. Sa tête est cassée.

L'ambulance jaune d'Urgences-Santé est vite arrivée. Les ambulanciers ont découpé le chandail de Sarah et l'ont couchée sur une civière. Il y avait un homme et une femme. La femme m'a demandé ce qui s'était passé. Je lui ai dit que Sarah avait foncé dans le camion par ma faute. Elle m'a demandé aussi où je demeurais.

— Pas loin.

— As-tu appelé tes parents ?

— J'ai juste une mère. Pas de père. Ma sœur, ma sœur… Est-ce qu'elle va mourir ?

— Faut appeler ta mère.

— Je veux ma sœur.

— Faut appeler ta mère, donne-moi le numéro…

L'ambulancière, trop occupée auprès de Sarah, a demandé à la dame infirmière qui était venue la première au secours de Sarah d'appeler maman. Maman a voulu me parler, mais je n'étais pas en état. C'est ce que la dame infirmière, elle s'appelle Julie Duplessis, lui a dit. Elle lui a expliqué ce qu'il en était et lui a proposé de se rendre à l'hôpital Sainte-Croix, qu'on allait y être dans quelques minutes.

L'ambulancière a posé un masque d'oxygène sur le visage de Sarah, maintenant elle s'affaire auprès d'elle. Pendant ce temps-là, je lui tiens la main. Dans l'ambulance, elle a toutes sortes de branchements sur elle. Un sérum.

— Est-ce qu'elle va mourir ?

— Calme-toi, calme-toi, on arrive à l'hôpital, une équipe de médecins l'attend. Calme-toi.

— Est-ce que Sarah va mourir ?

— Pour l'instant, elle respire et son cœur bat bien. Calme-toi.

Ma tête va exploser.

Ce que nous nous sommes dit ce matin, ça tient. Si Sarah meurt, je pars avec elle. Cette pensée m'obsède. Je ne veux pas mourir. Je ne veux pas la laisser seule.

Il fait si beau dehors.

Une journée idéale.

Je suis dans l'ambulance qui file à toute allure et la sirène crie. Toutes les autos devant se tassent. Sarah n'a pas ouvert les yeux. Je lui tiens toujours la main et je lui dis que je suis là et que je resterai avec elle peu importe ce qui se passera, je lui dis que c'est elle qui décide de notre chemin. Cette fois, c'est moi qui ai les yeux fermés et c'est Sarah qui me guide. Je lui parle dans ma tête. Elle m'entend, c'est sûr.

— Je te suivrai partout, Sarah ma sœur. Partout. Ne t'inquiète pas. Je suis là pour toujours.

Au moins cinq personnes nous attendaient à notre arrivée à l'hôpital. Je ne sais pas qui elles sont. On a immédiatement transporté Sarah à la salle d'opération et une infirmière nous a conduites, Julie Duplessis et moi, dans une petite salle juste à côté. Tous ces gens, je ne sais pas ce qu'ils font.

Je continue à parler à Sarah.

Ils ont rasé une partie de sa tête. Sa belle tête.

Maman est arrivée. Je me suis jetée dans ses bras et j'ai recommencé à pleurer.

– J'ai tué Sarah. C'est moi, maman, c'est moi qui ai tué Sarah ! C'est ma faute ! J'ai tué ma sœur !

– Arrête, Emma ! Arrête de dire ça !

Je lui ai raconté comment ça s'est passé, entre mille sanglots. J'étais embrouillée. Maman s'est présentée à Julie Duplessis. Puis Julie est repartie chez elle. Elle a dit à maman qu'elle préférait nous laisser seules. Maman l'a serrée dans ses bras, moi aussi, et elles se sont donné leurs numéros de cellulaire.

– Appelez-moi, si vous trouvez le temps. Je suis de tout cœur avec vous. Courage.

Maman et moi sommes restées dans les bras l'une de l'autre et j'ai pleuré toutes les larmes de mon corps.

* * *

Une fois de temps en temps, une infirmière vient nous voir pour nous dire ce qui se passe dans la salle. Elle est rassurante.

– Le cœur de Sarah bat bien et elle respire correctement, nous dit-elle. Son pouls est normal, sa pression aussi. Elle est dans le coma.

Je regarde maman.

– Un coma, ça veut dire qu'elle est sans connaissance.

L'infirmière ajoute :

– Oui. Elle est bien vivante, mais elle ne répond à aucun stimulus. Rien. Mais elle est vi-van-te. Aucun organe vital ne semble avoir été touché gravement. Même pas le cerveau. Il a subi une bonne secousse, mais il est encore bien fonctionnel. Il y aura beaucoup d'autres examens. Vous pouvez rester ici, mais ce sera long. Vous pouvez aussi retourner chez vous et vous reposer. C'est votre choix…

– Je veux rester ici.

– Parfait. Si vous avez besoin de quoi que ce soit, laissez-le-moi savoir, je reviendrai vous voir.

L'infirmière retourne en salle d'opération. Le calme revient.

Je suis catastrophée. Maman veut savoir ce qui s'est passé, en détail. Je lui raconte tout ce dont je me souviens.

– C'est ma faute, maman.

– D'abord, non, ce n'est pas ta faute. Ce n'était pas l'idée du siècle, ma chérie, mais c'est certain que mille jeunes ont déjà fait ça avant… La vie a juste décidé que cette fois, ça allait se terminer comme ça.

– Se terminer ? Tu veux dire que c'est fini, que la vie de Sarah est finie ? C'est ce que tu veux dire ?

– Votre escapade à vélo s'est terminée comme ça, pas la vie ! Juste votre escapade. Ta sœur a la tête dure, tu le sais. Pas question d'abandonner. Mais on doit patienter. Voir ce qu'il en est. Dans les conditions actuelles, ça ne peut pas aller mieux. Elle est vivante. Elle respire. Son cœur bat. Son cerveau ne répond pas, mais il n'est pas éteint.

— Si elle meurt, maman, je te le dis, je vais mourir aussi.

— Emma, s'il te plaît, arrête. Tu dis des niaiseries. Penses-tu que Sarah serait heureuse d'entendre ça? Tu penses qu'elle serait d'accord? Tu es fatiguée et tu as besoin de reprendre des forces. Ta sœur a besoin de ta force, pas de tes mauvais plans. Pense à elle. Elle te parle, écoute-la.

Peu de temps après, je me suis endormie en pensant à Sarah.

Je ne sais pas combien de temps j'ai dormi là, sur cette chaise droite, dans la petite salle d'attente. Deux ou trois heures peut-être. Maman est restée à côté de moi. C'est la voix de l'infirmière qui m'a réveillée. Sarah a passé plusieurs tests. Ses organes vitaux vont tous bien, mais elle est toujours dans le coma. Maman a appelé un taxi, on reviendra demain.

En arrivant à la maison, je me suis lancée à la recherche de renseignements sur le coma.

Le coma traumatique

C'est un diagnostic le plus souvent évident en fonction du contexte: accident de la voie publique, agression, chute, etc. (choc violent). Cependant, dans certains cas, le lien entre le traumatisme et le coma (ainsi que la chronologie des événements) est plus difficile: chez l'alcoolique, le vieillard, l'enfant, le traumatisme peut passer inaperçu (des chocs minimes peuvent, chez certains individus issus de ces populations fragiles, entraîner une hémorragie cérébrale), et il peut exister un délai entre le traumatisme et le coma. Dans tous les cas douteux, le scanner cérébral en urgence est indispensable, puis le transfert en neuro-chirurgie pour une prise en charge thérapeutique.

L'état d'inconscience est lié à un dysfonctionnement plus ou moins profond de la substance réticulée ascendante (SRA) située dans la profondeur du cerveau et lésée par la concentration des ondes de choc traumatiques (phénomènes stéréotaxiques).

Le pronostic dépend principalement de l'importance des lésions cérébrales initiales (profondeur du coma), de l'âge et de l'état général du patient avant le traumatisme. Plus le coma est superficiel, plus le patient est jeune et en bon état général (état de santé global) avant l'accident, plus les chances de guérison sont grandes.

(Source : Wikipédia)

C'est la dernière phrase que j'ai retenue : « Plus le coma est superficiel, plus le patient est jeune et en bon état général (état de santé global) avant l'accident, plus les chances de guérison sont grandes. »

Je t'aime, Sarah. Je te suivrai partout. Tu es mon guide.

* * *

Samedi 14 juillet
Trois semaines plus tard

Je n'ai plus le cœur à travailler cet été. Maman est bien d'accord. Je suis allée voir monsieur Perazzino, qui avait eu la gentillesse de nous embaucher, Sarah et moi. Il a compris.

Tout le monde sait ce qui est arrivé. Il y a au moins une vingtaine d'amis de l'école qui m'ont appelée, et je ne compte pas les milliards d'autres gens qui se sont manifestés sur Facebook. Je ne les connais pas tous. Je me suis retirée de Facebook depuis. Ça fait plus d'une semaine. J'ai besoin de me retrouver seule. Depuis que l'histoire est connue, des gens m'ont témoigné de la sympathie, mais Sarah et moi, on s'est aussi fait traiter de tous les noms. Pas par tout le monde, mais assez pour que j'aie envie de cesser d'aller là. Je suis déjà assez tourmentée comme ça, nul besoin d'en rajouter. Maman est d'accord, elle est même contente. Elle n'a jamais aimé Facebook.

Pauvre Sarah, l'équipe médicale s'est acharnée sur elle. Elle a passé des dizaines d'examens. Les médecins ont procédé à tous les tests. Chaque organe a été examiné à l'aide de scanners, de machines ultra-sophistiquées. Sa tête surtout. Ils voient bien une lésion, mais il y a toujours de l'activité dans son cerveau.

Je suis à l'hôpital tous les jours. On me connaît maintenant là-bas. Les médecins ont la gentillesse de prendre le temps de m'expliquer. Ils m'expliquent ce qu'ils vont faire avant les interventions, et ils me parlent aussi après. Au début, ils ne voulaient parler qu'à maman, c'est le protocole, mais maman leur a fait comprendre que c'est très important, primordial même, que je sois informée de tout.

J'essaie de ne nuire à rien ni à personne. Il faut que je sois discrète. Mais tous les jours, je vois Sarah, je la touche. Même que le personnel m'a dit que c'est très important que je lui masse les pieds et les mains.

Son cœur va toujours bien.

C'est sûr qu'elle ne mange pas comme toi et moi, elle est nourrie par intraveineuse, ou directement dans l'estomac. Mais je sais qu'un jour, je le sais, un jour on les mangera, nos sandwiches aux œufs et nos croustilles au ketchup.

Elle a maintenant les yeux ouverts, des fois. Et ses paupières battent comme les tiennes, comme les miennes. Mais elle ne voit pas, c'est-à-dire qu'elle n'est pas consciente qu'elle voit. Comme les médecins me disent tout, je n'ai jamais de questions à leur poser, sauf toujours la même :

– Quand ?

J'obtiens toujours la même réponse.

– Peut-être demain, peut-être dans dix ans, peut-être jamais.

* * *

Vendredi 20 juillet

Nous avons eu une bonne nouvelle aujourd'hui. Comme Sarah est stable, on va la transférer dans un centre de soins de longue durée. Ce sera moins lugubre qu'un hôpital, il y aura moins de monde aussi. Surtout, c'est plus près de chez moi, je pourrai y aller à vélo. Je ne me suis pas servie de mon vélo depuis l'accident, mais maman m'a convaincue de remonter dessus. Je ne l'ai pas encore fait, mais là, c'est sûr, je vais essayer.

Ils vont transférer Sarah demain. Tout comme à l'hôpital, elle sera sous surveillance vingt-quatre heures sur vingt-quatre. Mais il y a un stress de moins : on sait qu'elle n'est pas en danger.

En plus, parce que maman a parlé avec les gens du centre, et parce que les infirmières de l'hôpital ont bien vu que je ne suis pas une nouille, on va me donner plus de responsabilités. Je vais continuer à lui donner les massages aux pieds et aux mains et je vais aussi exercer ses jambes et ses bras.

Sarah est très sportive et en super forme, je ne veux pas qu'elle perde ça. C'est certain que ce n'est pas comme si je lui faisais faire du jogging, mais je vais voir à ce qu'elle soit *top shape* quand elle va revenir. On m'a aussi suggéré de lui parler le plus possible. Je le fais depuis le début de toute façon.

C'est sûr, comme tu dois t'en douter, presque chaque fois que je lui parlais c'était en pleurant ou pour m'excuser, ce n'était pas très gai, j'avoue. Mais là, j'ai plein d'idées. D'abord, je vais lui lire des *Boule et Bill* et une série de romans. Elle aime les romans. Je vais aussi demander la permission d'apporter un lecteur DVD et des films qu'on regardera ensemble. Et puis, peut-être que je suis sotte, ça se peut, mais je voudrais qu'on apprenne toutes les deux à parler anglais. Ce serait formidable qu'elle se réveille et qu'elle puisse parler anglais, non?

J'aimerais tellement l'entendre parler de nouveau.

Sarah a une belle voix. En plus, elle chante bien. Elle connaît tout Marie-Mai. Une fois, on l'a rencontrée. Maman nous avait emmenées aux studios de la station MusiquePlus et la chanteuse nous avait signé un autographe: «À Sarah et Emma, mes fans favorites, Marie Mai.» C'était sur son premier CD. Je l'ai apporté, avec d'autres disques. Je suis convaincue que la musique va donner une sensation à Sarah. Je vais masser ses pieds, ses mains, faire bouger ses jambes et ses bras, et ses oreilles ne seront pas en manque, ni ses yeux.

On va gagner, Sarah, on va gagner.

* * *

Samedi 21 juillet

Sarah est arrivée dans sa nouvelle chambre à l'heure du souper. J'étais là, maman aussi. Les préposées et les infirmières l'ont installée. Sa chambre est plus grande ici.

En ce moment, elle a les yeux fermés.

Nous avons décidé de manger au centre. On dit que la bouffe n'est pas *top* dans les hôpitaux, je ne suis pas d'accord. Moi, j'aime bien. Les sandwiches aux œufs sont parfaits. Après avoir pris une bouchée, nous sommes retournées voir Sarah. Elle semble plus confortable dans sa grande chambre. J'ai massé ses pieds et ses mains, puis nous sommes revenues à la maison.

Dans l'auto, maman et moi on n'a pas parlé beaucoup, comme si chacune de notre côté, dans notre tête, on était avec Sarah. J'y pense tout le temps et je suis sûre que maman aussi.

— Je vais demander si je peux coucher dans la chambre avec Sarah.

— Ce soir ?

— Tout le temps.

— C'est impossible, Emma. Ce n'est pas un logement. Tu ne peux quand même pas déménager là !

— Je ne veux pas déménager, juste dormir avec Sarah.

— Tu peux y passer la nuit une fois de temps en temps, j'imagine, mais pas toutes les nuits. Ces gens-là ont du travail à faire, Emma. Et surtout, il faut que tu t'occupes de toi-même…

— Sarah, c'est moi, maman.

— Emma…

— Tu ferais la même chose à ma place. Quand Diane a été malade, j'étais petite, mais je me souviens, tu étais toujours avec elle, toujours. Souvent la nuit.

– Diane était éveillée, elle avait besoin de moi. Sarah est inconsciente pour le moment, tu ne peux même pas l'aider à se nourrir…

– Raison de plus. Je suis sa conscience, si tu veux.

Elle a fait une pause et a respiré profondément, les yeux pleins d'eau.

– Je suis fière de toi, Emma, a-t-elle dit ensuite. Tu es si généreuse. Mais je crois que tu dois te reposer. Tu en fais déjà beaucoup.

– Je vais demander quand même. Je vais commencer par une nuit. Ils vont bien voir que je ne dérange pas…

– Tu as la tête dure.

– Je retiens pas des voisins.

Quand nous sommes arrivées à la maison, maman s'est comme enflammée avec ses arguments :

– Je sais comment tu te sens, Emma, je sais que tu te crois responsable. Moi je sais que tu ne l'es pas, mais c'est seulement Sarah qui a les réponses à tes questions. Parle avec elle. Je sais que tu voudrais rester à son chevet jusqu'à l'aboutissement. Mais on ne sait pas c'est quand, l'aboutissement. Les médecins nous l'ont dit. Ça peut ne jamais arriver. Tu vas passer ta vie à attendre ? À souffrir en silence ? Tu ne penses pas que Sarah voudrait que tu vives tout ça autrement ? Je sais que tu veux vivre pour ta sœur, mais je pense qu'elle voudrait que tu vives pleinement. Que tu la portes en toi et que tu l'emmènes aussi loin que possible. Porte Sarah dans ton cœur, dans ta tête, dans ton corps. Vis une vie remplie de tout. Emporte-la dans tes bagages. Vis pour elle, mais vis ! Je suis certaine que si tu lui parles, elle te répondra. Elle te poussera. « Fonce, avance, découvre. Fais-le pour nous deux… » Mais ce n'est que mon opinion. Juste mon opinion. Faut que tu demandes à Sarah et que tu écoutes bien ce qu'elle a à te dire…

— Je t'aime, maman. Et je suis toute mêlée.

Je suis retournée au centre à vélo avec mon sac à dos. Dans mon sac : mon iPad, des articles de toilette et quelques livres. J'ai demandé la permission de passer la nuit avec ma sœur. L'infirmière en charge a tout de suite accepté et elle a même demandé à un préposé d'apporter un lit de camp. Il l'a installé de sorte que je ne nuise pas au travail des infirmières et du personnel.

J'ai téléphoné à maman pour le lui annoncer.

Avant de m'endormir, j'ai écrit sur mon iPad la suite de mon journal personnel. J'écris tout. Les dernières semaines m'ont donné beaucoup à écrire. Surtout des pages tristes, comme tu peux t'en douter. En mettant sur papier les événements du mois de juin et en décidant de tenir la chronique du coma de ma sœur, je ne pouvais savoir dans quoi je m'embarquais.

Les nuits qui viennent vont changer ma vie.

Chapitre 2
Le chat vache

Tous les étés, quand Sarah et moi étions petites, maman nous emmenait passer une semaine à la campagne chez une de ses amies, Marie-Rose.

Marie-Rose avait six chats et un gros chien. Le chat favori de Sarah s'appelait Scotch. Il était noir et blanc. Sarah l'appelait le « chat vache » parce qu'il ressemblait à une vache avec ses taches noires. Les chats à la fourrure noire et blanche ont toujours été les favoris de Sarah. Chaque fois qu'on en voyait un, elle criait :

– Regarde, Emma ! Un chat vache !

Elle se trouvait drôle.

Je ne sais pas si Sarah avait particulièrement le tour avec les chats vaches, mais ils venaient immanquablement à elle et ronronnaient en se frottant sur ses jambes. J'ai toujours pensé que les chats vaches et Sarah étaient faits pour aller ensemble.

Je te raconte tout ça parce que la nuit dernière, celle du samedi 21 juillet, ma première nuit avec Sarah dans sa chambre au centre, il est arrivé une chose étrange : j'ai rêvé.

Une mousse dans mon panier

La nuit dernière, dans mon rêve…

Je me promène à vélo, sur une bicyclette qui n'est pas la mienne. Ce vélo va super bien et super vite. Je n'ai même pas besoin de pédaler puisqu'il n'a ni roues ni pédales, il avance selon mes pensées. Comme si le vélo filait à quelques centimètres du sol. Comme s'il était vivant. Un véhicule super sympathique, comme un prolongement de moi-même. Tu sais, dans les films où il y a un cheval et un cavalier qui sont comme soudés l'un à l'autre, je suis comme ça avec ce vélo sans roues. Heureuse et libre.

Je file dans les rues d'une ville que je ne connais pas, à une vitesse folle et en toute sécurité, je ris comme une perdue et j'ai des frissons, comme dans un gros manège de parc d'attractions.

Au guidon de mon vélo, un panier. Dans le panier, il y a ce que je pense être une petite mousse. Tu sais les petites mousses de pissenlit ? Plus j'avance, plus la petite mousse grossit. Au bout de quelques minutes, la petite mousse est devenue… un chat vache !

Il porte un collier. C'est signe qu'il appartient à quelqu'un. Il me regarde. Je n'ai qu'une idée en tête, faire demi-tour et aller porter le chat vache à Sarah.

Le chat vache me dit :

– Non, non, je ne peux pas faire demi-tour, je suis trop pressé. Je dois aller vers l'avant. Amène-moi à la maison des chats perdus.

– Mais ma sœur Sarah va être folle de joie ! Tu vas l'adorer, je te jure. Et puis, elle ne me croira pas quand je lui raconterai que tu es apparu comme ça dans le panier de mon vélo !

– Je ne peux pas retourner en arrière, je te dis. Je dois aller vers l'avant. Chez les chats perdus.

– Fais-moi confiance, chat vache.

À mon commandement silencieux, mon vélo fait demi-tour. Juste comme je reviens sur mes pas, le chat vache saute hors du panier et file à toute allure dans la direction opposée. Je crie :

– Chat vache!! Chat vache!!

C'est trop tard. Il a filé dans une ruelle. Mon vélo se retourne immédiatement, par instinct. Il veut rattraper le chat vache, mais il a disparu.

Les rues se mettent à se refermer devant nous, des rideaux immenses en bloquent les accès. On ne peut plus avancer. Le décor se referme sur nous et les chemins fondent. Comme si, devant nous, le néant engloutissait tout. C'est difficile à expliquer.

Mon vélo passe en cinquième vitesse pour se sauver du néant qui, comme une vague de tsunami, s'est lancé à notre poursuite. Mais le vélo est si rapide, plus vite que le vent. Et nous retrouvons le calme.

J'aurais tellement voulu apporter le chat vache à Sarah.

Fatiguée, à bout de souffle… Une fois le danger passé, on vole jusqu'à la maison.

Derrière moi, un cri :

– Emma!! C'est moi, Sarah!

Je l'ai reconnue. C'est bien la voix de ma sœur.

– Je suis le chat! Tu reviendras!

Je me suis réveillée, secouée.

* * *

Je me suis tout de suite lancée sur mon iPad. Un vélo sans roues qui obéit à mes pensées, une mousse qui devient un chat vache avec un collier, le décor qui disparaît, la voix de Sarah au loin, dans l'écho… J'ai tout écrit ce dont je me souviens, pour ne rien oublier. Il y a certainement des petits bouts qui ont échappé à ma mémoire, mais je me suis souvenue du principal.

Sarah a les yeux fermés ce matin. En me levant, je lui ai massé les mains et les pieds et je lui ai raconté mon rêve. Je me suis dit qu'en le lui racontant, un sens apparaîtrait dans ma tête.

J'ai quitté le centre pour aller prendre un bain et déjeuner avec maman. J'ai sauté sur mon vélo (je me suis ennuyée de mon vélo sans roues!) et, pour la première fois depuis l'accident, il y a eu quelques secondes où j'ai retrouvé le sourire. Je sais pourquoi. C'est à cause de la voix de Sarah. Bon, c'était dans mon rêve, mais quand même. Ça m'a fait du bien de l'entendre.

Tu devines bien de quoi j'ai parlé à maman quand je suis arrivée! Quand j'ai eu terminé de lui raconter mon aventure de la nuit dernière, maman et moi, on a tenté de décortiquer mon rêve et d'en comprendre le sens. On n'a pas d'expertise en matière de rêves. Nos analyses sont sûrement complètement sottes, mais on essaie de voir les liens entre ce qui s'est passé dans mon inconscient et la réalité. Maman est tellement intelligente.

J'ai résumé la teneur de notre conversation sur mon bloc-notes. Voici ce que ça a donné.

Le rêve.

Depuis presque un mois, le vélo est devenu un élément majeur de ma vie. Un personnage principal. C'est par cet objet roulant que s'est dessiné le destin. Il est donc normal que le vélo soit apparu dans mon rêve. La différence, c'est que dans la vraie vie, le vélo a été l'instrument de la tragédie, alors que dans le rêve, il est une source de bonheur, de plaisir.

Il file à toute allure, obéit à mes pensées, me donne des sensations de joie et de puissance.

La vie aurait été parfaite si j'avais eu la possibilité de conduire le vélo de Sarah à distance, juste avec mes pensées: elle n'aurait jamais eu d'accident.

Mon vélo imaginaire joue le rôle de nos deux vélos réels. Autant dans la vraie vie je déteste mon vélo, que je blâme pour nos malheurs, autant dans mes rêves il redevient un instrument de bonheur. Paradoxal.

Le chat vache, maintenant.

Selon maman, c'est clair que le chat vache est Sarah. Selon moi aussi. D'abord parce que c'est son animal favori, ensuite parce qu'il s'incarne sur un vélo et qu'il saute hors du vélo quand je vais dans la mauvaise direction. Ça me rappelle tellement l'accident. Ensuite, il disparaît dans un monde où je ne peux pas pénétrer, un monde mystérieux et inconnu.

J'aurais bien aimé suivre le chat vache, mais il s'est enfui dans un monde impossible. Ce monde impossible, c'est sûrement le coma.

Et la voix de Sarah qui me demande de revenir, ça veut dire, peut-être, qu'elle me demande de ne pas l'abandonner. Une demande bien inutile, parce qu'elle n'a pas à me le demander, c'est bien évident que je ne l'abandonnerai jamais.

Le collier du chat vache, on n'y a pas vu de sens particulier, sauf peut-être le fait que ce chat n'est pas un chat sans toit, mais un chat domestiqué à la recherche de sa maison et de ses maîtres, même s'il dit appartenir à la maison des chats perdus.

Mais tout ça, c'est de la fantaisie. Ça n'a aucune base scientifique.

C'est ce que j'ai écrit sur mon iPad pour essayer de donner un sens à ma nuit. Ce que je retiens le plus de ce rêve, ce sont les derniers mots de Sarah :

– Tu reviendras !

C'étaient ses mots exacts. Ce n'était pas « J'aimerais que tu reviennes », ni « Reviens, s'il te plaît » ni « Vas-tu revenir ? ». C'était : « Tu reviendras ! » Ce n'était pas une demande ni une question, mais une affirmation. Comme si elle savait que j'allais revenir.

Je te l'avoue (je ne l'ai pas dit à maman) : j'ai hâte à la nuit prochaine.

* * *

Dimanche 22 juillet

Non seulement j'ai hâte à la nuit qui vient, pour voir ce qui se passera, mais je suis aussi curieuse de voir si le rêve aura une suite si je décide de dormir à la maison.

Il faut que tu saches qu'à la maison, Sarah et moi avons chacune notre chambre. La sienne a toujours été parfaitement en ordre, et la mienne, un vrai bordel. Maman ne m'a jamais disputée pour le désordre de ma chambre. Moi-même, par contre, je me suis souvent auto-disputée. Je ne comprends pas comment Sarah fait pour garder toujours sa chambre si bien rangée, si étincelante.

— Simple. Je fais un petit ménage tous les jours.

— Mais je n'ai pas le temps de faire ça, moi, il me semble…

— Ben oui, Emma, tu as le temps. C'est parce que tu consacres ton temps à autre chose. À dessiner, ou à écrire.

Sarah m'a demandé au moins cinq cents fois si je voulais qu'elle m'aide à faire le ménage de ma chambre. Et je lui ai toujours dit oui.

Sauf que je suis trop conne.

Chaque fois, on passe quelques heures à tout replacer, ma chambre devient comme la sienne. Et deux ou trois jours plus tard, c'est le retour au bordel. Ça fait rire Sarah et maman, moi ça me fout un complexe, et je me demande pourquoi.

— C'est dans ta nature, Emma.

Des fois, j'aimerais que maman me dispute. Impossible. Ça me tape sur les nerfs. Chicane-moi, maman. Corrige-moi! Eh non. Elle me laisse m'enfouir dans mon bordel.

Donc, pour la prochaine nuit, question de provoquer les événements, j'ai eu une idée: je vais dormir non pas au centre avec Sarah, mais dans son lit, dans sa chambre. J'ai demandé la permission à maman.

— Pas de problème, Emma, m'a-t-elle dit. Dors dans sa chambre si tu veux.

Normalement je me couche vers 23 h. Je regarde des vidéos de YouTube sur mon iPad, j'écris dans mon journal et je me couche. Ce soir, j'ai tellement hâte de partir au pays des rêves que j'étais dans le lit de Sarah à 20 h 30. J'ai à peine écrit quelques mots dans mon journal.

L'oreiller de Sarah sent Sarah. J'aimerais bien pouvoir te décrire cette odeur, mais c'est difficile, avec des mots, de décrire une odeur. Sarah ne met jamais de parfum. Je ne peux pas dire qu'elle sent le lilas ou le muguet ou la rose ou le sucre d'érable. Sarah sent Sarah. C'est doux. Son oreiller sent comme ses cheveux. Puisque Sarah est autochtone, elle a les cheveux noirs comme du charbon. Les plus beaux cheveux du monde. Maintenant, sur le côté droit de sa tête, ils sont tout courts. Moins que courts : ils sont rasés. Je sais que je suis folle, mais j'ai cherché un cheveu sur son oreiller. Pas trouvé. Mais j'ai retrouvé son odeur et ça m'a fait du bien.

Il est 20 h 39.

En posant ma tête sur l'oreiller, j'ai supplié ma sœur de revenir me voir pendant la nuit. Je veux revoir le chat vache.

Pour être bien certaine de ne rien échapper dans mon inconscient, j'ai réglé mon iPhone pour qu'il me réveille toutes les heures. Puis je me suis endormie.

* * *

Lundi 23 juillet

Il ne s'est rien passé. Je n'ai revu ni le chat, ni le vélo, ni rien. Je ne me souviens de rien. Rien. Pas une personne, ni un événement, ni une action, ni un paysage, rien. Au réveil, je suis effondrée. Je me suis sans doute raconté des histoires…

Au petit déjeuner, j'ai le moral bas. J'avais tellement hâte de réentendre et de revoir Sarah…

Après avoir mangé, je retourne au centre à vélo et j'emporte mon oreiller dans mon sac à dos. Pas celui de Sarah, le mien. Je me dis que mon odeur va la rejoindre, comme son odeur l'a fait pour moi.

En pédalant, je me souviens soudain d'un fragment de mon rêve de la nuit précédente.

Un petit objet dans ma main

J'ai la main gauche fermée, je tiens un petit objet, gros comme une bille, et je suis incapable d'ouvrir la main pour voir ce que c'est. J'ignore comment c'est arrivé là. Dans mon rêve, je demande même de l'aide à maman pour ouvrir ma main, elle force mais est incapable de déplier mes doigts. Je ne sais pas combien de temps ça dure. Je me suis réveillée avant de savoir.

Je n'ai pas d'autre souvenir. Une main fermée sur un mystérieux petit objet.

* * *

En arrivant au centre, j'ai massé les pieds et les mains de Sarah, comme d'habitude. Je l'ai rafraîchie avec une débarbouillette. Je lui ai aussi mis quelques gouttes de mon parfum au lilas et lui ai raconté que j'ai dormi dans son lit. Elle a gardé les yeux fermés. J'ai remplacé l'oreiller du centre par le mien.

Je suis restée avec elle toute la matinée. Quand je suis dans sa chambre, je pense à voix haute. Je veux qu'elle continue à entendre le son de ma voix. Je lui raconte tout ce qui me vient en tête. Ce matin, par exemple, je lui ai dit que j'allais faire une recherche sur les rêves et sur le coma. Sur l'inconscient et le conscient. Je vois ça ainsi : c'est comme si j'allais visiter son pays. Comme si elle habitait désormais ailleurs.

Après, je suis partie à la bibliothèque. Il y en a une belle près de chez nous. Je connais le personnel et François, un homme d'un certain âge qui est mentalement et physiquement handicapé. Il est toujours là et aide un peu les préposées.

En arrivant, je m'assois discrètement pour ne pas déranger le silence de l'endroit, je sors mon iPad. Dans mon journal, j'écris sur mes rêves. Pas ceux des derniers jours, mais ceux qui ont marqué mon enfance, ma vie, que j'ai gardés en mémoire.

Un rêve, c'est comme un dessin dans le sable : ça disparaît vite du paysage, ça s'efface vite. On dit que tout le monde rêve toutes les nuits, et qu'il y a des gens qui ne se souviennent jamais de rien au réveil. Il y a aussi certains rêves qui s'impriment à jamais.

Je me suis creusé la tête rousse. Peut-être que j'ai déjà raconté des choses à maman quand j'étais toute petite, dont elle se souvient et que j'ai moi-même oubliées. Je lui demanderai en revenant de la bibliothèque.

Le grenier aux trésors

Je me souviens d'un rêve que j'adorais et qui est revenu quelques fois. C'est devenu plus vague avec le temps, mais quand j'y replonge, ça vibre.

J'avais trouvé un étage supplémentaire dans ma maison, entre notre rez-de-chaussée et l'appartement de monsieur Robitaille. Une trappe était apparue au plafond de ma chambre. Une trappe inaccessible, bien sûr, à moins d'utiliser une échelle. Maman n'avait jamais eu la curiosité d'aller voir. J'y suis allée. C'est formidable ce que j'ai trouvé là. Une immense pièce avec des plafonds méga-hauts et remplie d'un million de choses. C'était comme une grande salle qu'on imagine dans un château. Les murs et le plafond étaient de bois foncé, le plancher en tuiles noires et blanches, comme un jeu d'échecs. Il y avait des sculptures, des peintures, des jouets anciens, des images, des livres, des vélos et toutes sortes d'armoires avec encore plein de choses à l'intérieur. Des vieilleries magnifiques, et plein d'espace pour jouer, pour courir… Ce grenier aux trésors était beaucoup plus grand qu'un gymnase. Il y avait deux chevaux de carrousel, un écran de cinéma, des vieux fauteuils en cuir, des robes longues sur des mannequins, une armure de chevalier avec une énorme épée, une chaloupe, un bain sur pattes.

Je me souviens d'avoir tenté de dessiner cette salle pour la montrer à Sarah, mais mon dessin n'arrivait pas à traduire ce que j'avais vu. Je suis retournée à la trappe quelques fois, et tout était toujours là. Chaque fois que je me réveillais, j'espérais que tout ça soit vrai.

Un jour, à l'école, j'ai fait un exposé oral sur cet endroit mystérieux juste au-dessus de ma chambre. Tout le monde était jaloux de mon antre aux trésors.

Ascenseurs

J'ai souvent rêvé d'ascenseurs. Et chaque fois, les ascenseurs sont en panne ou vont à toute vitesse dans toutes les directions. Les ascenseurs de mes rêves font peur.

Florilège

Comme dans mon rêve d'il y a deux jours, souvent les animaux de mes rêves se transforment en humains, et vice-versa.

J'ai rêvé que mes cheveux poussaient à une vitesse folle.

Je rêve souvent que je tombe de haut, d'une falaise, d'un précipice ou quelque chose du genre, chaque fois je pense que je vais y rester, mais j'atterris tout en douceur. Ça ne m'enlève pas ma peur.

Je me souviens aussi d'avoir souvent rêvé de Diane, la blonde de maman. Dans mes rêves, elle rit parce que j'ai peur des motoneiges qui deviennent des orignaux et veulent manger dans ma main. Je finis par surmonter ma peur, mais alors je leur tends la main avec des céréales Cap'n Crunch, ils redeviennent des motoneiges. Comme si avoir vaincu la peur ne me servait à rien. C'est con.

C'est tout ce dont je me souviens.

Des millions d'autres aventures nocturnes se sont échappées de ma mémoire, comme des dessins dans le sable.

* * *

Je dois être honnête, je n'y comprends pas grand-chose à l'inconscient et au conscient. Ce sont des idées difficiles à digérer pour une jeune fille comme moi. Alors, je me concentrerai sur les rêves.

Même les plus grands savants n'ont jamais pu percer le mystère des rêves. Il y a des théories, des idées, des interprétations, souvent très différentes les unes des autres. Mais rien de concluant et surtout rien d'officiel. En d'autres mots, ma façon de comprendre les mystères de la nuit est aussi valable que celle de ces grands savants. C'est ce que je me dis. Il m'arrive de me prendre pour une autre. Ça me repose de moi-même.

Je veux revoir Sarah.

Je suis revenue à la maison. J'ai préparé le souper pour maman, qui avait du travail cet après-midi et a aussi rendu visite à Sarah au centre. Ma spécialité en cuisine, c'est la salade grecque. Sarah m'a toujours dit que je faisais la meilleure salade grecque au monde, incluant la Grèce. Elle a raison. Le secret est dans le nombre d'olives, dans la façon de couper le fromage feta et de trancher le concombre (ultra-mince), et dans l'ajout de raisins de Corinthe. Je fais aussi chauffer du pain pita pour qu'il devienne tout sec. Essaie, tu verras, c'est très bon.

Maman ne sait pas que je le sais, mais elle pleure chaque fois qu'elle va voir Sarah. Une infirmière me l'a dit. Elle ne veut pas que je le sache. Elle veut paraître forte pour me donner l'exemple. La vie est bizarre. Moi, je ne pleure presque plus.

Il y a une petite pousse d'espoir dans mon jardin, comme une tige de tulipe en mai. Je dois l'entretenir, la faire grandir. Comme si j'avais mis la main sur un bout de ficelle, à la dernière minute. Je tire sur cette ficelle doucement, au bout de la ficelle il y a une corde, au bout de la corde, quelque chose que je finirai par découvrir. Il me faut être patiente et ne jamais lâcher la corde.

Chaque fois que maman va au centre, elle parle aux responsables. Elle reçoit toujours les mêmes réponses : l'état de Sarah est stable. Elle digère bien le semblant de nourriture qu'on lui injecte. Sa tension artérielle est bonne. Son cœur est bon. Les encéphalogrammes aussi. Elle ouvre les yeux. Mais comme toujours, on ne peut prévoir la suite.

Ce qui me chagrine quand même, c'est que Sarah ne goûte plus rien. Sarah aime tout, surtout les champignons, toutes les sortes de champignons. Elle aime aussi les aliments bizarres, comme le boudin ou les rognons de veau. Moi, je trouve que le boudin c'est dégueu et que les rognons ça sent le pipi. Mais Sarah aime ça. Comme la cervelle et le foie. Pour moi, c'est une question de gènes.

Comme j'ai déjà lu que le goût des aliments passe surtout par l'odeur, je vais lui apporter des épices et des oignons frits pour lui passer ça sous le nez.

— Sens, Sarah, sens comme c'est bon.

Entre maman et moi, la discussion au souper de ce soir tourne autour de la conscience et du cerveau. Comme le cerveau de Sarah est encore bien vivant, je me demande ce qu'il produit. Pour moi, c'est la clé. Si son cerveau était complètement éteint, elle serait dans un état végétatif, probablement incurable. Il n'y aurait pas cette jeune pousse de tulipe dans mon jardin, cette corde que j'ai attrapée.

Les spécialistes qui renseignent maman ne peuvent pas se prononcer, mais au moins, ils ne la découragent pas. Il n'est pas question d'abandonner. Ni pour eux, ni pour nous. Encore moins pour elle. Je la connais, ma sœur.

Après souper, j'ai regardé un peu la télévision, puis j'ai roulé jusqu'au centre. J'ai appelé la préposée qui travaille le soir. Elle s'appelle Pascalina. C'est une jeune Chilienne née à Santiago, et elle ressemble à Sarah. Cheveux noirs, yeux noirs, une voix douce, musicale, et des dents comme de l'ivoire. Dès que je suis arrivée, elle a installé mon lit.

Je me sens toujours bien quand je vais au centre. Je sens de l'amour.

J'ai apporté quelques petites bouteilles d'épices et un petit sac d'oignons frits. Mais pas de rognons.

N'exagérons rien, Poca.

La nuit du lundi 23 juillet

J'ai dormi avec Sarah cette nuit. La tête sur son oreiller, que j'ai apporté au centre. Je n'avais pas programmé mon iPhone, comme à la maison, mais je me suis réveillée au moins quatre fois. Chaque fois, troublée.

Sarah, comme un mirage

Je te jure : Sarah est apparue toute la nuit dans mes rêves. Toutes les fois !! Et jamais, jamais je n'ai pu entrer en contact avec elle. Elle était trop loin ou dans une situation où il m'était impossible de l'approcher. D'abord j'étais dans une grande ville et il y avait tant de circulation que je ne pouvais pas me lancer à sa poursuite. Trop dangereux. Une autre fois, je ne l'ai pas vue, mais je sais qu'elle était dans un bureau avec la porte fermée et verrouillée, elle rencontrait un explorateur. J'ai essayé de frapper à cette porte, mais je ne parvenais pas à la toucher. Si elle m'avait entendue frapper, elle m'aurait ouvert. Mais non.

Je me suis éveillée frustrée.

Le matin du 24 juillet

Ce matin, je me suis lavée au lavabo de la chambre de Sarah, je lui ai encore une fois massé les pieds et les mains, lui ai fait respirer de l'origan, du cari, de la menthe et du cumin, et je suis repartie vers la maison, le cœur lourd.

Ne te sauve pas de moi, Sarah. Laisse-moi te parler. Je veux te parler…

Je suis allée à la bibliothèque très tôt ce matin. Dès l'ouverture. Il y avait cette fille, assise non loin de moi. Je me suis tournée, je l'ai vue. J'étais certaine que c'était Sarah. Comme je ne peux pas crier à la biblio, je me suis levée pour aller l'embrasser.

Ce n'était pas elle. C'était François, qui travaille à la bibliothèque.

Je ne sais pas si François est autiste ou trisomique. Ou les deux. Je ne comprends pas pourquoi j'ai pensé que c'était Sarah, il ne lui ressemble pas du tout. Il est à la bibliothèque depuis que Sarah et moi y allons. Il est tout petit. Il semble avoir l'âge mental d'un enfant de cinq ans. Il pense que je connais James Dean (l'acteur favori de maman) et il aimerait bien que je le lui présente.

Ça fait chier d'avoir vu Sarah toute la nuit sans avoir pu lui parler. Mais je me suis consolée : au moins, je sais qu'elle est là, bien vivante. Évasive, mais bien vivante. Elle vit dans ma tête. C'est mieux que rien.

J'ai le goût de pleurer.

J'ai raconté tout ça à maman. Je constate qu'elle ne trouve pas ça très sain. Elle me dit que je me rends la vie difficile. Ça se peut qu'elle ait raison, mais je ne peux pas m'en empêcher. J'aime tellement ma sœur.

Je t'aime, Sarah.

Chapitre 3
Courir après Sarah

Tout a vraiment commencé dans la nuit du 24 juillet.

D'abord, il faut que je te parle d'un ami de la famille. Il s'appelle Pierre. Je le vois souvent et je le connais depuis toujours. C'est un policier, aujourd'hui à la retraite. Il a travaillé avec Diane, la conjointe de maman, pendant plusieurs années. Quand Diane était patrouilleuse, c'était son partenaire.

Pierre joue de la guitare. Chaque fois qu'il y avait un party de policiers, Pierre et Diane faisaient leur numéro. Ils chantaient des chansons, surtout des sambas, mais aussi des vieux hits des Beatles et de Simon and Garfunkel, des chansons de leur âge, quoi…

Pierre n'était pas un policier comme les autres. Il est trop doux, c'est un humaniste. Chaque fois que des policiers de Montréal allaient séjourner dans un pays en difficulté afin d'aider les gens là-bas, Pierre était du voyage. Il est allé souvent à Haïti.

Diane aimait beaucoup Pierre.

Pierre est célibataire et n'a pas d'enfant. Mais à force de travailler à Haïti, il a appris à beaucoup aimer les enfants. Ainsi, chaque fois qu'il venait faire un tour à la maison, il apportait un cadeau pour Sarah et un pour moi. Il nous a emmenées à La Ronde, au Jardin botanique, dans le Vieux-Montréal, voir une partie de hockey et faire plein d'autres sorties. On se payait la traite.

Je me souviendrai toujours, quelques mois après la mort de Diane, il avait demandé la permission à maman de nous emmener passer quatre jours à New York. On avait visité plein de choses, surtout des édifices et des constructions. Pierre a beaucoup de connaissances. Il nous a raconté l'histoire de Central Park. Tu savais, toi, que le type qui a dessiné Central Park, cet immense parc naturel au milieu de l'île de Manhattan, eh bien, c'est le même qui a dessiné le parc du Mont-Royal à Montréal? Un monsieur Olmsted. Moi, je ne le savais pas.

Il nous a aussi raconté le pont de Brooklyn, l'Empire State Building, Times Square, Broadway. En plus de nous parler de toutes sortes de personnages importants dans l'histoire de New York. Ça a été quatre jours formidables.

Mais notre tradition la plus magique avec Pierre, c'est la pêche. À notre Noël de six ans, il nous a offert tout l'attirail nécessaire pour pêcher, à Sarah et moi. Il a insisté pour nous dire que ce n'était pas de l'équipement pour enfants, mais du matériel professionnel. Deux cannes avec moulinets, deux coffres bien remplis d'appâts, de leurres et d'hameçons, et deux petits chapeaux avec large rebord qu'on s'enfonce jusqu'aux oreilles.

Tous les ans, depuis neuf ans, on se fait un long week-end de pêche. Moi, je trouve ça long des fois, passer des heures dans une chaloupe à attendre le poisson, mais quand ça mord, c'est super le fun. Sarah a toujours eu plus de succès que moi avec sa canne à pêche. Pour l'agacer, je lui dis toujours que c'est parce que ses ancêtres étaient des experts et qu'elle sait parler avec les poissons.

Ces expéditions de pêche avec Pierre comptent parmi mes plus beaux souvenirs. On va toujours dans des endroits que personne ne connaît, sauf lui.

Je te parle de lui parce que je l'ai revu cette nuit, en rêvant.

L'omble de l'Arctique

Je rêve.

Le paysage est magnifique. Pourtant, il n'y a ni arbre, ni montagne, ni champ de blé, ni colline. C'est une plage d'hiver que j'imagine dans le nord du Nord. Désertique bord de mer. Ça pourrait être l'océan Arctique, je ne sais pas.

Il y a une grande plage, mais elle est blanche, comme si elle était faite de neige. Pourtant elle n'est pas froide et nous ne nous enfonçons pas lorsque nous y marchons. Le temps non plus n'est pas froid. Il y a un beau soleil matinal, rouge et bas. Il y a beaucoup de glace et de petites banquises de toutes les formes. La mer est bleu foncé et calme.

Je suis avec Pierre, qui tire derrière lui une énorme chaloupe d'aluminium. Il la tire comme si elle pesait une plume ou deux. Je porte une veste orange et de longues bottes de caoutchouc. Lui aussi. Nous allons à la pêche. Tout mon attirail est prêt : ma ligne, mes appâts, mes hameçons.

La mer a un rythme plus reposant que d'habitude. L'eau est si claire devant moi que je vois les poissons. Il y en a des millions. Moi qui ne suis pas patiente, je sens que je n'aurai pas à attendre longtemps avant d'en capturer un beau.

– Il y a beaucoup de poissons ici, me dit Pierre. Personne n'a jamais pêché à cet endroit. Je te le promets, nous allons sortir du gros poisson.

Il pousse la grande chaloupe à l'eau. Je suis assise devant. Il y a un petit moteur à l'arrière de la barque.

Nous prenons la mer en chantant tout bas une vieille chanson, sa favorite : *Partons, la mer est belle*. On rit, parce qu'on ne connaît pas toutes les paroles, alors on en invente. Pierre est bon pour inventer des paroles de chansons. Moi aussi.

— Prépare-toi, la Rouge, ça va mordre vite.

— T'inquiète.

Il m'a toujours appelée «la Rouge» comme le font maman et Sarah. Juste à cause de ça, je sais qu'il m'aime. Autant ça me tape sur les nerfs quand les autres, à l'école, font allusion à la couleur de mes cheveux, autant quand ça vient de lui, j'aime ça. On appelle ça un «passe-droit». Il est si gentil.

Pierre avait raison : ma ligne est à l'eau depuis à peine deux minutes qu'un gros poisson se manifeste. Comme il me l'a appris, je donne un bon coup vers l'arrière pour le ferrer et ça y est, je l'ai !

Pierre a posé sa propre canne dans la chaloupe et s'est emparé de la puise. Il vient me rejoindre à l'avant. Je me bats avec le poisson quelques minutes. Comme il s'approche de la chaloupe, Pierre met la puise à l'eau, prêt à le capturer.

— C'est un omble de l'Arctique ! s'exclame-t-il. Wow ! Un géant ! Bien meilleur qu'un saumon ! Je salive, Emma, je salive, ce sera tellement bon !

Quand mon omble de l'Arctique est juste au bord, il s'en empare sans problème. Je me tourne vers lui en riant et… pouf ! Pierre a disparu…

Non, il s'est métamorphosé !

En Sarah.

C'est Sarah qui sort l'omble de l'eau. Quand je la vois, j'en échappe ma canne et je lui saute dessus.

– Sarah!

– J'ai fait un beau feu et nous allons manger ton gros poisson, me dit-elle. Avec des oignons frits.

Elle porte la marque de sa blessure sur son front. Je lui demande si ça lui fait mal.

– Pas du tout, Emma.

Je sens que je ne dois pas la bousculer, ni lui poser trop de questions. J'ai peur qu'elle s'envole comme un papillon. Aussitôt, elle me demande une chose très claire: ne rien dire à personne de ses visites nocturnes, même pas à maman. Garder nos rencontres et nos discussions entre nous deux. Elle me dit aussi qu'elle a besoin de moi pour «faire son travail». Je te jure, c'est ce qu'elle dit: «Pour faire mon travail.» Rien d'autre.

Le poisson est énorme et vigoureux. Il bondit dans le fond de la chaloupe. Je regarde ma sœur, elle a un de ces sourires…

– Pourquoi tu ne veux pas que je dise à maman que je t'ai vue?

– Ce n'est pas prudent. Ça peut tout gâcher.

– Parfait. Je ne dirai rien. Juré craché.

– Merci pour les épices et les oignons frits.

Mais à ce moment le poisson s'échappe presque! Je le saisis par les ouïes et je le ferre à la chaîne pour ne pas le perdre. Normalement, ce n'est pas moi qui fais ça, c'est elle. Fière de moi, je me tourne pour recevoir ses félicitations, mais Sarah n'est plus là. Pierre non plus.

C'est Diane, tout habillée en policière avec un écriteau «Stop» dans la main, qui se tient devant moi. Alors commence une conversation insensée.

Elle me dit:

– N'oublie pas mes directives.

– Mais quelles directives? Tu ne m'as rien dit!

– Bravo, Emma. Beau poisson. On aura tout un déjeuner! J'ai préparé le feu et j'ai aussi des champignons comme tu les aimes. Et du jus de tomate.

– Ce n'est pas moi qui aime les champignons, c'est le chat vache.

Je me suis réveillée, confuse.
Mais dans quel monde suis-je?

* * *

Le matin du mercredi 25 juillet

Autant je suis contente d'avoir parlé à Sarah, autant je suis totalement troublée. Est-ce que je m'invente une réalité parallèle? Est-ce que je suis dingue? Est-ce que j'ai des troubles mentaux?

Je crains de devenir folle. Puis, je me calme en me disant que je le suis déjà. Quelque chose me dit de rester *mellow*. De ne pas paniquer.

Avant de quitter le centre, j'ai encore donné un massage aux pieds et aux mains de Sarah. J'ai aussi lavé ses beaux cheveux ébène. J'ai hâte qu'ils repoussent du côté droit. J'ai brossé ses magnifiques dents.

Puis j'ai passé la journée à la bibliothèque. À lire toutes sortes de choses en rapport avec les rêves.

Ma tête a roulé à toute vitesse aujourd'hui. J'ai écrit mon rêve sur mon bloc-notes. Je ne dois rien oublier. Je vais retourner dormir avec Sarah ce soir, mais je veux souper avec maman. Elle aussi est allée voir Sarah cet après-midi. Je suis certaine qu'elle a encore pleuré.

Je suis déjà à la maison quand elle rentre. Je fouille sur Internet. Recherche sur les rêves.

— On va se faire une super bouffe, Emma, me dit maman.

— Qu'est-ce qu'on mange?

— Du poisson avec des champignons.

Est-ce une coïncidence?!

Le repas est délicieux. Tu te doutes bien que c'était exactement ce que j'avais envie de manger après le rêve de la nuit dernière : du poisson!

— Penses-tu que Pierre va venir nous voir bientôt? je demande à ma mère.

— C'est sûr. Je l'ai appelé pour lui raconter ce qui est arrivé avec Sarah. Il est bouleversé.

— J'aimerais retourner à la pêche avec lui.

— Il va nous rappeler, ne t'en fais pas.

— C'est quoi, le poisson qu'on a mangé?

— Ça ressemble à de la truite saumonée. C'est de l'omble de l'Arctique. Ils n'en ont pas toujours à la poissonnerie. J'en ai profité. Il est arrivé ce matin. Rien comme du poisson frais, hein?

Je suis bouche bée. Entre le rire et la panique. Le doute, la certitude, l'imaginaire, le réel et l'espoir. Sarah, arrête!

Avant de retourner au centre, je me suis encore installée devant l'ordinateur. Je veux relire ce qu'il en est avec les rêves qu'on appelle « prémonitoires » et faire le résumé de mes trouvailles.

Il arrive à l'occasion qu'une personne rêve de la mort ou de la maladie d'un proche. Les rêves prémonitoires sont souvent plus « clairs », plus « précis ». On ne se doute pas qu'on a fait un rêve prémonitoire avant que l'événement auquel on a rêvé se réalise. Ces rêves font l'objet de nombreuses recherches, et personne n'a jamais été capable d'en élucider le mystère. J'aurais bien voulu m'ouvrir à maman, mais je me suis souvenue de la demande de Sarah.

Je tends à devenir mêlée, troublée. L'affaire, c'est que je ne sais pas si c'est mon imagination, si c'est une coïncidence ou quelque chose d'autre. Peut-être que je suis si pressée que Sarah revienne à elle que mon cerveau pousse dans ce sens? Qu'il me fait croire qu'elle est toujours là?

Je ne sais plus si j'ai peur ou si je suis surexcitée.

Garder le silence est très difficile. Chose certaine, après toutes mes lectures, il est clair que le rêve prémonitoire existe. Je le sais maintenant mieux que quiconque. Non mais, penses-y: de l'omble de l'Arctique? Réellement? Et arrivé le matin même à la poissonnerie, comme s'il avait été pêché la veille?

Je saute sur mon vélo et retourne auprès de ma sœur. J'ai tout ça à lui raconter. Si elle ne le sait pas déjà…

Sarah a les yeux fermés. Pascalina lui a donné un bain, et lui a mis quelques gouttes de mon parfum.

Jeudi 26 juillet

Cette nuit, je n'ai pas pu parler à Sarah. Pense à une inlassable poursuite; c'est à ça que j'ai rêvé. J'ai poursuivi Sarah toute la nuit. Elle ne se sauve pas de moi, elle ne sait même pas que je suis à ses trousses. Pour une raison que j'ignore, je n'ai plus qu'un très mince filet de voix. J'aurais bien voulu lui crier de m'attendre, j'en suis incapable. Je ne l'ai pas vue de face, mais je sais que c'était elle. J'ai reconnu son linge et sa façon de marcher.

Non mais, quelle poursuite frustrante! Et pourquoi? Pourquoi je n'ai pas pu la rejoindre? Qu'est-ce que ça signifie?

Il y a toujours une embûche, je ne les compte plus. Par exemple : Sarah parvient à descendre un escalier, et au moment où j'arrive au même escalier, les marches deviennent soudainement trop étroites pour moi, je risque de me la péter, alors je fais un long détour pour passer par un autre chemin, et je perds ma sœur de vue. Je me renseigne auprès des gens, en murmurant : « Avez-vous vu une jeune fille avec les cheveux noirs et un chandail plein d'étoiles roses ? » Ils ne comprennent pas ma langue. Ou ils parlent trop lentement et je deviens impatiente. Ne sachant par où repartir, je regarde dans toutes les directions, essoufflée.

Et là, soudainement, je la vois au loin et je cours comme une folle en essayant de crier. Impossible, ma voix est toujours éteinte.

Pierre, mon ami pêcheur, est aussi apparu dans sa chaloupe avec son petit moteur et m'a demandé si je voulais embarquer avec lui, ça irait plus vite. Le pauvre ne réalise pas qu'on est en pleine ville et qu'il n'y a pas d'eau. Il est reparti en ramant dans la rue, mais je n'ai pas eu le temps de me préoccuper de lui. Sarah était là, à une centaine de mètres devant moi.

Une jeune femme m'a donné un scooter.

– J'en ai deux, m'a-t-elle dit.

J'ai enfourché le scooter, mais j'ai réalisé que j'allais encore plus vite en courant. Mes souliers se sont mis à glisser sur l'asphalte comme des patins à roues alignées. J'ai dévalé les escaliers comme si de rien n'était. Mais je n'ai jamais pu rejoindre Sarah. En passant devant un petit commerce de crème glacée, je l'ai vue du coin de l'œil derrière un comptoir, je suis revenue vite sur mes pas, mais elle n'y était plus.

Je suis si essoufflée.

Vendredi 27 juillet

Une autre nuit frustrante. Une autre nuit de course sans fin. Bien sûr, j'ai essayé d'interpréter cette chasse vaine et épuisante. Est-ce que Sarah veut me dire qu'elle ne peut plus me parler ? Que tout ça, ces rêves, ce ne sont finalement qu'une illusion que je me crée ?

En me réveillant ce matin-là, j'ai embrassé ma sœur, je me suis habillée et je suis retournée sur les lieux de l'accident.

Le camion n'était plus là, bien sûr. J'ai regardé sur le pavé et toute trace de sang avait disparu. Après avoir observé l'endroit avec émotion pendant quelques minutes, je suis allée frapper à la porte de Julie Duplessis, la dame infirmière qui nous a aidées quand l'accident est arrivé.

Elle était étonnée de me revoir, mais semblait très heureuse de ma visite. Elle m'a immédiatement demandé des nouvelles de Sarah. On a bu une tisane. Je lui ai tout raconté. Aller sonner chez Julie, c'était comme un genre de réflexe. C'était irréfléchi. Juste l'instinct. J'avais envie de lui parler de Sarah. Je suis restée chez elle une demi-heure. Puis on a échangé nos numéros d'iPhone. Elle m'a invitée à venir souper quand je voulais.

C'est en sortant de chez Julie que j'ai su pourquoi j'y étais allée.

Je ne t'ai pas dit que depuis deux semaines, je porte ma tuque verte. C'est une tuque que je n'avais jamais mise. Sarah avait demandé à maman de lui montrer à tricoter. Et la première chose qu'elle a tricotée, c'est cette tuque verte. Elle me disait que ça s'agençait bien avec mes cheveux.

Quelques jours après l'accident, je l'ai ressortie de ma malle aux souvenirs et, depuis, je la porte. Même si on est en plein été.

Or, avant de me rendre sur les lieux de l'accident ce matin, j'ai mis ma tuque. Je l'ai enlevée quand je suis entrée chez Julie et je l'ai laissée sur un petit meuble dans le vestibule. Je l'ai oubliée en sortant. Je suis revenue sur mes pas pour aller la chercher.

J'ai sonné à la porte.

— J'ai oublié ma tuque.

Elle me l'a remise, et on s'est saluées de nouveau. En revenant vers mon vélo, je ne sais pas pourquoi, je me suis retournée.

Il était là, sur le bord de la fenêtre, à l'intérieur. Je ne l'avais pas vu quand je parlais à Julie. Pourtant, je ne suis pas dans un rêve! Je suis tout à fait éveillée. Et j'ai vu... le chat vache!

Je ne savais pas si c'était le même. De loin, j'ai reconnu le collier. Je suis tout de suite revenue à la porte de la maison, en courant, et j'ai sonné une nouvelle fois. Julie m'a ouvert.

— Excusez-moi, Julie. Je veux juste savoir : le chat noir et blanc, il est à vous?

— Quel chat?

— Celui à votre fenêtre de salon...

— Tu dois te tromper, Emma, je n'ai pas de chat. J'aimerais bien, mais je suis allergique. Au moindre contact avec du poil de chat, les yeux me piquent, je renifle et j'ai des maux de tête...

— Pourtant... Je suis certaine que j'ai... Excusez-moi.

Je suis retournée vers mon vélo.

Hallucination?

Moi qui pensais que Sarah m'avait abandonnée, après deux nuits à la poursuivre sans pouvoir la rejoindre... Le chat vache m'a redonné espoir. Mon sourire est revenu. Je suis rentrée à la maison avec ma tuque bien enfoncée sur la tête, ma tête pleine de ma sœur.

Au souper, je n'ai pas parlé du tout et je sais que maman s'en est inquiétée. Je suis prise entre deux feux. Je ne veux pas décevoir maman, mais je ne veux pas trahir ma parole. Sarah m'a demandé de ne parler à personne de nos rencontres... Mais là encore, est-ce que c'est réellement Sarah ou c'est moi-même qui m'impose ces restrictions ?

Maman m'a suggéré d'aller rencontrer une de ses amies. Je sais qui est cette amie : c'est une psy. Ma mère pense que je suis en crise. Je la comprends. À sa place, je penserais la même chose.

Elle m'a obtenu un rendez-vous pour le lendemain.

* * *

Madame Colin, la psychologue, est une vieille amie de ma mère. Je vais te dire la vérité : je suis allée la voir pour faire plaisir à maman. Je suis consciente d'être très préoccupée par tout ça, mais je ne crois pas être en crise.

Madame Colin a été gentille. Elle m'a offert un jus de raisin avec du *ginger ale*, ma boisson favorite. J'avais une bonne idée de ce dont elle allait me parler. Elle m'a demandé comment j'allais et j'ai répondu la vérité.

– Pas très bien, depuis l'accident.

– Oui, je m'en doute. Ta mère m'en a parlé. Tu sais, elle ne te le dira jamais, mais elle non plus ne va pas bien. À cause de Sarah, tu le sais, mais elle s'en fait aussi beaucoup pour toi. Elle m'a dit que tu allais coucher au centre avec

Sarah, presque toutes les nuits. Je ne sais pas si c'est une bonne idée…

— Je ne me pose pas la question, madame Colin. J'obéis à mes instincts. Faire attention à ma sœur, ça me fait du bien à moi.

— Mais, Emma, tu as une vie! C'est très bien que tu t'occupes de ta sœur comme ça, mais tu ne dois pas laisser ta vie de côté.

— Madame Colin, je pense à moi, ne vous en faites pas.

— Je ne suis pas certaine de ça, Emma. Je sais que tu te crois coupable de l'accident. Marie-Andrée m'a raconté. Tu n'as pas à te sentir responsable de la condition de ta sœur.

— Je SUIS responsable, madame Colin!

— Non, tu n'es pas responsable. Un accident, c'est un accident, ce n'est pas ta faute, c'est la vie…

La discussion a continué comme ça pendant plus d'une heure. Madame Colin s'est montrée égale à elle-même : gentille, généreuse. Elle m'a dit de revenir quand je le voulais et de ne jamais hésiter à l'appeler, peu importe l'heure du jour ou de la nuit.

Je t'avoue que j'avais peur qu'elle me parle de mes rêves, ceux que j'avais confiés à maman avant que Sarah me demande de me taire. Mais non. Elle a à peine effleuré le sujet.

— Ta mère m'a aussi dit que tu avais été troublée par certains rêves… Tu sais que les rêves sont des créations inconscientes des rêveurs. Il ne faut pas leur accorder trop d'importance…

Je ne voulais pas lui mentir. Mais elle ne m'a pas placée dans une situation qui ne m'aurait pas laissé le choix. Sarah m'a dit de ne rien dévoiler, et j'ai tenu parole.

Ma conversation avec madame Colin m'a fait beaucoup réfléchir après coup. Remarque, je n'ai pas été étonnée qu'elle tente de me déculpabiliser, elle m'a tenu à peu près le même langage que maman. M'a encouragée à «penser à moi», à vivre ma vie.

— Tu sais, Emma, tu n'auras pas deux adolescences. Tu n'en auras qu'une, comme tout le monde. Il ne faut pas que tu la gâches ou que tu passes tout droit.

Maman pense la même chose. Elles ne comprennent pas que je la vis, ma vie.

Ce n'est pas ce bout-là de la conversation qui m'a fait réfléchir, c'est le bout sur les rêves. Quand elle dit que les rêves sont la création du rêveur. Que tout se passe à l'intérieur de ma propre tête, sans influence réelle des autres. Les autres ne peuvent pas volontairement avoir un impact sur ce que mon propre cerveau crée. Tout vient de moi-même. Alors, quand je crois que Sarah cherche à me dire quelque chose ou à m'influencer pendant que je dors, ce serait mon imagination… Une invention de mon cerveau.

Trouve-moi folle si tu veux, mais j'ai bien l'intention d'en parler à la seule personne qui saura me le dire… Tu sais que je parle de Sarah.

Au souper, maman m'a demandé comment s'était passée ma rencontre avec madame Colin, même si je sais que les deux femmes se sont parlé depuis. Dès que j'ai mis les pieds dans la maison, maman a raccroché le téléphone. C'est évident qu'elle parlait avec madame Colin.

— Elle est gentille, ton amie.

— Tu fais quoi ce soir?

— Je vais aller au centre.

— Tu vas revenir dormir ici?

— Je ne pense pas. Je vais dormir avec Sarah.

— Emma, ce n'est pas une bonne idée. Il faut que tu te reposes. As-tu pensé à aller travailler à la crémerie?

— Ça ne me tente pas, maman. Pas du tout.

La nuit du vendredi 27 juillet

J'ai apporté du shampoing pour bébés pour Sarah, ça a toujours été son shampoing favori. J'ai remis la bouteille à Pascalina qui est encore de garde ce soir. J'aurais bien voulu laver les cheveux de Sarah, mais Pascalina l'avait déjà fait.

Ma tête est dans un vrai tourbillon. J'ai des questions, des questions et encore plus de questions, et pas une seule réponse. Toutes ces questions reviennent en force dès que je mets la tête sur l'oreiller pour dormir. Au point où je ne sais pas comment je fais pour m'endormir. Je dois être très fatiguée.

Les rêves nous apparaissent «normaux» durant la nuit, mais quand on y repense le jour, quand on les repasse dans notre tête, ils n'ont aucun bon sens, aucune logique.

Dans ma tête, il y a mes rêves, mes recherches, ma «vraie» vie. Trop de choses s'y bousculent. Il n'y a plus de place pour rien d'autre, on dirait qu'elle craque de partout.

Une maison de campagne

Je rêve.

Cette nuit, je me retrouve dans une maison de campagne que je ne connais pas. Elle est isolée, avec plein de champs de blé tout autour. Un grand arbre, seul, se dresse dans la plaine. Je crois que c'est un orme. Le vent est chaud, léger et constant. Si je devais choisir un endroit pour me retirer et avoir la paix, c'est là que j'irais.

Le ciel est parfait. Ça sent sec.

J'ignore comment et pourquoi je me suis retrouvée là.

Sur l'immense galerie avant (qui fait presque le tour de la maison), il y a, comme dans les films, une chaise berçante qui grince ; dans la cour avant se trouve une balançoire, qui grince aussi.

Je ne sais pas qui habite la maison, mais pour une raison inconnue, je m'y sens comme si c'était chez moi. Il y a de vieilles lampes un peu partout à l'intérieur, de vieux meubles, des sofas d'un autre âge, une petite desserte roulante. J'ai ouvert les armoires de la cuisine. J'y ai trouvé des assiettes blanches toutes craquelées. Des ustensiles très simples, des casseroles d'une autre époque, des poêlons en fonte qui pèsent des tonnes.

Un escalier mène au deuxième étage, où il y a trois portes, je les vois depuis le rez-de-chaussée. Je ne monte pas, trop préoccupée par la sécurité des petits moutons bruns. Car dans la maison, il y a un chat blanc avec une médaille portant son nom, il s'appelle Héro, et il y a trois petits moutons bruns. Quand je dis « petits » moutons bruns, je te jure, ils sont minuscules. Ils tiennent dans ma main. Ils mesurent dix centimètres et sont tous les trois très actifs. Ils courent et sautent et s'amusent. J'ai peur que le chat blanc ne les attrape, alors je les surveille de près, même s'ils sont difficiles à suivre. Comme je tente de mettre le chat hors de la maison, le voici qui se transforme en labrador noir.

Autant je sentais que le chat était en chasse, autant le chien est calme et pacifique. Avec le chien, je ne crains plus pour les petits moutons.

Je regarde dehors, entre les rideaux rouge et blanc. Tout le paysage a soudainement une teinte bleutée, comme si j'avais chaussé des verres fumés bleus. C'est beau.

J'aperçois soudain le chat de tantôt. Pourtant le chien noir est encore dans la maison. À moins que ce ne soit un autre chat semblable au premier? Je ne me suis pas posé la question. Dans un rêve, tu acceptes les événements tels qu'ils surviennent, sans t'interroger sur le quoi, le quand, le pourquoi ou le comment.

Deux des petits moutons sont sur mes genoux et dorment. Le troisième agace le chien qui se laisse faire.

Alors, une musique que je reconnais arrive d'une des chambres en haut. Doucement.

C'est la musique favorite de maman, une version très douce et délicatement rythmée de la pièce *Chega de Saudade* d'Antonio Carlos Jobim. J'ai appris le titre. Que veux-tu, j'entends cette musique depuis toujours. Elle l'a même enregistrée comme sonnerie de son iPhone. Je me demande si la musique est dans ma tête ou si je l'entends pour vrai. Mais, dans le fond, ça ne fait aucune différence…

Enfin, je monte à l'étage. Les trois portes sont entrouvertes. Il y a un dessin sur chacune d'elles. Trois beaux dessins.

Sur la première, une vieille roulotte gitane et une guitare.

Sur la deuxième, une petite fille aux cheveux noirs.

Sur la troisième, un chat vache avec un collier.

La musique vient de cette troisième chambre et pourtant, il n'y a pas de haut-parleurs, ni rien. Aucun lecteur de disques, pas de radio ni de iPod. Seulement un lit qui sent mon parfum au lilas, une petite table de chevet et une lampe qui éclaire en bleu.

Je retourne en bas. Le chien n'est plus là, mais le troisième petit mouton y est, enjoué.

Puis cette voix, venue de l'étage.

— Veux-tu que je baisse le volume, Emma?

C'est la voix de Sarah. Je tourne la tête. Elle descend l'escalier avec un sourire large comme un quartier de lune. Elle est habillée exactement comme elle l'était le jour de l'accident, le 23 juin dernier. Ses vêtements sont intacts. Un des petits moutons lui saute dessus, affectueusement.

— Sarah!?

— Emma! Tu as rencontré mes petits moutons?

— Évidemment.

— Ils s'appellent Samuel, Ion Ludovic et Erwin.

Même si j'en ai envie, je ne veux pas lui sauter au cou et la serrer dans mes bras. Un sixième sens me dit qu'elle est fragile comme une bulle, que le moindre choc peut la faire disparaître. J'ai tant de choses à lui dire.

— Et l'omble de l'Arctique, il était comment? demande-t-elle.

— Il était fantastique et il m'a troublée…

— Je sais, je sais, et j'ai bien ri!

— J'ai fait ce que tu m'as demandé, Sarah: je n'ai rien raconté à personne de nos rencontres.

— Oui, je sais. Je sais aussi que tu aurais bien besoin de te confier à quelqu'un… Continue de me parler, Emma, quand tu viens au centre.

— Mais tu ne m'entends pas, Sarah!

— Ah non? Les épices? Ton oreiller? Le shampoing que tu as apporté ce soir? Ton petit lit juste à côté du mien? Et ton parfum que tu as remis à Pascalina? Sens-moi…

Elle s'approche de moi et me tend son poignet. Je le sens. Il y a mon parfum.

— Alors, ne dis pas que je ne t'entends pas…

— Mais Sarah, tu as presque toujours les yeux fermés et tu ne réagis à rien. Comment je peux savoir que tu entends?

— J'entends, je vois, même les yeux fermés.

— Et comment pourrais-je te croire? Comment je fais pour me convaincre que ce n'est pas moi qui crée tout ça dans ma tête, dans mes rêves, là, juste là, pendant qu'on se parle?

— Est-ce que je t'ai déjà menti, Emma?

— Non. Mais là, juste là, au moment où on est ensemble et où on se parle, dans cette maison que je ne connais pas, je sais que ce qui se passe, c'est dans un rêve… Je sais que je dors et que tout ça se passe dans ma tête.

— Ta belle tête…

— Je sais que ce n'est pas vrai. Mais il y a le chat vache que j'ai vu pour vrai et il y a ce bon poisson que j'ai mangé pour vrai, avec maman. Des coïncidences? Des illusions?

— Non, Emma. C'est un nouveau monde parallèle que je construis avec toi…

— Je veux te croire, ma sœur, tellement… Sauf que je ne veux pas m'engouffrer dans un vaste mensonge, comme…

— … comme madame Colin te l'a dit, hier.

— Exactement. Comme madame Colin me l'a dit, hier. Tu me fais peur, Sarah.

Un monde parallèle? Je ne sais pas jusqu'où je peux aller dans mes questions à ma sœur. J'ai peur d'être déçue et de constater qu'en effet, je vis une grande illusion.

Si je lui demande une preuve, j'ai trop peur d'être détruite. Si, en effet, c'est une illusion, j'aime mieux en rester là que de ne rien avoir.

Ne m'explique pas ton truc, magicienne, fais-moi rêver…

— Emma, je sais ce que tu veux.

— Je veux juste que tu me reviennes, Sarah. C'est moi qui t'ai envoyée là où tu es, dans un «monde parallèle». Mais je m'en fous de ce monde parallèle! Ce que je veux, c'est toi! C'est notre amitié qui est plus forte que tout!

— Moi aussi, Emma, j'ai besoin de toi. Plus que tu penses.

— Tu vas rester longtemps comme ça? Tu vas redevenir comme avant, un jour? S'il te plaît, dis-moi oui, s'il te plaît!

— Je ne peux pas te dire oui. Mais je peux te dire que ce n'est pas fini…

— Tout ça, c'est ma faute. Je suis une grosse conne.

— Arrête! Tu ne peux pas imaginer ce que tu as fait pour moi, ma sœur. Pour nous.

— Qu'est-ce que tu veux dire?

— Ce serait trop compliqué à t'expliquer.

— Essaie.

— Dans ta vie, comme dans la mienne avant et dans celle de tous les autres, il y a le temps et l'espace, tu vois. Tout se mesure. Là où je suis, ça n'existe pas. Tout se passe à un autre niveau.

— Je ne comprends pas.

— Tu ne peux pas comprendre, mais ça tombe bien, parce que je ne peux pas t'expliquer non plus. Tu vas souvent à la bibliothèque et tu es très active sur le Web, alors fais des recherches sur l'univers, tu vas commencer à comprendre. Tu vois la Terre? Notre planète? Imagine que c'est un grain de sable dans le désert. Et imagine que c'est encore mille fois plus petit.

— Pourquoi tu me dis ça?

— Pour essayer de te faire comprendre ce qui se passe avec moi, ici...

Je ne comprends pas. Mon cerveau n'est pas assez fort pour saisir ce qu'elle me raconte.

— Sarah, je sais que tu existes encore. Je te vois, je te touche, je te masse, je dors à tes côtés, je t'entends respirer. Mais je voudrais avoir la preuve. Tout ce que j'ai, ce sont mes rêves.

Les trois petits moutons sautent sur ses genoux. Je ne peux pas expliquer comment, mais ils se fondent en elle. Soudainement je sens que je vais me réveiller. Sarah aussi pressent que je vais bientôt rejoindre le monde de la réalité.

— Je vais retourner en haut, dans la chambre qui sent le lilas.

— Dis-moi quelque chose, Sarah, aide-moi. Garde-moi avec toi, je t'en supplie!

— Je vais te dire un secret, Emma. Le plus gros secret au monde. Tu me trouves fatigante, mais c'est méga-important que tu gardes ce secret enfermé dans ta tête. C'est la seule façon de continuer à se voir et se parler...

— Dis-le-moi, ma sœur. Je te jure de n'en parler à personne.

— Une étoile verte à neuf branches.

— Quoi?

— Tu as bien entendu. Une étoile verte à neuf branches.

* * *

Le matin du samedi 28 juillet
Je me réveille en sueur.

Sarah est à côté de moi, elle dort et a l'air tout à fait calme. Je ne peux résister. Je me lève et je lui parle en criant un peu.

– Sarah?! Sarah! Je sais que tu m'entends!

Je lui secoue délicatement les épaules.

– Sarah!! Qu'est-ce que c'est, l'étoile verte à neuf branches? Qu'est-ce que tu veux dire?!

Rien à faire, elle ne bouge pas. Elle a les yeux fermés.

Je ne sais pas si, encore une fois, mon imaginaire m'a amenée trop loin. J'ai tout de suite sorti mon iPad et j'ai noté toute notre conversation, surtout le bout sur la fameuse étoile verte à neuf branches.

Je sais ce que je vais faire aujourd'hui.

Qu'est-ce qu'elle a voulu me dire avec cette étoile? Je sais qu'elle m'aime autant que je l'aime, et jamais elle ne jouerait avec ma tête. La seule personne qui jouerait ainsi avec ma tête, c'est moi-même.

Est-ce le cas?

Chapitre 4
À la recherche d'une étoile

La bibliothèque ouvre à 9 h. J'ai le cerveau qui court dans toutes les directions et j'ai peur. Peur de me flouer moi-même. Peur de me mentir.

Je vais prendre un bain chez moi avant de me lancer à la poursuite de l'étoile. J'ai déjeuné avec maman. Un tout petit déjeuner : la moitié d'un croissant avec de la confiture de mirabelles, un bout de fromage mou. Je n'ai pas faim.

Maman m'a dit qu'un neurologue allait voir Sarah cette semaine, un spécialiste. Il est question qu'elle passe un nouveau scanner, on va photographier son cerveau pour une énième fois.

— Pourquoi un autre scanner ? ai-je demandé à maman.

— Je ne pourrais pas te dire, mais ce docteur aurait détecté quelque chose de particulier à la lecture du dernier encéphalogramme.

— Est-ce que c'est une bonne nouvelle ?

— Je ne sais pas, mais j'imagine que oui. Un développement se produit, et il veut en savoir plus. Tu sais, ces scientifiques sont des explorateurs. Ils découvrent souvent des choses dont ils ne soupçonnaient même pas l'existence. Avec les nouvelles techniques, les nouveaux équipements, avec l'informatique, les images qui sont de plus en plus détaillées, ça ne peut être que bon signe. Les diagnostics sont de plus en plus précis.

— C'est quand ?

— On va me donner une date aujourd'hui, mais c'est pour bientôt…

— Les gens du centre ne m'ont rien dit.

— Ils ne le savent même pas eux-mêmes. Ce sont les gens de l'hôpital qui m'en ont parlé.

— Est-ce que ça t'inquiète ?

— Pas du tout, au contraire. Ça prouve qu'ils s'occupent de Sarah.

— Est-ce qu'on aura les résultats rapidement ?

— Je ne peux pas dire. Je ne le sais pas.

Ainsi, le neurologue a détecté quelque chose de particulier. Comme si ma tête n'en avait pas déjà assez… Mais je ne dois pas m'affoler ni m'inquiéter. Je dois prendre les choses une à la fois.

J'aime aller à la bibliothèque parce que les ordinateurs sont très rapides, et les livres, nombreux, sur tous les sujets. À 8 h 55, je saute sur mon vélo. J'ai mes notes sur mon iPad.

Sarah veut que je creuse sur « l'univers ». Assez vaste comme sujet. Elle veut que je me penche sur la question du temps et de l'espace. Assez vaste aussi. Et elle me parle de cette fameuse étoile, cette étoile verte à neuf branches. C'est par là que je commence, tout de suite.

Je ne trouve rien de significatif. Rien ne m'éclaire. Cette étoile verte n'existe pas.

Voici ce que j'ai trouvé.

Étoile à neuf branches

L'étoile à neuf branches est devenue un autre des symboles du bahaïsme (?) et fut inventée par l'architecte de la Maison d'Adoration baha'ie de Wilmette (près de Chicago, aux États-Unis), Jean-Baptiste Louis Bourgeois (1856-1930).

Le chiffre 9 revient souvent dans cette religion car, selon l'isopséphie (??) utilisée, le mot «Bahá'» a une équivalence numérique de 9 selon la numération Abjad (???).

Ooh là là. J'ai mal à la tête.

Elle est aussi utilisée dans la théorie de l'ennéagramme qui repose sur la distinction de neuf types de personnalités. C'est aussi une référence aux neuf grands éducateurs de l'humanité reconnus par les baha'is : Krishna, Abraham, Moïse, Bouddha, Zoroastre, Jésus, Mahomet, le Báb et Bahá'u'lláh. C'est encore une référence au passage au stade de maturité pour l'humanité, car le chiffre 9 contient tous les autres et symbolise la perfection et l'accomplissement.

C'est du pur chinois pour moi.

Sarah a bien spécifié que son étoile était verte. Je continue donc à fouiller. Quand tu commences à chercher, tu réalises que ça ne finira jamais. Un sujet t'amène à un nom, qui t'amène à un autre nom, qui t'amène à d'autres sujets et ça devient interminable et très compliqué, pour une petite tête rouge comme la mienne qui veut juste aimer sa sœur.

J'ai appris comment est constituée une étoile à neuf branches. D'abord, on appelle ça un «ennéagramme», une figure à neuf angles et à neuf lignes droites. J'ai lu plein de choses là-dessus et, la plupart du temps, je n'y comprends rien. C'est écrit par des espèces de savants, ou des philosophes, des mathématiciens et des psychothérapeutes qui sont tous beaucoup trop forts pour moi. Mais j'ai quand même transcrit ce court texte sur mon bloc-notes. J'ai voulu l'apprendre par cœur; pas capable.

L'ennéagramme est une méthode de connaissance de soi que l'on retrouve chez les Babyloniens, les mathématiciens grecs, les premiers chrétiens et dans la Kabbale juive. Au fil des siècles, l'ennéagramme (mot qui vient de deux mots grecs: ennéa, qui signifie neuf, et grammos, qui signifie mesure) a été pensé et façonné à partir de l'observation attentive des comportements humains. Il s'agit d'une image symbolique de notre évolution psychologique et spirituelle. Cette étoile à neuf branches représente neuf types de personnalités, neuf tendances qui cohabitent en chacun de nous. Chaque branche détermine un côté de nous.

Branche un: J'aime et j'aide.
Branche deux: Je suis droit et travailleur.
Branche trois: Je réussis, je suis efficace.
Branche quatre: Je suis différent, je suis sensible.
Branche cinq: Je sais, je comprends.
Branche six: Je suis loyal, je fais mon devoir.
Branche sept: Je suis optimiste, je suis heureux.
Branche huit: Je suis juste, je suis fort.
Branche neuf: Je suis bien, calme et facile à vivre.

Je te jure, cette description des branches, c'est le portrait exact de Sarah. C'est elle, en neuf phrases!

J'ai aussi lu ceci, qui m'a ébranlée. Ça vient d'Émile Coué, qui était psychologue et aussi pharmacien.

*Notre être inconscient et imaginatif, qui constitue la partie
cachée de notre moi, détermine nos états physiques et mentaux.
Il est en réalité plus puissant que notre être conscient et volontaire, qu'il englobe entièrement, et c'est lui qui préside à toutes
les fonctions de notre organisme et de notre être moral. Donc,
chaque fois qu'il y a conflit entre l'imagination et la volonté,
c'est toujours l'imagination qui l'emporte.*

J'ai relu ce passage trois ou quatre fois pour bien comprendre. Je pense que je comprends et, je te le dis, ça
m'encourage.

Reste la couleur. Pourquoi Sarah est-elle si spécifique
avec la couleur verte ? Je ne comprends pas. Sarah, sais-tu
au moins combien de livres ont été écrits sur les mystères
de l'univers ?! Quand j'ai demandé à Marie-Josée, la bibliothécaire, elle m'a regardée comme si j'étais folle.

— Il y en a des milliers et des milliers…

— Par lequel je devrais commencer ?

— Qu'est-ce que tu veux savoir au juste ?

— Tout.

— Tu n'aurais pas assez de cent vies pour lire tout ce
qu'on a écrit sur le sujet, jeune fille.

— Hmmm. J'ai juste trois heures…

C'était une blague et je crois qu'elle ne l'a pas réalisé.

— C'est impossible. Il y en a dans toutes les langues, de
toutes les époques, par plein de mathématiciens, de philosophes, d'ethnologues, de métaphysiciens, d'astronomes,
etc. En plus, personne là-dedans n'est certain d'avoir raison… Tu es bien sûre de vouloir faire des recherches sur ce
sujet ? Quel âge as-tu ?

— Quinze ans, bientôt seize.

— Pourquoi ne pas t'intéresser à la culture des roses? C'est plus simple.

On s'en fout, des roses! Je ne le lui ai pas dit, mais je l'ai pensé. Je crois qu'à son tour, elle m'a fait une blague. C'est 1-1. Hé! hé!

Elle a raison, Marie-Josée. Sarah m'en demande trop.

J'ai quand même fait quelques fouilles, feuilleté quelques ouvrages. Ce que j'ai surtout retenu, c'est que, selon les dernières évaluations de grands savants, la vie telle qu'on la connaît sur notre planète serait possible ailleurs dans l'univers. Donc, quand on pose la question : «Y a-t-il de la vie ailleurs qu'ici?», la réponse me semble claire. Dans notre seule galaxie, la Voie lactée, il y a environ cinquante milliards d'étoiles semblables à notre soleil. Donc, voici la conclusion de la fabuleuse astronome Emma Lauzon : il y a un potentiel de cinquante milliards de systèmes solaires. Et il y a encore plus de galaxies dans l'univers que d'étoiles dans notre galaxie.

Avez-vous une autre question?

Je ne suis pas fâchée contre Sarah, au contraire, elle m'a bien fait rire sans le savoir. Elle me demande de faire des recherches sur l'univers et, moi, je le fais. C'est tellement impossible à comprendre que ça en devient drôle. J'ai mille exemples. Mais juste pour te donner une idée, j'ai lu ceci. Si tu comprends quelque chose là-dedans, tu es un extraterrestre…

L'équation dictant la valeur du taux d'expansion de l'Univers, noté H, est une des deux équations de Friedmann. Elle s'écrit :

$$3 \left(\frac{H^2}{c^2} + \frac{K}{a^2} \right) = \frac{8\pi G}{c^4} \rho$$

Où la vitesse de la lumière, K / a2 la courbure spatiale, G la constante de gravitation et ρ l'ensemble des densités d'énergie des différentes formes de matière qui emplissent l'univers. La courbure spatiale représente la forme géométrique de l'espace.

Un chausson avec ça?

Sarah, tu es folle!

Je suis ressortie de la bibliothèque encore plus mélangée qu'avant d'y entrer. J'ai pourtant beaucoup lu, mais plus je lis et plus je comprends que je n'y comprendrai jamais rien.

* * *

Toujours sur ma faim, je suis rentrée à la maison, la tête fatiguée. Pour souper, maman m'avait fait mon plat favori : du spaghetti au poulet avec des tartines de mayonnaise. Une recette que seule maman fait. C'est pourtant simple : plutôt que de faire bouillir les pâtes dans de l'eau, elle les fait bouillir dans du bouillon de poulet, du vrai. Pas du bouillon acheté. Tout ça agrémenté d'un peu d'ail et de gros morceaux de poulet.

Je me sens menteuse et ça me bouleverse. J'ai toujours tout dit à ma mère. Être forcée, par une «promesse» à Sarah, de ne rien dévoiler, je suis mal à l'aise avec ça. D'abord parce que je ne suis pas encore convaincue que c'est bien Sarah qui me le demande. Et parce que, si c'est le cas, je ne comprends pas pourquoi. Sarah elle-même se confie toujours à maman.

Maman sent mon inconfort.

– Si tu as besoin de parler, Emma, tu sais que je suis toujours là. Si tu préfères retourner parler à madame Colin, elle te l'a dit : tu y vas n'importe quand.

– Merci, mais je ne vais pas si mal que ça. C'est juste qu'après tout ce temps passé à la bibliothèque, j'ai la tête pleine, je n'ai pas tellement le goût de parler.

Il y a un bref moment de silence.

– Ton spaghetti est meilleur que jamais, dis-je.

– Merci, c'est gentil. Il va en rester pour demain. C'est encore meilleur réchauffé.

– As-tu eu des nouvelles de l'hôpital ? Pour le scanner ?

– Ça devrait se faire mardi.

– Ça m'inquiète.

– Tu n'as pas de raison de t'inquiéter, Emma. Tu retournes au centre ce soir ?

– Oui. Ça ne te dérange pas ?

– Ce n'est pas tellement de moi qu'il est question, mais de toi. Je te soupçonne de ne pas trop bien dormir au centre…

– Je te le répète, maman : ça me fait du bien, crois-moi. Et je dors comme un bébé là-bas.

J'ai réglé mes comptes avec Sarah ce soir, en arrivant dans sa chambre. Avant, j'avais demandé à Pascalina si je pouvais la changer de jaquette, je lui ai apporté une de ses favorites. Une jaquette que maman lui a confectionnée avec du tissu acheté en solde : un imprimé des personnages du film de Disney, *Aladin et la lampe magique*. Elle lui va encore. Elle a dû regarder le film mille fois. Le génie de la lampe la faisait beaucoup rire.

– Sarah, tu m'as fait passer une journée de merde. Je me suis cassé la tête à essayer de lire, pas de comprendre, seulement de lire sur l'univers, l'espace et le temps. Tu as oublié un petit détail, il me semble : je suis juste une ado ordinaire, et tu me fais plonger dans des textes et des propos auxquels je ne comprends rien ! Et comme c'est toi qui m'y as poussée, je me sens obligée de suivre tes recommandations. Pourquoi ne m'as-tu pas demandé d'apprendre le chinois en une journée ? Ça aurait été moins difficile… Pour me venger, pas d'épices pour toi aujourd'hui.

C'est une boutade, Poca.

Je lui ai fait respirer du basilic, du persil frisé et de la menthe. Comment puis-je être fâchée contre ma sœur, alors que je ne sais même pas si c'est réellement elle qui m'indique ces chemins-là ? Ça me fait juste du bien de sortir le méchant…

– Remarque, beauté autochtone, que j'ai trouvé des choses très intéressantes à propos de ta foutue étoile. D'abord, cette étoile à neuf branches (certains disent neuf « pointes ») est un symbole portant plein de significations surprenantes. Mais pourquoi verte ? Elle n'existe pas, ta foutue étoile verte. Je ne l'ai vue nulle part.

J'espère que personne ne m'entend quand je parle à Sarah, comme ça, à voix haute. Je passerais pour une moyenne débile. Je ne voudrais pas que Pascalina (qui me fait beaucoup penser à ma sœur, je te le rappelle) entende mes propos. Je lui parle donc à voix basse.

Tout au long de mon monologue, Sarah est couchée devant moi, les yeux ouverts. Comme je le fais souvent, je passe ma main devant ses yeux en espérant qu'elle ait une réaction. Quand elle fait un mouvement de paupières, c'est une victoire.

Je prends sa main et lui fais un *high five*.

Je suis exténuée. J'ai encore une fois massé ses mains, ses pieds et son cou. Je suis allée dire bonsoir à Pascalina et je me suis endormie sur mon lit de fortune, la tête sur l'oreiller de Sarah.

La nuit du samedi 28 juillet

Tu vas rire

Je rêve.

Je suis à la maison et je garde Sarah, qui est redevenue une petite fille de six ans dans mon rêve. Je suis si heureuse de la revoir à cet âge. Elle était enjouée et toujours pleine d'idées. Mais la situation est étrange, puisqu'elle parle comme une fille de quinze ans. C'est juste physiquement qu'elle est jeune.

— Pourquoi t'es comme ça, Sarah? Pourquoi tu as six ans dans ton corps?

— Ça me repose et ça me donne la paix.

— Tu sais que tu vas passer un autre scan dans deux jours?

— Oui, je sais, et je sais aussi ce qui va arriver…

— Qu'est-ce qui va arriver?

— Ils vont confirmer une anomalie qu'ils ne comprennent pas.

— Une anomalie?

— Une situation qu'ils n'ont jamais vue.

— C'est dangereux?

— Non, pas du tout, t'inquiète. Ce n'est pas moi, le problème, c'est eux. Les spécialistes.

— Tu me fais peur.

— Emmène-moi au parc à chiens.

— Mais on n'a pas de chien.

— On va en trouver un devant la maison. Il s'appelle Stanley.

En effet, il y a une douzaine de chiens de toutes les sortes, couleurs et tailles, juste devant la maison, bien assis et bien sages, avec des boîtes à lunch. Chaque chien porte une cravate et est peigné. Comme s'ils étaient tous là pour passer une audition.

– Lequel de vous est Stanley? demande Sarah.

– C'est moi.

C'est un énorme chien qui ressemble à un ours. Noir.

– Alors viens-t'en, Stanley.

Les autres, déçus de ne pas avoir obtenu le rôle, repartent avec leur boîte à lunch, à la recherche d'un emploi.

En marchant vers le parc, je veux parler à Sarah de son étoile qui n'existe pas, mais j'ai de la difficulté à m'exprimer. Je prends des détours dans la conversation, et je n'arrive pas à dire ce que j'ai à lui dire. Les mots se bousculent.

– Je te préviens, Emma, demain je vais te faire rire comme tu as rarement ri.

– Qu'est-ce que tu vas faire?

– Tu verras.

Enfin, je parviens à lui demander:

– Ton étoile à neuf branches, la verte? Je ne l'ai jamais vue nulle part. J'ai cherché partout et même ailleurs!

Mais elle est déjà trop loin devant pour me répondre, elle court avec Stanley.

– Sarah?! Ton étoile!!

Elle se retourne et me crie: «Tu vas rire!!»

Je ne me souviens plus du reste de la nuit.

* * *

Dimanche 29 juillet

Au réveil, j'ai fait comme d'habitude: j'ai tout noté sur mon iPad.

C'est dans la minute qui a suivi que ma vie a pris un tournant décisif. C'est dans la minute qui a suivi que ma vie a complètement changé. C'est dans la minute qui a suivi que tout s'est précisé.

Est-ce que j'ai eu peur? Oui. Est-ce que mon cœur s'est mis à battre comme si j'avais couru un marathon? Oui. Est-ce que j'étais heureuse? Après coup, comme jamais dans toute ma vie. Moi qui me pose des questions et des questions sur les rêves soi-disant révélateurs qui peuplent mes nuits depuis l'accident, enfin, dans cette minute, j'ai eu la réponse.

En me réveillant, je me suis habillée et j'ai lavé les mains et les pieds de Sarah. D'abord, comme toujours, une petite débarbouillette sur son beau visage. Ensuite, ses mains racées. J'ai même limé ses ongles. Quand ils sont humides, ça va mieux. Puis le pied gauche… et le droit. En commençant à masser la plante de son pied droit, j'ai vu une tache que je n'avais jamais vue avant. Une minuscule tache presque ronde, d'à peine un centimètre de diamètre. J'ai regardé de près et mon cœur s'est mis à battre.

Ça ressemblait à un tatouage. Plus précis et détaillé qu'un tatouage normal. Un tatouage… qui représente une étoile.

Une étoile verte.

À neuf branches.

Comme je regardais l'étoile de près, bouleversée, sur le point de péter une crise, je te le jure: Sarah a bougé le gros orteil!!

C'était comme si elle me saluait.

Je me suis lancée sur elle et lui ai pincé les joues, je l'ai prise dans mes bras, je l'ai serrée contre moi et j'ai éclaté d'un rire complètement fou! Je riais tellement fort qu'une préposée (pas Pascalina, une autre) est arrivée dans la chambre, un peu fâchée.

— Mademoiselle, mademoiselle, ce n'est pas un endroit pour s'exciter comme ça! Mais qu'est-ce qui se passe?! Calmez-vous! La centre vous permet de dormir avec votre sœur, mais ce n'est pas un party ici. Des gens dans les autres chambres sont dérangés par ce genre de comportement.

— Je m'excuse, je m'excuse, je suis désolée.

— Qu'est-ce que vous avez?

— Rien, je n'ai rien. J'ai juste eu l'impression que ma sœur m'a souri et ça fait du bien, c'est tout. Il ne s'est rien passé.

— Calmez-vous, je vous en prie…

Elle est repartie.

Je me suis étendue à côté de Sarah et je lui ai parlé tout doucement, en la serrant dans mes bras. Maintenant, je sais qu'elle m'entend pour vrai. Je sais que nos rencontres nocturnes, même si elles sont bizarres, sont vraies. Je sais que la vie, ça peut être autre chose que ce à quoi on est habitué.

Je lui ai chanté *Chega de Saudade*.

Va, mon chagrin, et dis-lui que sans elle
C'est impossible; supplie-la
De revenir, parce que je n'en peux plus
De souffrir. J'en ai assez que tu me manques; la vérité
Est que sans elle il n'y a plus ni paix ni beauté
Mais seulement du chagrin et de la mélancolie
Oh, ça ne me quitte plus, ça ne me quitte plus, plus du tout

Mais si elle revenait, si elle revenait
Ce serait si doux, ce serait si fou !
Car il y a moins de poissons dans la mer
Que de baisers que je vais donner
À sa bouche ; dans l'espace de mes bras
Des câlins il y en aura des millions
Ainsi serrés, ainsi collés, ainsi silencieux
Des câlins, des baisers, des caresses à n'en plus finir
Cette histoire, toi vivant sans moi, est toute proche
De se terminer. Je ne veux plus de cette histoire

Et je lui ai dit mille fois je t'aime. J'aurais pu lui dire cinquante milliards de fois. Une fois par étoile de la Voie lactée.

La nuit du lundi 30 juillet

Je suis de très bonne humeur. Je crois que maman est d'une part étonnée, et d'autre part contente que j'aille mieux.

– Mais qu'est-ce que tu as, Emma, depuis deux jours ? Je ne t'ai pas vue sourire comme ça depuis l'accident…

– Je ne sais pas, maman. J'ai sûrement dû faire un beau rêve…

Elle ne se doute même pas que je lui dis enfin la vérité.

J'ai trop hâte de revenir voir Sarah ce soir, après ce qui s'est passé hier matin au lever. Juste pour m'amuser, je mets sur mon iPhone, après une bonne recherche sur Google, une dizaine de chansons qui ont pour thème le rêve.

All I Have To Do Is Dream, Glen Campbell et Bobbie Gentry
Boulevard of Broken Dreams, Green Day
California Dreamin', The Mamas and the Papas

Daydream Believer, The Monkees
Dream Baby, Roy Orbison
Dreamer, Supertramp
Dreams, Fleetwood Mac
Once Upon A Dream, Billy Fury

Ma préférée est cette vieille chanson des années 1930, reprise plus tard par un groupe qui s'appelait The Mamas and the Papas (en français : les mamans et les papas). C'est une belle chanson très douce, *Dream A Little Dream of Me*. Va l'écouter sur YouTube, tu verras, c'est beau.

Je suis une excellente siffleuse et en arrivant au centre ce soir, je sifflote *Dream A Little Dream of Me*. Pascalina, comme maman, se réjouit de me voir siffler et sourire. Je lui ai apporté un petit casseau de fraises fraîches. Elle est contente.

Demain, Sarah sera retransférée à l'hôpital. Très tôt et pour toute la journée. C'est le jour du scanner.

La première chose que je fais en arrivant auprès d'elle, c'est regarder la plante de son pied droit. Comme si je n'y croyais pas encore. L'étoile est là, elle n'a pas bougé.

En m'allongeant près d'elle, je raconte à Sarah que maman était étonnée de me voir de si belle humeur. Je lui dis aussi que je trouve difficile d'être liée à ma promesse de ne rien dire.

– Elle serait si heureuse de savoir que nous nous parlons, que tu es bien vivante, même heureuse, dans ce monde particulier de l'inconscient. Je sais qu'elle aurait des doutes, mais je lui démontrerais que c'est bel et bien réel. Je me sens coupable de ne pas la connecter à notre bonheur, Sarah. De ne pas le partager avec elle…

Je continue à lui parler et je m'endors.

Le festin de maman

Je rêve.

Sarah porte une robe blanche pour l'occasion. Comme je ne l'ai que très rarement vue en robe, je m'en suis étonnée. Nous sommes dans une grande et magnifique salle, au centre de laquelle il y a une longue table couverte d'une nappe blanche brodée à la main d'ornements sophistiqués bleus. Les couverts et la vaisselle blanc et bleu s'agencent avec la nappe. Il y a des paniers de fruits, avec des caramboles tranchées. C'est comme au temps de Louis XIV.

Dans un coin de la salle, sur une petite estrade, deux guitaristes. Le plus vieux s'appelle Ion Ludovic et le plus jeune, son fils, s'appelle Simon. Il y a aussi un percussionniste avec plein d'instruments. Ils jouent et chantent en roumain, doucement.

– Tu as une robe, Sarah, c'est drôle, non ?

– J'en ai une pour toi aussi. Regarde.

Ma robe est verte, naturellement. Ma nouvelle couleur favorite. Le même vert que l'étoile de Sarah.

Tu veux savoir ce qu'est la magie des rêves ? Je portais des jeans et un t-shirt de Marie-Mai, et sans que je sache comment, soudainement je suis vêtue de la robe verte. Aux pieds, des sandales blanches, alors qu'il y a un instant j'avais mes Nike. Où sont passés mes jeans ? Aucune idée.

– Où sommes-nous ? Qu'est-ce qui se passe ? Parle.

– Devine.

– Pas la moindre idée. Dans un autre pays ?

– Oui, si tu veux. Nous sommes dans la tête de maman. Tout un pays…

– Tu blagues ?

– Nous sommes dans son rêve.

— Mais est-ce qu'elle nous entend?

— Bientôt. Elle n'est pas encore arrivée, mais elle s'en vient. Nous préparons la fête. Est-ce que tu aimes?

— Qu'est-ce qu'on fait ici?

— C'est ton idée, Emma...

— Pourquoi tu dis ça?

— Tu veux partager notre bonheur avec maman, et c'est ce que nous allons faire. Es-tu contente? Et attends les surprises, maman va être tellement heureuse...

— Sarah, parle-moi des rêves...

— Je commence à peine à les découvrir. Je ne saurais pas par où commencer et, de toute façon, on n'a pas le temps. Maman s'en vient.

— Je te fais confiance.

Maman arrive dans son propre rêve. Une énorme porte de sept mètres de haut s'est ouverte. Deux hommes avec des perruques blanches et habillés comme des domestiques du château de Versailles l'ont reçue comme si elle était la reine, puis l'ont guidée vers la chaise principale autour de la grande table. C'est tellement drôle, tu ne crois pas?

Tu vois, Sarah et moi on est habillées en robes. Mégachic. Mais maman est dans son attirail de tous les jours : des jeans pas ajustés, des sandales en caoutchouc à quatre-vingt-dix-neuf sous, un t-shirt avec rien d'écrit dessus, ses lunettes au bout d'un cordon, qui est en fait un lacet de patin, et mal peignée, comme toujours.

Devant elle, une table pleine de victuailles et de coutellerie de riches. Sarah et moi l'attendons avec une chanson. *Chega de Saudade,* bien entendu. Elle a un sourire magnifique. Nous terminons la chanson et nous l'embrassons, chacune sur une joue.

— Mes filles! Mes filles!

Elle nous saisit dans ses bras, nous embrasse et rit, envahie par une grande joie.

— Sarah! Tu es belle comme jamais! Mais qu'est-ce que vous faites ici?!

— C'est ton banquet, maman!

— Et toi, Emma?

— C'est ton banquet, maman!

— Mais ce n'est pas ma fête.

— Tous les jours, c'est ta fête…

Maman n'a jamais cherché à être le centre d'attention, bien au contraire. Et là, en pleine nuit, Sarah lui organise une fête mémorable. Un festin gigantesque. Comme… dans un rêve.

D'abord, un petit cocktail à trois. Avec des crevettes et toutes sortes de fromages compliqués. Des ailes de poulet au miel. La magie là-dedans (c'est Sarah la responsable, j'en suis sûre), c'est qu'on n'est jamais rassasiées. Je pourrais manger cinquante ailes, j'ai toujours le goût d'une autre. Même chose pour maman. Il y a aussi des petits escargots au vin rouge et à l'ail. Des croustilles au ketchup, des petites saucisses, avec un cure-dents planté dedans, qui goûtent le sirop d'érable. Une fontaine de champagne avec du jus d'orange. Oui, oui, du vrai champagne! J'ai la tête joyeuse.

Est-ce que je t'ai déjà dit que Sarah était drôle? Elle l'est. Elle fait des mimiques, des grimaces, et elle profère des absurdités. À cause d'elle, maman est toujours crampée. Cette nuit, à son festin, elle lui a fait tout un numéro. Maman est si heureuse.

Encore la magie du rêve: Sarah n'a plus sa robe blanche, elle porte un habit de gala noir, avec un nœud papillon et des souliers vernis. Ses cheveux ont repoussé et sont redevenus, le temps de cette fête, cette magnifique crinière ébène à nulle autre pareille. Elle est debout sur la table, entre les salades, le méchoui d'agneau, la dinde rôtie, les faisans flambés, le porc avec une pomme dans la bouche et les cent une sortes de pâtes.

– Et maintenant, ma chère Marie-Andrée, maman formidable, plus belle qu'un tableau de Van Gogh, c'est avec joie que je te présente le duo de l'heure. Ils sont en demande partout dans l'univers, mais ils ont choisi de se produire ici ce soir : Les Flics !!!

Pierre et Diane, habillés en policiers, apparaissent sur la table. Pierre à la guitare, Diane au micro. Ils chantent *La fille d'Ipanema* puis *Desafinado*. Ils enchaînent avec d'autres chansons brésiliennes.

Maman, émue et si joyeuse, a un sourire d'enfant.

Pierre et Diane sautent ensuite de la grande table. Pierre donne sa guitare à un petit singe habillé en garçon d'ascenseur qui la range dans une valise ronde. Pierre et Diane se joignent à nous autour de la table.

Je ne peux pas les compter, mais il doit y avoir au moins une vingtaine de valets, de serviteurs, de cuisiniers qui veillent sur nous, nous apportent continuellement de la vaisselle propre, des ustensiles propres et toutes sortes de plats. Il y a aussi des oiseaux portant des colliers de couleur argent. Un bandonéon (tu sais, ces petits accordéons ronds ?) qui joue tout seul. On ne voit pas qui joue, seulement deux mains gantées de blanc. Il y a aussi un chat vache avec un collier muni d'une étoile verte à neuf branches.

Sarah nous fait un spectacle improvisé, avec de la danse, du mime et des tours de jonglerie. Elle est trop drôle.

Puis la fête, tranquillement, s'éteint. L'éclairage de la grande salle s'estompe lentement. Juste avant la fin, Sarah se lève et apporte à maman un casseau de son fruit favori : des cerises de France, avec les noyaux. Maman veut les partager avec nous, mais nous décidons de les lui laisser toutes.

– Ces cerises sont pour toi, maman.

Et dans les derniers instants du festin de Marie-Andrée, Sarah me chuchote à l'oreille :

– N'oublie pas les cerises…

Je me réveille. Je sais ce que je dois faire pour maman.

* * *

Le matin du mardi 31 juillet
Le scan, c'est ce matin. Sarah a quitté le centre sur une civière. On aurait dit une momie. Elle a plein de fils sur elle, un respirateur branché, deux solutés. Si je ne savais pas ce que je sais, je serais plus qu'inquiète : je serais catastrophée.

Maman et moi sommes à l'hôpital. Patientes, anxieuses, très concentrées.

Plein de gens s'affairent autour de Sarah. Des préposés l'ont couchée sur une autre civière et elle est entrée dans un gros tuyau. Maman et moi suivons les directives et restons en retrait. Pas grand-chose à faire, sinon attendre.

Une fois l'opération terminée, ils emmènent Sarah, toujours sur une civière, dans une salle adjacente. Maman et moi retournons à la maison.

Tout de suite en arrivant, je saute sur mon vélo et me rends à la fruiterie du petit centre commercial, à deux pas de la maison. J'en reviens avec un casseau de cerises de France. Je les donne à maman.

– Tiens, un cadeau pour toi, maman.

Maman me regarde. Je lis une grande incrédulité dans son regard. Souvent, les gens qui ne parlent pas sont ceux qui en disent le plus.

– Pourquoi des cerises?

– Maman, tu adores les cerises, tu le sais…

– Mais pourquoi aujourd'hui?

– Pourquoi pas?

Elle reste un moment sans rien dire.

– La nuit dernière, j'ai fait un rêve merveilleux et troublant en même temps. Sarah et toi m'aviez préparé un gigantesque festin. Il y avait Pierre et Diane aussi. Ils ont chanté.

Je fais la grosse innocente. Mais je ne peux réprimer un petit sourire.

Elle s'approche de moi, en silence, et me serre dans ses bras.

– Je t'aime, Emma. Et j'aime Sarah. J'aime mes filles.

Elle se met à pleurer.

* * *

En début d'après-midi, maman et moi avons rendez-vous chez le neurologue pour avoir des nouvelles du scan de Sarah. Ils la reconduiront au centre en début de soirée. Pour l'instant, elle est dans une salle de repos.

C'est la première fois que nous voyons ce neurologue, le docteur Aldermann, un Allemand. Il travaille au Québec depuis plus de vingt ans, et on dit que c'est le meilleur au pays. Il parle comme un Français, mais avec un accent allemand. Nous sommes assises devant lui, dans son bureau.

Il nous a offert de l'eau tantôt. J'en ai pris. Pas maman. Quand vient le temps de parler de Sarah, comme je ne suis pas très timide, je prends la parole avant le médecin.

– J'aimerais vous demander quelque chose, docteur.

– Allez-y, mademoiselle.

– Est-ce que ça serait possible de se parler devant Sarah, dans la salle de repos?

Maman me trouve un peu sans-gêne.

– Emma…

Le docteur Aldermann ne s'offusque pas, lui.

– Si ça peut vous faire plaisir, mademoiselle, je ne vois pas de problème. Suivez-moi.

– Merci, docteur.

Je fais un clin d'œil à maman, avec un petit sourire. Quand on ne demande pas, on n'obtient pas. Et je suis convaincue que Sarah sera très intéressée par cette conversation…

Une préposée apporte une chaise, puisqu'il n'y en a que deux dans la petite salle de repos. Sarah a un masque d'oxygène sur le visage et un soluté est piqué dans son bras. Elle est branchée sur un appareil. Mais elle est toute là, crois-moi.

Le docteur prend la parole.

– D'abord, c'est un plaisir de vous rencontrer. Votre situation n'est pas facile. Je sais ce que vous traversez depuis plus d'un mois, je sais, et je veux que vous sachiez que nous faisons tout ce que nous pouvons pour aider Sarah. Allons directement au sujet qui nous préoccupe. On ne sait toujours pas quand, ni si Sarah sortira de son état actuel. C'est impossible à dire. Mais nous sommes habitués, c'est toujours le même mystère, de cas en cas. La situation de Sarah est normale dans ce sens. Avant que vous ne vous inquiétiez, je dois vous dire que je n'ai pas de mauvaises nouvelles. Je ne prétendrai pas avoir des tonnes de bonnes nouvelles non plus, mais il n'y en a pas de mauvaises. C'est déjà ça de gagné.

— On nous a dit que Sarah devait passer un autre scan parce que vous avez noté une anomalie, intervient maman. Qu'est-ce que vous entendez par « anomalie » ?

— C'est plus complexe que ça. Une anomalie, en neurologie, c'est une situation inédite, si vous voulez. Un phénomène que la médecine et la neurologie ne connaissent pas. Au dernier encéphalogramme, le docteur Saint-Jean, mon collègue, a détecté un signal qu'il n'a jamais vu. Il m'a tout de suite contacté, m'a envoyé l'encéphalogramme. Je l'ai à mon tour étudié et j'ai constaté la même chose.

— Et cette chose, c'est quoi ? Qu'est-ce que vous avez constaté ?

— Difficile à dire. J'ai immédiatement demandé un nouveau scan, pour pouvoir pousser plus loin les recherches, les examens. C'est ce que nous avons fait aujourd'hui.

— Et ?

— … Et on a besoin d'aide. J'ai envoyé les résultats à neuf des meilleurs neurologues sur la planète. Un au Brésil, un autre en Espagne, deux aux États-Unis, un en France, un en Angleterre, un en Russie et deux en Suède. Je vous enverrai les noms de ces spécialistes, si vous voulez…

— Je ne crois pas que ce soit nécessaire, merci.

Je reprends maman. Moi, je veux les connaître, ces spécialistes. Chacun des neuf. J'ai demandé au docteur Aldermann de m'envoyer leurs noms. Je vais les googler.

Alors je me mêle à la conversation avec une question formidable. C'est une de mes spécialités, les questions formidables.

— Pouvez-vous expliquer ce que vous ne comprenez pas ?

– C'est la meilleure question qu'on m'ait jamais posée. Comment pourrais-je expliquer ce que je ne comprends pas ?

– Je pense que ce qu'Emma veut dire, c'est : pouvez-vous être plus précis ?

– La neurologie est la branche de la médecine qui, au départ, est la plus complexe. C'est la plus complexe parce que c'est là où il y a le plus d'inconnu. Ce à quoi nous faisons face avec Sarah, c'est ça : une zone inconnue.

– Je comprends que vous ne compreniez pas.

Une autre excellente remarque de ma part, tu ne trouves pas ?

– Je vais te proposer une image, Emma. Alors. Avant que Christophe Colomb n'aborde les plages du San Salvador en 1492, les cartographes avaient quand même imaginé une carte du monde. En découvrant ce nouveau territoire, Colomb a renvoyé tous les experts à leurs tables à dessin. Il leur en manquait un grand bout ! Quand Galilée a déclaré que c'est la Terre qui tourne autour du Soleil et non l'inverse, il avait raison. Mais on l'a menacé de le tuer parce qu'on le considérait comme fou. Quand on constate des choses qu'on n'a jamais vues, on doit prendre une grande respiration et étudier les faits avant de conclure quoi que ce soit.

– Et… vous avez constaté quoi ?

– Tu as de bonnes questions, Emma… Je regrette que mes réponses ne soient pas à la hauteur. Cela dit, je vais te dire ce qui se passe, le plus simplement possible. Le cerveau, c'est comme un système électrique. Il y a plein de fils : des gros, des petits, des puissants, certains ont dix branches, certains en ont cent. C'est un système électrique qui nous rend capables de respirer, de sentir, de bouger, de penser, de goûter, de comprendre, et tout le reste. Quand Sarah a eu son accident, c'est comme s'il y avait eu une brisure dans ce système. Normalement, c'est la fin du diagnostic, et notre travail, c'est d'essayer de rebrancher tout le système, ou d'attendre que le système se rebranche par lui-même.

– Et l'anomalie, là-dedans?

– C'est là qu'est le problème. La situation que je ne peux pas expliquer.

– Essayez docteur, essayez.

Maman me trouve impertinente.

– Emma, s'il te plaît…

– C'est comme si son système avait voulu compenser, avait voulu se sauver de l'extinction. Comme si son système avait voulu faire comme Christophe Colomb et partir à la conquête de nouveaux territoires. Son système neurologique a fait des connexions jusqu'ici jamais observées. On ne sait pas comment ça s'est produit, ni quelles en seront les conséquences. Pour tous ces éminents chercheurs à qui j'ai envoyé les résultats, c'est très intrigant, très excitant. C'est tout un défi.

– Ces nouveaux territoires, ça peut ressembler à quoi, par exemple?

– Les possibilités sont infinies. Il y a des mystères dans le monde de la neurologie, des phénomènes fascinants qu'on n'arrive pas à expliquer. Par exemple, il y a quelques années, on a emmené un jeune autiste anglais de vingt et un ans, Stephen Wiltshire, survoler l'île de Manhattan en hélicoptère. L'excursion a duré une heure. Après avoir atterri, le jeune homme a dessiné l'île au complet, chaque rue, chaque édifice, chaque parc, sans oublier aucun détail. Il a aussi dessiné Tokyo, Rome, Madrid, Hong Kong, Dubaï et Jérusalem, sans oublier une seule petite fenêtre. Il y a aussi cet autre individu, à qui on fait entendre les symphonies les plus complexes de l'histoire de la musique et qui peut les reproduire avec exactitude, après une seule écoute. Ce sont des phénomènes inexplicables, qui laissent la science sans réponse.

– Est-ce que Sarah pourrait avoir développé un talent spécial?

– Je ne peux le dire, c'est encore trop récent. Mais il y a une activité claire dans son cerveau, qu'on ne réussit pas à interpréter. On finira par comprendre, je le souhaite. Pour l'instant, partez en paix, sa situation est stable et elle ne régresse pas. C'est déjà une belle victoire.

Chapitre 5
Retour dans le nord du Nord

La nuit du mardi 31 juillet
Je suis couchée dans la chambre de Sarah, à la maison. J'y dors tellement bien.

Dans le creux de ma main
Je rêve.

Sarah et moi sommes dans une superbe voiture rouge décapotable. Sarah est au volant. Nous roulons dans un paysage gris, sur une route que je n'ai jamais vue. Assis derrière, entassés, trois personnages, qui changent d'apparence toutes les cinq minutes. La plupart, je ne les connais pas. Sarah non plus, d'ailleurs.

Je ne me souviens pas de tous les visages qui passent. Il y en a trop. Certains sont ceux de personnalités célèbres, d'autres de gens de mon entourage. Je me souviens de Robert Kennedy (un ancien sénateur américain, mort en 1968), de Bouddha, de la dame qui vend de la crème glacée chez Perazzino, d'un prêtre chauve, d'un vieux barbu antipathique qui ne sent pas bon, du docteur Sigmund Freud habillé en rouge et blanc, de l'écrivain Honoré de Balzac qui dort avec deux femmes aussi endormies.

Sarah et moi, nous discutons de la rencontre avec le neurologue et j'ai une foule de questions pour elle. Certaines de ces questions ont du sens, d'autres n'ont aucun rapport. Des questions sur le goût de la mayonnaise, sur la solidité de la laine ou sur le pourcentage de sel dans l'eau de la mer du Nord, par rapport à la mer Caspienne et à la mer Morte. Je m'en veux. C'est comme si je perdais mon temps avec des balivernes, alors que j'ai tant à comprendre et à apprendre.

Sarah sait tout de la rencontre avec le neurologue, comme si elle avait tout entendu. Vivre de cette façon, quand l'inconscient devient la norme, quand temps et espace se rejoignent, ça demande un certain apprentissage. Cette réalité parallèle, Sarah doit s'y habituer, essayer de la cerner, de la comprendre. C'est un monde mystérieux. Moi, j'y passe quelques heures toutes les nuits, mais elle, c'est son univers, toujours. C'est comme si elle habitait le pays et que je n'y étais qu'une touriste. Elle en saisit de plus en plus les paramètres. Elle apprend à prévoir l'imprévisible.

On roule sur cette route déserte et on doit s'arrêter, puisqu'il y a un énorme cratère juste devant nous. Sarah stoppe la voiture. Nous en descendons. Puis, sans aucune difficulté, elle la plie jusqu'à ce qu'elle devienne une petite valise rouge. Nous faisons le tour du cratère et, de l'autre côté, elle remet la voiture tout simplement comme avant. Ni elle ni moi n'en sommes étonnées. Comme si ça allait de soi.

Nous poursuivons notre route vers nulle part.

La conversation prend une autre allure. Sarah m'explique enfin pourquoi il faut garder tout ça secret.

— Un jour tu pourras t'ouvrir, mais, pour l'instant, il est trop tôt. Ce qui nous attend, dans les jours qui viennent, pourrait inquiéter maman…

Ce qui nous attend? Sur le coup, j'avale ma salive, craintive.

— Mais qu'est-ce qui nous attend, Sarah? Qu'est-ce que tu veux dire?

— C'est encore imprécis, mais tu comprends que je ne peux rester à ne rien faire comme ça. Nos rencontres nocturnes ne peuvent en rester là. Bien sûr, c'est bien de se voir, de se parler, d'avoir du plaisir, mais il faut aller plus loin, il faut pousser plus loin cette expérience.

— Comme quoi?

— Retourne dans tes notes et relis ce que tu as appris au sujet de l'étoile à neuf branches. Relis bien la signification de chacune des branches. Ça va t'aider à comprendre. Prends juste la première, tu te souviens de la première? « J'aime et j'aide. »

— C'est vrai, je me souviens. Et tu veux aller où avec ça?

— Qu'est-ce que je fais ici, dans cette auto rouge, avec toi? Par quel mystère de la vie suis-je ici? Et bien vivante? Je vais te dire, ma sœur. J'ai la clé des rêves. J'ai la clé de l'univers de l'inconscient. Tu te rappelles, ce banquet de rêve avec maman, avec Diane et Pierre? Je ne suis pas toujours en contrôle parfait, mais je sais que je dois respecter le sens et la lettre des neuf branches de l'étoile. Tu vois?

— Non.

— À nous deux, Emma, on peut changer plein de choses. On peut remettre de l'espoir là où il n'y en a plus, on peut corriger les injustices, protéger et aider les innocents. On a un rôle à jouer. Je sais que pour toi, ce ne sera pas de tout repos, mais je serai toujours là. Tu n'auras jamais à t'inquiéter.

— Qu'est-ce que je dois faire, au juste?

— Je ne sais pas encore. On s'en reparlera.

– C'est bizarre tout ça, Sarah. Mais, pour une raison qui m'échappe, je n'ai pas peur.

– Tu n'as pas à avoir peur, je te dis! Penses-tu une seconde que je te mettrais en danger?

– Jamais, je sais.

– J'ai une surprise pour toi, Emma… Tu te souviens, il n'y a pas si longtemps, tu rêvais que tu tenais un tout petit objet dans ta main gauche et que tu ne pouvais pas ouvrir celle-ci?

– Bien sûr que je me souviens. Je n'ai jamais pu savoir ce que c'était…

– Regarde dans ta main.

J'ouvre ma main. En plein milieu de ma paume, bien dessinée, la même étoile que sur le pied de Sarah. Exactement la même.

Une étoile verte à neuf branches.

J'ai les yeux ronds comme des pièces de deux dollars. Sur la banquette arrière, il y a les trois petits moutons bruns et le chat vache qui dort. Le collier du chat vache est orné de la même étoile!

Sarah et moi, nous éclatons de rire.

* * *

Le matin du mercredi 1er août

Bien sûr, en me réveillant ce matin, la première chose que je fais, c'est regarder ma main gauche. L'étoile est là. Je sais que je devrais être surprise. Étrangement, ça ne me paraît pas si bizarre que ça.

Je fouille dans mes notes pour relire la signification des neuf branches.

1. *J'aime et j'aide.*
2. *Je suis droit et travailleur.*
3. *Je réussis, je suis efficace.*
4. *Je suis différent, je suis sensible.*
5. *Je sais, je comprends.*
6. *Je suis loyal, je fais mon devoir.*
7. *Je suis optimiste, je suis heureux.*
8. *Je suis juste, je suis fort.*
9. *Je suis bien, calme et facile à vivre.*

C'est tellement Sarah. Je capote. Je te le redis : si on m'avait demandé de faire un portrait de ma sœur en neuf phrases, j'aurais écrit celles-là. Je sais, je radote, mais c'est trop vrai. Juré.

J'ai noté les détails de notre dernière rencontre dans mon journal. J'ai essayé de me souvenir de tous les gens qui nous ont accompagnées sur la banquette arrière, mais je n'ai pas pu. Sauf ceux et celles que je t'ai nommés tantôt.

Je vais demander à Sarah un truc pour toujours me souvenir de tout. Souvent, ma mémoire défaille quand j'essaie d'évoquer tous les petits détails de mes rêves. Sarah doit savoir comment faire, elle qui sait tout.

Notre dernière conversation me préoccupe. J'essaie de deviner les plans de ma sœur. J'y réfléchis et je n'arrive pas à trouver. Je ne suis même pas certaine qu'elle-même le sache.

Il y a aussi ce silence qui s'est installé entre maman et moi. Comme si elle n'osait plus me parler. Le truc des cerises l'a troublée, c'est sûr. Je sens une gêne, une retenue, un doute.

Je regarde mon étoile.

Dans quel nouveau monde suis-je ? Je suis souvent dans la lune, distraite. Je perds souvent contact avec la réalité.

Mes pensées s'écartent. Je suis obligée de secouer ma tête rousse pour «revenir».

Je relis et je relis, et je relis encore mes notes.

Plus je les relis, plus il y a des détails qui me reviennent. Des bouts de nos conversations que je n'ai pas notés, mais qui réapparaissent à la lecture. Surtout les bouts où Sarah me parle de l'espace et du temps, qui sont des notions humaines, même animales, j'oserais dire, mais qui, dans son nouveau monde, n'ont plus d'emprise sur sa réalité.

Je regarde encore mon étoile.

Veux-tu me dire où je m'en vais?

Des fois, un éclair: je pense savoir ce qui se passe, je pense avoir trouvé la clé. J'ai la vague impression de savoir où me mènera mon histoire avec Sarah. Puis ça m'échappe. Je ne peux pas encore tout t'expliquer, parce qu'il y a des bouts qui me manquent. Des liens.

Ma tête est un gymnase.

La nuit du mercredi 1er août

Conversation

Je rêve.

— Sarah, si je ne couche pas dans ta chambre au centre, à tes côtés, mais à la maison ou ailleurs, est-ce que c'est plus difficile pour toi d'entrer en contact avec moi?

— Ça ne change rien. Tu peux être à l'autre bout du monde et même plus loin. Je suis dans toi. Même quand tu es réveillée, je suis toujours là.

— Est-ce que tu peux entrer en contact avec les gens qui sont décédés?

– Oui. Mais ces gens ne peuvent rien changer aux choses de la vie. Comment dire… Les gens décédés ne peuvent pas d'eux-mêmes investir ton univers, comme moi. Mais toi, tu peux aller vers eux.

– Mais alors, Diane, qui était à notre souper la semaine dernière, comment ça s'est passé?

– C'est à travers moi qu'elle est venue, ce n'est pas de son propre chef. Diane ne peut pas entrer dans les rêves de maman. Moi, je peux l'emmener avec moi.

– Mais maman doit bien rêver de Diane, non?

– C'est certain, mais Diane ne peut pas, à sa guise, apparaître dans l'inconscient de maman. Maman est le guide, même si elle ne le sait pas…

– Pourquoi?

– Parce que son inconscient n'est pas en activité. Contrairement au mien… Du moins, c'est que je comprends jusqu'ici. Je suis loin d'avoir terminé mon apprentissage.

– J'ai hâte que tu m'en dises plus sur ce dont tu m'as parlé hier. Quand tu disais qu'à nous deux on pouvait changer les choses. Ça me préoccupe. Ça m'excite. J'ai hâte…

– Je sais.

– Tout ça, c'est bien curieux pour moi.

– Je comprends, Emma. C'est curieux pour moi aussi. C'est comme si ma vie avait été multipliée par mille. Je peux me promener dans le passé, dans l'avenir, dans des univers inconnus… C'est inquiétant par bouts, mais toujours fascinant.

– Je veux être dans le coma, Sarah.

– Ce serait une mauvaise idée.

– Pourquoi?

– Parce que c'est le lien qui est important…

– Le lien ?

– Entre toi, dans le conscient, et moi dans l'inconscient…
C'est l'addition des deux qui nous donne le pouvoir.

J'hésite une seconde, puis je dis :

– Je ne sais pas trop comment te poser la question…

– Essaie.

– Là, tout de suite, au moment où on se parle, tu es dans
un état d'éveil. On se parle, on discute. Mais, est-ce que tu es
toujours en état d'éveil comme ça ? Quand mon rêve à moi
s'arrête et que je reviens en état de conscience, toi, est-ce que
tu continues ? Dans le monde de l'inconscient, est-ce que tu
te reposes ?

– Je suis toujours en état de repos. Tu n'as qu'à me regarder dans mon lit, tu le vois bien.

– Mais es-tu comme ça vingt-quatre heures sur vingt-
quatre ? À qui tu parles, et qui vois-tu quand je n'y suis pas ?

– Si tu crois que l'univers est vaste dans ta réalité quoti-
dienne, tu devrais voir ici, dans l'imaginaire. C'est un
monde sans aucune limite.

– C'est difficile à imaginer.

– C'est impossible à imaginer.

Il y a une pause.

– Je t'aime, ma sœur.

– Moi aussi.

* * *

La nuit du jeudi 2 août
J'ai dormi dans sa chambre encore cette nuit.

Je rêve.

La boutique au Pays du Froid et le saut vers le vide

Tu te souviens quand je suis allée à la pêche avec Pierre? Tout là-bas dans le nord du Nord, où il n'y avait ni arbre ni rien, et où la mer était magnifique, bleu foncé, avec des vagues blanches qui se jetaient sur une plage de glace et de neige? Où j'ai pêché un succulent poisson? Eh bien, c'est là que je retourne cette nuit, avec Sarah. Nous y allons sur des scooters volants. J'adore les rêves à cause de ces motos et vélos qui volent.

Sarah veut y aller pour me faire plaisir. On imagine plus souvent la plage dans un pays chaud, avec des palmiers et des vacanciers et tout. Pour moi, cette plage au Pays du Froid est la plus belle et la plus reposante qu'on puisse rêver de visiter. Avec tout ce blanc, cette paix, le son et le rythme des vagues.

Juste avant de nous approcher des grandes vagues qui roulent, nous visitons un chantier. Une imposante équipe de spécialistes y étudient les effets du réchauffement de la planète. Il y a de grandes tentes blanches chauffées, de la machinerie, des appareils, des hélicoptères qui ne font pas de bruit et plein d'Asiatiques qui parlent français. Après avoir été invitées à manger un peu de poisson, des nouilles sucrées, un bouillon et du riz, nous quittons le chantier sur nos petites motos volantes et, tranquillement, on voit la mer se rapprocher. Comme si nous étions immobiles et que c'était elle qui avançait vers nous. Drôle de sensation.

Juste au bord de l'océan, un grand bloc vitré sort de terre, un énorme édifice postmoderne. Il ressemble au magasin Apple, juste à côté de Central Park à Manhattan. L'entrée fait face à la mer. Comme nous sommes arrivées par-derrière, nous faisons le tour pour pouvoir y entrer. Ce grand magasin est en verre et ses murs translucides sont parfaitement propres, pas une seule poussière ni égratignure. On ne voit pas très bien l'intérieur à cause des reflets.

Nos scooters ont rétréci. Sarah les fourre dans un petit sac de cuir, qu'elle passe sur son épaule. Nous entrons.

Une dame nous accueille avec un beau sourire. Elle est seule, même si l'endroit est immense. Son âge est impossible à déterminer. Elle pourrait avoir vingt-cinq ans, quarante-cinq ans ou plus. Je l'ai déjà vue à la télévision mais je suis incapable de me souvenir de son nom. Elle est très jolie. Elle a un léger accent anglais et une voix grave et éraillée, comme sablonneuse.

— Aaah, enfin, vous voilà. Je vous attendais. *How are you, girls?*

Étonnée, je me tourne vers Sarah avec un point d'interrogation dans les yeux. Elle nous attendait? Pourquoi?

Sarah me sourit.

Quand je vois l'inventaire de cette étrange méga-boutique émergeant de la plage, en quelques instants je comprends. Tu sais ce qu'il y a dans le magasin, sur toutes les tablettes et les présentoirs, dans les comptoirs vitrés?

Des étoiles vertes à neuf branches!

Mais alors là, plein d'étoiles! On se croirait au milieu d'une galaxie. Il y en a de toutes les dimensions et de tous les styles, des milliers de modèles: des bracelets, des pendentifs, des bagues, des broches, des barrettes, des montres, des boucles d'oreilles, des statuettes, des colliers pour animaux. Il y en a partout. C'est hallucinant.

— Vous faites le tour, vous choisissez ce que vous aimez, et je vous l'offre, dit la dame.

Ah bon? Cet endroit n'est pas un magasin, après tout. C'est plutôt un musée, un grand hall d'exposition. Dans un magasin ou une boutique, il y a des caisses enregistreuses. Ici, il n'y a pas d'endroit où payer.

La dame nous explique que toutes les étoiles sont fabriquées avec des émeraudes véritables. Elle nous raconte la grande histoire des émeraudes, sans oublier aucun détail. Leur origine, surtout. La plupart des émeraudes viennent de Colombie. La couleur verte leur vaut d'être un symbole d'immortalité et de pureté. En plus (laisse-moi me vanter un peu), cette couleur va tellement bien avec mes cheveux.

Comme la vie est toujours pleine de surprises et que tout finit par se raccorder! Écoute bien ça: il existe un endroit au monde, une ville, où on taille les émeraudes plus et mieux que partout ailleurs. Une ville des Indes... La ville de Jaipur! La ville où maman a toujours rêvé de nous emmener, là où sa mère habite! Même Sarah est surprise.

La dame nous dit ensuite que l'émeraude était la pierre précieuse favorite de Cléopâtre, la grande reine égyptienne.

J'ai lu *Les Chevaliers d'Émeraude* d'Anne Robillard, et j'ai toujours aimé ce mot. Je trouve que c'est un beau mot. «Émeraude.» Même qu'un jour, si j'ai une petite fille, je vais l'appeler Émeraude.

Sarah et moi, on est comme des enfants dans un magasin de jouets. C'est trop beau, je te jure, on dirait la caverne d'Ali Baba. Le soleil du Nord brille au travers des grandes vitres et plombe sur chaque bijou. Tu ne peux pas imaginer l'effet. On ne veut plus partir, c'est trop beau, toute cette lumière, ces reflets.

– Prenez tout votre temps.

– C'est impossible de choisir. Il y en a trop!

On fait le tour de la place deux fois. Sarah insiste pour que je choisisse pour nous deux. J'ai d'abord voulu une barrette pour mes cheveux, mais j'ai changé d'idée. Il est probable que je perde ma barrette, comme ça m'est arrivé au moins dix mille fois! Je ne connais pas le truc pour ne pas perdre une barrette. Je prends donc des boucles d'oreilles, montées sur des anneaux d'argent. Pour Sarah, je choisis un faux ongle, juste un. Avec la petite étoile verte incrustée. Minuscule. Je le poserai sur son annulaire gauche.

Juste avant de partir, Sarah me suggère de prendre aussi une bague pour un garçon. Une belle bague. Et une chaînette en argent.

– La chaînette, tu la gardes toujours avec toi. OK? C'est pour quelqu'un que tu aimes, mais que tu ne connais pas encore.

Désormais, quand je ne vois pas où elle veut en venir ou à quoi elle fait allusion, je me tais. Elle sourit. Elle sait que j'ai envie de lui poser une question, et elle sait aussi que je ne le ferai pas.

La dame vient nous reconduire à la porte. Juste avant de la quitter, nous l'embrassons. Elle sent le lilas et la menthe. Elle nous dit:

– Vous savez que vous êtes les seules à être entrées ici et que plus personne n'y viendra? Ce n'est pas rien.

Sarah lui répond qu'elle le sait.

Dehors, on fait quelques pas, puis Sarah retourne dans le cube en vitesse.

– Attends-moi. Ça ne prendra même pas deux minutes.

Elle revient encore plus vite que ça.

– Qu'est-ce que tu as oublié?

– Rien.

Tout de suite en sortant, je demande à Sarah si les bijoux sont réels. Elle sourit. Et elle me répond ce qu'elle me répond neuf fois sur dix:

– Tu verras bien.

J'adore cette réponse. Avant, elle avait quelque chose de mystérieux; maintenant je sais qu'elle signifie « oui ».

Sarah sort les deux scooters de son sac, gros comme des dés à coudre, et les lance devant elle. Comme par magie, ce ne sont plus des scooters, mais deux chevaux noir et blanc. Des chevaux appaloosas. Je m'écrie:

– Wow! Des chevaux vaches!! Ou des chats chevaux vaches! Comme ton chat!

Sarah rit. C'est ce que j'aime le plus au monde: voir et entendre ma sœur rire. C'est magnifique. Ça me réchauffe le cœur.

Nous montons facilement les chevaux et partons vers la mer. Quand on y arrive, au bout de quelques secondes à peine, je me retourne et je vois le magnifique musée fondre, disparaître tout doucement. Retourner dans le sol. Je m'inquiète pour la dame anglaise. Sarah m'enjoint de ne pas m'en faire. Me dit que la dame retournera chanter à la télévision, comme avant…

– C'était qui?

– Nanette Workman.

– Qui?

– Nanette Workman.

Je n'aurais jamais pu dire qui c'était, elle était populaire avant mon temps.

– C'est une Américaine dans la soixantaine. Elle a fait carrière chez nous, au Québec. Tu ne te souviens pas? Maman l'adore.

– Elle est gentille… Est-ce qu'elle *sait* qu'elle est avec nous, ici, cette nuit?

– Nous étions dans son rêve, oui. Mais elle ne s'en souviendra pas.

– Pourquoi on ne se souvient pas de nos rêves?

– Parce que nos cerveaux ne sont pas assez développés. Ils sont trop sollicités par la survie de notre corps et n'ont pas développé le réflexe d'emmagasiner automatiquement nos expériences et nos émotions nocturnes. Mais je peux te confirmer que nos nuits et tout ce qui s'y passe, c'est encore plus significatif pour notre évolution que la satisfaction de nos besoins primaires, ceux de notre quotidien.

– Et tous ces gens qui interprètent les rêves, qui en voient le sens et la raison? Tu sais, Sarah, j'ai beaucoup fouillé depuis ton accident. Plein de gens croient avoir percé le secret des nuits…

– Foutaise. Méga-foutaise. Fais-moi confiance. Même Freud, le grand Freud, ne comprenait pas.

– Qui?

– Sigmund Freud, un grand scientifique. C'est lui qui en a parlé le premier. Cherche sur le Web.

– Encore une autre recherche… Merde. Fous-moi la paix avec tes recherches.

– Ha! ha! Je te fais travailler, hein?

J'ai mes trésors dans la poche de ma veste, chacun emballé dans sa petite boîte verte. À mon réveil, je poserai le faux ongle à Sarah. Si l'ongle est encore là, bien sûr.

Nous contemplons la mer, assises sur nos chevaux, en gardant le silence pendant quelques minutes. Comme la vie a changé depuis le 23 juin dernier! Nous qui avions prévu un été simple et reposant, à manger beaucoup de crème glacée… Ce n'est pas tout à fait comme ça que ça se passe, ne trouves-tu pas?

— Dis, Sarah, est-ce que tu savais que nos scooters allaient devenir des chevaux? Est-ce que c'est toi qui es devenue magicienne? Est-ce que tu savais qu'on allait entrer dans cet immense édifice en verre, plein d'étoiles?

— Non. Je ne savais rien de tout ça. Le monde de l'imaginaire, l'univers de l'inconscient et du rêve n'obéit à aucune règle. Les choses se passent comme elles le veulent. Tout ce que je peux contrôler, c'est moi-même et ma destinée, mais je ne sais jamais d'avance à quoi j'aurai à faire face. Par contre, une chose est certaine: peu importe où je vais, qui je rencontre, des gens, des choses, des événements, des animaux ou des créatures que je ne connais pas, je sais que je ne mourrai pas et que je n'éprouverai aucune souffrance physique. Je pourrai être anxieuse, apeurée, inquiète, troublée, joyeuse, surprise. Mais je sais que je suis plus forte que tous les dangers. Tu l'es aussi, d'ailleurs… Tu veux une preuve?

— Je n'ai pas besoin de preuve, Sarah. Je te fais confiance.

— Allons, c'est très facile.

— Pas la peine…

— Voici ce qu'on va faire: je te donne cette preuve et demain, on reviendra ici. Quand je dis que je contrôle ma destinée, ça veut dire que je sais dans quel état je serai, où que je me trouve: au bord de la mer, dans le Nord, dans une vieille maison, sur un chemin de campagne. C'est moi qui décide comment je suis dans ma tête et dans mon cœur.

Pour le reste, je ne sais pas. Demain, on continuera à parler. Les choses que j'ai à te dire sont très importantes.

Sarah tient à me donner cette preuve. J'ai un peu peur, mais je me résigne.

— D'accord, Poca, dis-je dans un soupir.

— Ce que tu vas vivre est intense. Mais ce sera la preuve de ce que je raconte. Dans l'univers de l'inconscient et du rêve, la peur existe, mais pas la mort ni la souffrance.

— Tu es folle, Sarah !

— C'est ma plus grande force, la folie ! Alors, tu veux ?

— Bien sûr que je veux.

— Écoute bien. Fais ce que je te dis.

— Je te suis. C'est comme notre randonnée à bicyclette. Je t'ai dit de me faire confiance, et regarde ce que ça a donné. Un accident. Un accident de merde.

— Un accident qui était inscrit dans nos destins. Un merveilleux accident. Je ne peux pas te demander de ne pas avoir peur parce que je sais que tu auras peur. Dans les secondes qui vont suivre l'expérience, tu vas te réveiller et retourner dans la « réalité ». Mais demain, je t'attendrai et on continuera. Suis-moi.

Nous descendons des chevaux et les laissons se promener librement.

— On fait quoi avec les chevaux ?

— Ils nous attendront, ne t'en fais pas.

Nous marchons au moins un kilomètre (je n'ai aucun moyen d'évaluer précisément la distance). Sur le chemin, on rencontre une dame habillée de mille couleurs qui fabrique des chapeaux de paille. Puis un conducteur de métro qui chante des vieilles chansons à répondre irlandaises. Trois enfants haïtiens qui s'amusent avec un cerceau et une branche, sur une voie ferrée abandonnée. Les trois petits moutons bruns que je connais déjà, Samuel, Ion Ludovic et Erwin, sautant de joie. Pierre qui joue du Bach à la flûte traversière. Une muraille de pierres des champs et un monsieur, grimpé dessus, qui affirme être Mark Twain, l'écrivain américain qui a signé *Tom Sawyer*.

Nous arrivons à destination. Une falaise. Une falaise grandiose qui fait face à la mer. Debout sur le bord, on voit presque l'autre côté de l'océan. La vue est magnifique. Le vent est doux et sent bon le seigle.

Tout en bas, il y a des rochers et une plage de neige et de glace. «Tout en bas», c'est loin. Je dirais au moins trois cents mètres.

— C'est beau, non?

— C'est magnifique!

Sarah me regarde dans les yeux.

— Tu me fais confiance?

— Toujours.

— Saute.

— Quoi?

— Plonge au bas de la falaise…

— Mais non! Je ne peux pas. Je ne peux pas.

— Alors touche-moi. Touche mes mains. Fais-moi un câlin. Et suis-moi….

Je lui fais un câlin. Elle fait quelques pas et… Merde! Elle a sauté! J'entends son cri:

— Saute!!!

La peur me fige. Elle est folle ou quoi?!

Mais si ma sœur me le demande, je dois lui faire confiance. Je regarde au bas de la falaise glacée, je ferme les yeux… et je m'élance dans le vide.

Chapitre 6
Qui est Samuel Arsenault?

Le matin du vendredi 3 août
Je me suis réveillée, en panique et en sueur. Je me suis tout de suite tournée vers Sarah. Je suis certaine qu'elle souriait. Je me suis aussitôt calmée et suis partie à rire. À rire tellement fort, comme une hystérique. Une préposée est entrée dans la chambre. Encore. Elles vont bien finir par me foutre à la porte!

— Ça va, Emma?

— Oui, oui, ça va. J'ai juste fait un drôle de rêve.

Elle a dû penser que je suis dingue. Il n'y a pas si longtemps, je pleurais tout le temps, et me voici, couchée dans la chambre de ma sœur, riant à gorge déployée.

J'ai regardé dans la poche de ma veste. Déception: les petites boîtes n'y étaient pas. Je me suis habillée et je suis retournée à la maison.

Maman m'y attendait. Elle doit rencontrer docteur Aldermann, le neurologue, encore ce matin. Il a reçu des nouvelles des autres spécialistes à qui il a envoyé l'encéphalogramme de Sarah. Quand il a dit ça à maman, elle a demandé à le voir. Il lui a dit qu'il avait à peine quelques minutes à lui consacrer. Il lui a spécifié que, dans l'ensemble, il n'y a que des hypothèses. Que rien n'a beaucoup avancé…

Elle veut y aller quand même.

– Tu viens avec moi ?

Elle s'est étonnée que je lui dise non.

– J'ai quelques recherches à faire. Sarah va bien. Je suis peut-être folle, mais je pense que je l'ai vue sourire ce matin en me levant.

– Tu crois ?

– Mais c'est peut-être juste moi.

– Tu vas mieux depuis quelques jours, Emma. Je suis contente. Faut pas te laisser aller.

– Je me sens mieux, c'est vrai.

J'aimerais bien lui dire ce qui se passe entre Sarah et moi. Mais il faut que je suive la directive : pas un mot.

Laissant maman à ses préparatifs, je suis allée sur l'ordi et ai entrepris des recherches sur Sigmund Freud. Un joyeux bollé ! Quand on lit un peu sur lui, on découvre qu'il était très intelligent, mais qu'il avait aussi ses problèmes. Il a été très important dans l'art de comprendre l'être humain. Selon lui, tout tourne autour du sexe. Beaucoup de savants ont fait l'éloge de Freud. Ses travaux sur les rêves, cependant, ce n'était que son interprétation personnelle… Je suis convaincue que s'il vivait aujourd'hui, il aimerait rencontrer Sarah. Il serait fasciné par ce qu'elle aurait à lui dire. Ma sœur aussi, c'est une super bollée. Sigmund Freud était Autrichien. Sur les photos, il a l'air d'un vieux prof de chimie.

J'ai aussi googlé Nanette Workman. Je l'ai reconnue. C'était bien elle que nous avons vue la nuit dernière. Elle est née en 1945, à Brooklyn, et a grandi dans l'État du

Mississippi, dans une ville qui s'appelle Jackson. On lui donnerait à peine quarante ans. Elle a eu un peu d'aide de la chirurgie esthétique.

En lisant sur elle et en écoutant ses chansons, j'en ai reconnu que maman avait mises sur les CD qu'elle montait elle-même. Maman aime se fabriquer des CD personnalisés. Une des chansons de madame Workman s'appelle *Lady Marmalade*. Sarah et moi, pour se payer la tête de maman, on l'a rebaptisée *Madame Confiture*. «Maman, maman, fais jouer *Madame Confiture*!» et on riait. Maman aussi trouvait ça drôle.

Puis, j'ai eu une idée. L'espace de quelques secondes, je me suis demandé si Sarah allait être fâchée… Non. Je serais discrète. Et tant qu'à plonger dans le vide, aussi bien suivre mes instincts sans me laisser freiner par le doute.

Je suis allée sur la page Facebook de madame Workman et je lui ai écrit.

Je m'appelle Emma Lauzon. J'ai 15 ans, bientôt 16. Il y a un sujet très important dont j'aimerais parler avec vous. Pouvez-vous aller sur mon Facebook et me donner une adresse où je pourrais entrer en contact avec vous, en message privé?

Je me suis dit que madame Workman ne devait pas avoir beaucoup de fans de mon âge. Peut-être allait-elle me répondre?

Eh bien, crois-le ou non, dans les minutes qui ont suivi, elle m'a donné signe de vie! Elle m'a envoyé un message personnel sur Facebook.

Bonjour Emma,

Je suis au cœur d'une petite tournée dans le nord du Québec, avec un ami guitariste. Je n'ai pas grand-chose à faire le jour. J'ai le temps de répondre. Qu'est-ce que je peux faire pour toi? Voici mon adresse e-mail. *NW*

Je lui ai tout de suite répondu.

Vous allez me trouver étrange, mais je suis sérieuse. La nuit dernière, j'ai fait un rêve. Même si je ne vous connais pas du tout, je vous ai rencontrée dans ce rêve. Ce qu'il y a de plus étonnant, c'est que ce rêve a eu lieu dans le Nord. Je vous le résume : vous étiez dans une gigantesque boutique de bijoux aux murs transparents, sur le bord de la mer, près d'une plage de neige. J'y suis allée avec ma sœur adoptive, Sarah. Vous nous avez donné des bijoux. Puis vous êtes disparue, en même temps que la boutique.

Je ne vous oblige pas à me répondre. Je voulais juste vous raconter cette curieuse aventure.

Emma Lauzon

Sa réponse n'a pas tardé.

J'aurais pu trouver ton histoire amusante, mais ce n'est pas le mot juste. Elle est plutôt très intriguing. *Je te laisse mon numéro de téléphone cellulaire, appelle-moi… NW*

Je l'ai appelée tout de suite. J'étais intimidée. Elle a quand même chanté avec les Rolling Stones, le groupe favori de maman, dans sa jeunesse! Sarah et moi, on a entendu mille fois les chansons des Rolling Stones. Avec

Antonio Carlos Jobim, c'est ce qu'on a entendu le plus souvent.

— Madame Workman, s'il vous plaît ?

— Emma ? C'est toi ?

— Je ne veux pas vous déranger…

— *You floored me*, ma chérie. Tu m'as assommée.

— Excusez-moi, je ne voulais pas. J'étais juste curieuse…

— C'est très étrange, ton histoire… Tu vois, comme tout le monde, je dois sûrement rêver toutes les nuits, mais comme tout le monde aussi, je ne me souviens jamais de mes rêves. Celui d'hier, je l'avais complètement oublié, mais quand tu m'as écrit ton rêve, tout m'est revenu. L'édifice transparent, la neige, la mer et deux jeunes filles que je ne connaissais pas. Il y avait une rousse et l'autre, je ne me souviens pas.

— La rousse, c'est moi…

— Cette histoire est *so strange*. C'est la première fois qu'une chose comme ça m'arrive… Pourquoi es-tu entrée en contact avec moi ?

— Disons que depuis quelques semaines, j'ai fait beaucoup de recherches sur les rêves, j'ai lu beaucoup sur le sujet, et c'est un monde qui me fascine. Je vous ai appelée parce que j'étais convaincue que nous avions communiqué par le rêve. J'y croyais. Je suis bien contente que vous me l'ayez confirmé.

— Je ne sais pas quoi penser… *It's so weird.*

— Je ne voulais pas vous troubler.

— Tu ne m'as pas troublée, au contraire. Je trouve cette situation très intéressante.

— Est-ce que vous avez peur ?

– Ha! ha!… Peur? *That's funny.* Pas du tout. Pourquoi j'aurais peur? Au contraire, ça ouvre une porte sur la vie et ses mystères. Je te remercie beaucoup. Si je reviens dans un de tes rêves, tiens-moi au courant.

– Je peux garder vos coordonnées?

– Certainement. Tu m'as prise par surprise, Emma!

– Merci. Je vais vous rappeler.

– J'ai ton adresse *e-mail.* Donne-moi des nouvelles. Reviens me visiter en rêve quand tu veux. La prochaine fois, j'aurai des *cupcakes*, a-t-elle dit à la blague.

– Merci…

Elle est très sympathique, cette femme.

* * *

Maman s'apprête à partir pour sa rencontre avec le neurologue.

– Avec qui parlais-tu au téléphone? me demande-t-elle quand je reviens à la cuisine.

– Je parlais à… Nanette Workman.

– À qui?

– À la chanteuse Nanette Workman…

Il vaut mieux lui dire la vérité. Elle fait une drôle de mimique. C'est clair qu'elle a un doute.

– Emma, si tu ne veux pas me le dire, c'est parfait, mais ne me raconte pas d'histoires!

– Maman. Je parlais à la chanteuse Nanette Workman. J'avais quelque chose à lui demander. Je suis allée lui écrire sur sa page Facebook. Elle a répondu à mon message et m'a donné son numéro de cellulaire. Je l'ai appelée. Elle est actuellement en tournée dans le nord du Québec, avec un musicien.

– Permets-moi d'être étonnée! Qu'est-ce que tu lui voulais?

– Rien de très important…

– Tu es bizarre, ma Rouge.

Elle enfile une veste et prend ses clés de voiture.

– Je ne serai pas partie longtemps. Si tu vas au centre, verrouille la porte.

– Parfait, maman.

– Dis donc, ta fête c'est dans une semaine; qu'est-ce que tu voudrais pour tes seize ans?

– Rien. Je ne veux rien.

– Je vais te faire un bon souper. Asiatique. De la soupe aux boulettes avec des cheveux d'ange et beaucoup de coriandre, comme tu aimes… J'inviterai Pierre, si tu veux.

– Super.

Elle me regarde un moment et soupire.

– J'aimerais tellement aller faire une petite excursion dans ta tête, dit-elle. Je ne peux pas te forcer à me parler, mais c'est égal, tu ne peux pas m'empêcher de penser. Ton histoire de Nanette, je ne la comprends pas.

– Dis-toi juste une chose, maman : je vais mieux, beaucoup mieux. Juré.

Ma fête. Je n'y pensais même pas! Quatre jours après, c'est celle de Sarah. Nous sommes trois dans notre famille et nous avons nos fêtes dans les mêmes sept jours. Il y a moi, puis Sarah, puis deux jours après, maman.

Mon hypothèse : maman pense que j'ai approché sa chanteuse favorite pour lui faire une surprise pour son anniversaire. Mais ce serait ridicule de ma part de le lui dire…

Juste avant de s'en aller, elle se souvient que j'ai reçu un colis postal. Elle me le donne.

– Tu as reçu ça hier… Qu'est-ce que c'est?

– Comment je peux savoir? Il n'y a pas d'adresse de retour.

J'ouvre le colis. Dedans, il y a un faux ongle, une chaînette, des boucles d'oreilles et une bague!

– D'où ça vient? Tu ne peux pas me le dire, ça non plus? Allez, allez, la Rouge, trouve un mensonge, vite!

– C'est une prof de l'école qui fabrique des bijoux, je lui ai laissé mon adresse et lui ai demandé si c'était possible de m'en envoyer. Je disais ça à la blague, bien sûr. Mais on dirait qu'elle m'a prise au sérieux… Je vais les lui retourner…

– Tu fais ce que tu veux, Emma.

Elle regarde mes bijoux. Je sens un doute monter dans sa tête. Elle me remet la petite boîte et plonge ses yeux dans les miens.

– Ils sont magnifiques. On dirait de vraies émeraudes. Et ces étoiles… Magnifique.

Elle ne me pose pas plus de questions.

Maman sait que je lui cache quelque chose. Elle sait que tout n'est pas clair. Et plutôt que d'insister, elle ne m'en parle pas. Comme si elle ne voulait pas me forcer à lui mentir davantage.

Je déteste mentir à maman. Mais je ne sais pas quoi inventer, sur le coup. J'aurais bien voulu lui raconter le rêve de la nuit dernière et lui expliquer le pourquoi de ma conversation avec madame Workman, mais ça l'aurait inquiétée.

Je me mets à tout replacer en ordre. Les bijoux sont arrivés ici hier, donc avant même que j'en rêve! Ça rend la situation encore plus étonnante. Ainsi, Sarah sait tout, avant même que les événements ne se produisent. Ces bijoux en sont la preuve… Un compte de plus à régler avec Poca.

Après le départ de maman, je poursuis mes recherches sur Google. Sur monsieur Freud encore, sur les émeraudes encore, sur madame Workman, sur l'univers, sur les rêves…

Je deviens tranquillement accro à plein de sujets.

* * *

Maman est revenue juste avant le repas du soir. Elle a fait quelques courses. Elle nous a rapporté deux soupes tonkinoises et des rouleaux impériaux. Ses projets pour ma fête lui ont donné envie de manger asiatique !

– Rien de nouveau chez Sarah, m'a-t-elle annoncé. Comme il me l'avait dit, le docteur Aldermann a reçu les premiers commentaires de ses collègues neurologues. Un seul ne lui a pas encore répondu, mais il est en vacances, c'est normal.

– Et les autres, qu'est-ce qu'ils disent ?

– Les autres ne savent pas quoi penser. Ils ont plusieurs hypothèses, mais rien de définitif. Le docteur m'a dit qu'il se pourrait qu'il procède à un autre encéphalogramme, mais qu'il faudrait aller aux États-Unis, au Minnesota, dans une clinique spécialisée renommée. Je lui ai dit que je n'avais pas suffisamment d'argent et il m'a dit que l'argent n'était pas un problème. Il y a un fonds spécial pour ce genre de processus.

– Rien d'autre ?

– Ils ont tous souligné que l'activité dans son cerveau est étonnante, très mystérieuse. Mais ça, on le savait.

– Sarah a toujours été étonnante et mystérieuse, tu ne trouves pas ?

– Étonnante, oui. Mystérieuse, je ne pense pas. Sarah n'a pas de secrets, elle est entière et elle ne garde rien en dedans, Emma, tu le sais. Tu es beaucoup plus mystérieuse qu'elle…

– Tu me trouves mystérieuse ? Moi ?

– Tu as des secrets, Emma, ne dis pas le contraire ! D'ailleurs, tu en as de plus en plus.

Je ne sais pas quoi répondre. Je ne sais plus quoi répondre.

Tout de suite après souper, j'ai fait quelque chose que je n'ai jamais fait avant : je suis allée faire du jogging. J'ai couru au moins trois kilomètres.

Mes nuits ne sont pas reposantes, par les temps qui courent. Et je n'arrête pas de lire que la course, c'est bon pour le corps, mais surtout pour la tête. Je ne sais pas si je vais y retourner demain, mais ce soir, il fallait que je le fasse. Maman a trouvé que c'était une bonne idée.

Après ma course, je suis retournée au centre avec un livre. Pas une bande dessinée, cette fois : un roman d'Amélie Nothomb. Quand je lis, je m'endors plus facilement, surtout qu'avec ma course de trois kilomètres et une bonne douche, le sommeil m'appelait. Tant mieux.

J'adore m'endormir. Chaque fois, je repars en voyage.

La nuit du vendredi 3 août

Il s'appelle Samuel

Je rêve.

Juste à côté du chantier où travaillent les scientifiques asiatiques étudiant les changements climatiques, je reconnais mon cheval d'hier. Mieux encore : lui-même m'a reconnue et il vient vers moi. Un monsieur (avec sa barbe blanche et son cigare, il ressemble à Sigmund Freud) m'aide à monter dessus et me laisse une gourde en cuir, remplie d'eau qui goûte le citron. Rien n'est étrange dans un rêve. Je le remercie. Dès que je suis sur mon cheval vache, il part au trot sans que je lui indique par où aller. Il le sait.

Au loin, près de la mer, Sarah m'attend, comme elle me l'avait promis hier. De loin, elle me fait de grands signes et elle vient à ma rencontre.

– Et puis, les bijoux ? Tu les as ?

– Je les ai bien reçus. Je ne me serais jamais attendue à ça ! Ils ont donc été postés avant même qu'on les ait choisis... Tu aurais une explication pour moi, s'il te plaît ?

– Le temps est une notion étonnante, dit-elle, mystérieuse, en me faisant un clin d'œil.

– Maman sait que je lui raconte des mensonges, Sarah. Ça me fait de la peine. Il me semble qu'elle ne mérite pas ça.

– On va s'en occuper bientôt. Tu n'auras plus à lui mentir, promis.

– Elle a rencontré le docteur Aldermann aujourd'hui.

– Je sais. Je vais faire un voyage au Minnesota, on dirait...

– Tu mystifies les experts, Sarah.

– Je me mystifie moi-même. Et toi, tu mystifies Nanette Workman...

– Je l'ai appelée ! Mais j'ai beaucoup hésité. Je pensais que tu ne serais pas d'accord. La pauvre ne savait pas quoi penser ! Mais j'étais trop curieuse, je voulais savoir.

– Ce n'est pas grave.

Sarah me regarde avec son air espiègle.

– Tu veux faire la course ?

— Une course ?

Sans me laisser le temps de répondre, elle crie de toutes ses forces :

— Yahou !!!

Et son cheval part comme une flèche.

— Allez, la Rouge !! *Arriba!*

Je crie à mon tour et mon cheval s'élance, encore plus vite que le sien. Nous coursons comme ça pendant quelques kilomètres, le long de la plage de glace. Il y a tant d'étoiles dans le ciel, ça semble impossible. Des milliards de petites lumières. Certaines bougent, même.

Je n'étais jamais montée sur un cheval avant mon rêve d'hier, et c'est comme si j'avais fait ça toute ma vie. Même chose quand je conduis des motos. Malgré mon inexpérience, je suis une vraie championne de la conduite ! Quand je suis avec Sarah, je peux tout faire et je fais tout bien. Je suis obligée d'admettre que je suis fière de moi.

Autre chose étrange : ce n'est pas nous qui coursons, ce sont les chevaux, mais nous sommes aussi essoufflées qu'eux, même plus. Et j'ai mal aux fesses. Je me demande d'ailleurs si j'aurai mal aux fesses demain en me réveillant…

Au milieu de ce magnifique paysage de glace et de neige, un vent chaud arrive, et on peut voir au loin, à une centaine de mètres de la plage, ce qui semble être un champ de blé. Un champ de blé au milieu de l'hiver.

— C'est pour les chevaux, me dit Sarah.

Nous nous y rendons.

Les chevaux broutent goulûment. Ils se payent une super bouffe de blé. Il y a aussi une maman renard argentée avec trois renardeaux qui courent entre les pattes des chevaux et s'amusent. Je ne sais pas si tu as déjà vu un renard argenté : c'est trop beau.

La vie est belle dans le monde de Sarah.

Pendant que nos chevaux se tapent un repas de roi, Sarah et moi, on parle. Au bout d'un moment, je sais enfin ce qui m'attend. Nous sommes assises tout près des chevaux et des renards d'argent. Même si le paysage en est un de glace, de neige et de mer, il ne fait pas froid. Le temps est juste parfait. Sarah me fixe dans les yeux et tient mes deux mains.

— Il y a des gens qui ont des destins importants, commence-t-elle. Ils ont le pouvoir de changer les choses, de répandre le bien. Ce sont des personnes choisies. Ces gens-là ne savent pas que la vie leur a confié une grande mission. Ils naissent et grandissent comme les autres, avec des parents, des amis, une existence en apparence ordinaire. Puis un jour la vie, la grande vie, leur envoie des signaux. Ils ne les captent pas facilement, car ce sont des signaux difficiles à saisir. Personne ne se lève un beau jour et découvre soudain que son destin est spécial, plus que spécial, en fait. Ce sont des destins qui, selon le plan universel, vont devenir capitaux pour la suite de l'existence de tous les humains et des autres espèces.

— Je ne suis pas sûre de bien comprendre, Sarah… Tu ne m'as jamais parlé comme ça.

— Je connais quelqu'un qui a été choisi. Pas pour sauver l'humanité, ce n'est pas un super-héros comme on voit dans les films, avec des pouvoirs surnaturels. C'est juste un homme. Mais un homme qui est doué pour sauver des vies.

— C'est qui ?

– Je l'ai rencontré dans un de mes voyages de nuit. Je ne contrôle pas totalement ce genre de chose. Par exemple, je ne savais pas que j'allais lui rendre visite dans ses rêves. Des fois, je sais, puis d'autres fois non. Au début, je ne contrôlais rien du tout. Comme un enfant à la naissance, disons. Au fur et à mesure de mon apprentissage, ma capacité à provoquer les choses s'est élargie. Dans le grand univers de l'inconscient et de l'éternité, je suis encore un petit enfant… Mais je comprends de plus en plus.

– Oui, mais c'est qui, cet homme?

– En fait, c'est un ado. Il est à peine plus vieux que nous. Il s'appelle Samuel. Il vit au Nouveau-Brunswick.

Sarah m'a ensuite parlé de lui en détail.

* * *

Laisse-moi faire une pause pour te parler de Samuel.

Il y a des milliers de garçons qui voudraient être Samuel Arsenault. Je dis «des milliers», mais il y en a encore plus que ça. Presque tous les garçons de la terre voudraient être à sa place. Tu vois, Samuel a tout reçu à sa naissance.

Il est né il y a seize ans, dans une petite ville en banlieue de Moncton, au Nouveau-Brunswick. Enfant unique d'un couple divorcé, son père et sa mère sont les meilleurs amis du monde. Son père est un grand sportif. Il est vétérinaire. Il a fondé et il dirige deux hôpitaux vétérinaires dans son coin de pays. Sa mère est aussi vétérinaire, ils se sont rencontrés à l'université. Leur divorce est survenu quand Samuel avait six ans. Ça a été une séparation pacifique. Tout s'est déroulé dans le respect et la bonne entente, pour le bien de Samuel.

Quand je te dis que Samuel a tout reçu à la naissance : d'abord, il est très beau. Il l'a toujours été, même à la période où les enfants deviennent des ados, quand l'apparence physique peut être ingrate parce que les hormones sont en déséquilibre. Dans le cas de Samuel, ce passage obligé n'a en rien affecté la perfection de ses traits. Il a toujours eu de beaux cheveux bouclés, châtain clair. Tout petit, il faisait penser aux bébés qu'on voit dans les publicités. On aurait juré que même dans la réalité, il était « photoshoppé ».

Aujourd'hui, à seize ans, il a un visage doux, un air aimable. Il est grand, fort et parfaitement proportionné. Il est très gentil. À l'école, depuis les tout débuts, il est toujours parmi les meilleurs élèves, le plus souvent premier de classe. Il a obtenu toutes sortes de prix, de médailles, de récompenses. Bien contre son gré, et sans qu'il fasse rien de spécial pour être admiré, il l'a toujours été. Constamment élu aux conseils de classe à l'école secondaire, même au conseil d'école.

Samuel a toujours été mal à l'aise avec ces titres et ces honneurs. Il est d'un naturel discret, voire solitaire, et doit constamment combattre sa nature profonde et accepter ce que la vie lui a offert : la popularité. Auprès des filles autant qu'auprès des garçons. Je dirais même auprès des animaux ! Les chats et les chiens vont naturellement vers lui. Même les chiens les plus dangereux, devant lui, se calment et branlent la queue.

Depuis toujours, Samuel a trouvé refuge dans les sports. Ça a toujours été une passion, une heureuse passion qui lui permet de se retrouver. Naturellement, encore plus qu'à l'école, Samuel Arsenault a là un talent exceptionnel. Il excelle dans tous les sports, ceux qui demandent de la force, de l'habileté ou de la résistance, tous.

Ses parents n'ont jamais eu à le pousser, à le motiver. Bien sûr, ils sont presque toujours là, dans les estrades, quand il joue, mais ils demeurent discrets. Ils savent que Samuel est heureux dans cet environnement.

En fait, c'est ce qu'ils croient savoir. Mais…

Depuis deux ans, les choses ont bien changé pour lui. C'est un de ses entraîneurs qui a parti le bal. Un jeune homme, étudiant en éducation physique à l'université, pour qui s'occuper des jeunes joueurs de hockey élites est une mission et une passion. Il s'appelle Marc. Marc n'a pas parti le bal par mauvaise volonté, bien au contraire. Et si ça n'avait pas été Marc, ç'aurait été quelqu'un d'autre.

Donc, il y a deux ans, quand Marc est arrivé à la barre de l'équipe de Samuel, son talent lui a sauté aux yeux. Son comportement aussi, son leadership naturel. Il a vu en lui de grandes choses. Un immense potentiel.

Il a commencé par en parler aux officiels de Hockey Nouveau-Brunswick et est entré en communication avec les parents de Samuel. Selon lui, Samuel est plus qu'un joueur au talent exceptionnel ; c'est un phénomène.

– Je n'ai jamais vu ça, un talent comme le sien. Un jour ou l'autre, et très bientôt, vous aurez à faire face à des dizaines, sinon des centaines de gens intéressés. Des éclaireurs, des agents, des représentants. Votre fils vaut une fortune pour tous ces gens… Mais il faudra agir prudemment. Si vous voulez, je peux m'occuper de lui. Je peux lui servir de « rempart ». Samuel risque d'être bousculé dans cette aventure. Je ne veux pas un sou. Je veux juste le protéger, c'est un bon garçon.

Les parents de Samuel ont été surpris par les propos de Marc. Ils savaient bien, surtout le père, que leur fils avait une longueur d'avance sur les autres jeunes joueurs de hockey, mais de là à parler de phénomène...

Ce que Marc avait prévu s'est effectivement passé. Les parents de Samuel, chacun de leur côté, ont été inondés d'appels. Chaque personne qui est entrée en contact avec eux leur a fait «la» proposition. Finalement, le père de Samuel a accepté celle de Marc et lui a demandé de jouer les protecteurs pour son fils, maintenant qu'il est dans la mare aux requins.

L'enfer de Samuel a commencé avec un article paru dans un petit journal hebdomadaire régional. Cet article a été repris aux quatre coins du pays. Très rapidement, de plus en plus de journalistes se sont intéressés à lui. Au début, Marc lui a dit de prendre tout ça avec un grain de sel. Que ce n'était pas important. Mais c'est vite devenu intolérable.

Personne ne peut bien comprendre ce qui se passe dans la tête de Samuel. Pas même ses parents. Surtout pas ses parents, en fait. C'est normal, tu me diras, et tu as raison.

Il y a d'abord eu les hebdos locaux, les journaux régionaux, puis il y a eu le *Journal de Québec* et le *Journal de Montréal*, les bulletins de nouvelles sportives, les caméras. On a même parlé de Samuel dans un magazine prestigieux qui s'appelle *Hockey News*. Sa mère collectionne tout ça et en fait un *scrapbook*. Tous les articles, sans exception, vantent son talent et son sens du jeu, mais aussi sa gentillesse, son intelligence, son charme, sa discrétion. Les journalistes ont même commencé à approcher les parents de Samuel, qui en rajoutent en parlant de sa réussite scolaire, de son leadership, et de tout le reste.

Personne ne se rend compte que Samuel est au bord de l'autodestruction. Il étouffe, il est malheureux. Samuel comprend que sa situation fait des jaloux, ceux-ci ne le ratent pas sur Facebook. Des filles comme des gars.

Sarah, ma sœur immobile, branchée de partout, aux yeux vagues… Elle, elle sait.

* * *

La nuit du samedi 4 août

La quête

Mon rêve d'hier se poursuit cette nuit.

Le décor a changé. Sur nos chevaux, nous revenons vers le chantier. Il n'y a plus personne. Et ce n'est plus l'hiver. Il n'y a plus de mer, ni de plage. Les chevaux se transforment en vélomoteurs sans roues, et nous aboutissons sur une route de campagne. Je ne peux pas te dire où exactement, je sais que c'est dans un endroit où il y a des oliviers. L'Italie? Ou encore le centre de la Californie?

Je sais qu'on y cultive les olives parce que nous nous arrêtons dans une boutique d'olives, le long de cette route. Un peu comme ces kiosques de fruits et légumes, au Québec, dans les villages et sur les routes de campagne. La différence, c'est qu'à ce kiosque, il n'y a que des olives. Toutes les sortes d'olives. Des petites, des noires, des rouges, avec ou sans noyau, des olives farcies à l'ail, aux piments *jalapeños*, des olives au vin, mûres ou moins mûres. Des dures et des tendres. Très ou peu vinaigrées. Petits pots ou grosses boîtes. On achète quatre pots de différentes variétés avec deux bouteilles d'eau et un pain aux olives, naturellement.

On fait un peu de route de terre, jusqu'à trouver un arbre seul au milieu d'un champ. Un orme peut-être? Les arbres solitaires sont presque toujours des ormes. On s'installe au pied de cet arbre et on poursuit notre discussion, en bouffant nos fruits. Sarah continue à me parler de Samuel Arsenault.

— C'est mon Guide qui m'a envoyée dans son inconscient. Ce que j'y ai découvert m'a saisie. À vrai dire, Emma, si rien n'est fait, Samuel n'en a pas pour longtemps à vivre. Il faut intervenir tout de suite. Il est destiné à de grandes choses, mais il ne faut pas qu'il cède à ses pulsions. Il est très seul et je sais qu'il est au bord de l'abîme. Je sais ce que nous devons faire, aussi. Sans toi, c'est impossible. Moi, je peux planter la semence, l'espoir. Mais c'est toi qui devras faire le reste. Sur le terrain.

— Tu veux dire qu'il faut que j'aille à Moncton?

— Oui, Emma. Il le faut, c'est certain.

— …

— Pas le choix, Rouge.

— Faudra que maman me laisse partir.

— Elle va te laisser partir.

— Tu crois?

— Je le sais.

— Samuel, c'est quoi son destin? Jouer au hockey?

— Le hockey brouille tout. Les gens autour de lui ont décidé que le hockey est sa voie. Pas lui.

— Alors, qu'est-ce que c'est?

— Je ne sais pas, Emma, mais je sais que ce n'est pas le hockey.

* * *

Dimanche 5 août

Ce matin, je me suis réveillée au pays du doute.

Tu sais, quand tu sens que tu n'es pas bien dans ta peau et que tu ignores pourquoi? Quand il y a quelque chose dans ton esprit qui cloche, qui te préoccupe, mais que tu ne peux pas mettre le doigt dessus?

J'ai peur de quelque chose. Je suis angoissée.

Sarah était là, étendue dans son lit avec ses fils et son soluté. Elle a perdu du poids depuis l'accident. Pourtant, quand je la vois la nuit, elle est comme toujours: très athlétique, forte.

Je suis restée étendue dans mon lit et je lui ai parlé.

– Tu sais que je ne me sens pas bien, Sarah. Je sais que tu sais. Ce n'est pas de partir au Nouveau-Brunswick qui m'inquiète, au contraire, je trouve l'idée emballante. Je ne sais pas pourquoi je vais là, mais je sais que ce sera important. Je me sens comme dans un roman… Ce n'est pas ça, c'est autre chose. Ça a rapport avec maman. Elle s'en fait beaucoup pour moi, mais elle ne m'en parle pas. Le malaise grandit avec le temps. Sarah, j'aimerais lui parler de nous, de nos rencontres, dans notre univers. Je veux tout lui dire. Je suis certaine que si je lui demande de ne pas me juger trop vite et de garder tout ça pour elle, elle le fera. Je le sais. De toute ma vie, même quand on a fait les pires stupidités, toi et moi, je ne lui ai jamais rien caché. Toi non plus. Depuis l'accident, j'accumule les mensonges, les non-dits, les secrets. Je vis mal avec ça. Tu ne m'as pas expliqué pourquoi il faut garder le silence. Tu m'as juste dit: «Ça peut tout gâcher…»

Pascalina est entrée dans la chambre, et sans le vouloir, elle a coupé ma conversation.

– Tu parles à ta sœur?

– Oui, je le fais souvent. Tout le temps, en fait.

– C'est très bien. C'est une bonne idée. On ne sait jamais. Est-ce que tu crois qu'elle t'entend ?

J'ai eu envie de lui révéler que je sais qu'elle m'entend. J'ai préféré ne rien dire.

– J'espère. Dis, Pascalina, je ne veux pas te retarder dans ton travail, mais tu crois que tu pourrais me laisser seule avec Sarah, cinq minutes encore ? Pas plus.

– Sans problème. Laisse-moi juste voir sa tension artérielle.

Après un moment, Pascalina est sortie et j'ai continué à parler à ma sœur, tout en posant son ongle-bijou sur son annulaire gauche.

– … tu m'as dit ça au tout début. Je ne sais pas si c'est toujours vrai ou si les choses ont changé. Tu sais, je ne peux pas vivre comme ça, en cachette. Il y a presque juste toi qui compte pour vrai dans ma vie. Mais il y a aussi maman. Sarah, je m'en veux de tout garder pour moi et de la tenir à l'écart, en évitant les conversations. Je lui mens tous les jours. Elle est si importante pour nous. On serait où sans elle ? On serait qui sans elle ? Je ne veux pas tout gâcher et, surtout, je ne veux pas mettre en danger notre relation. Je voulais te le dire. Je sais que tu m'as entendue, j'ai hâte de t'entendre à mon tour.

Je suis restée près d'elle en silence pendant quelques minutes. Puis, je me suis levée, me suis habillée et je suis partie pour une autre course, de quatre kilomètres cette fois, avant de rentrer à la maison. Je m'impressionne. À moi le podium ! À moi les Jeux olympiques !

Je suis devenue habituée à toutes ces manifestations bizarres qui parsèment ma vie, tous les jours, toutes les nuits.

Il n'y a pas si longtemps, je me croyais folle, ou dépressive, ou je ne sais pas trop. Aujourd'hui, mon état est devenu « normal ». J'ai une double vie.

J'adore.

Tu veux savoir la dernière? Mes boucles d'oreilles. Eh bien, elles sont sur mes oreilles. Juré, ce n'est pas moi qui les ai mises là. Quand je me suis levée ce matin, avant d'aller courir je les ai vues dans le miroir. Elles ont sauté du colis, qui est resté à la maison, à mes oreilles, au centre!

Je ne sais pas comment elles sont arrivées là. Mais je ne me pose plus de questions. Je le constate et je passe à autre chose. Ma vie est devenue un enchaînement de faits inexplicables, mais je suis habituée maintenant. Et je te le répète: j'adore.

Maman m'inquiète. Je crois savoir ce qu'elle pense.

Je suis revenue à la maison et j'ai pris un bain. Je sens bon. Le lilas. Maman est attablée à la cuisine, elle fait ses mots croisés quotidiens. Elle est fantastique avec les mots croisés.

– Comment va Sarah? Elle a passé une bonne nuit?

– Comme d'habitude, rien de neuf à signaler. Elle respire bien. Sa tension est bonne.

– Emma, je te connais mieux que personne, à part peut-être Sarah. Tu es brillante, tu es perspicace. Je n'ai jamais voulu, et ne voudrai jamais t'imposer quoi que ce soit. Je me suis toujours perçue comme une guide, une conseillère. La liberté de penser, de parler, de vivre, d'évoluer et de grandir, c'est un trésor, et je n'oserai jamais toucher à ce trésor. Mais…

– Pourquoi tu dis « mais », maman?

– Quelque chose ne va pas. Plus le temps passe et plus je sens cette distance entre nous deux. Ne me dis pas que j'imagine cette distance. Tu es trop intelligente. Je ne veux pas avoir fait ou dit quelque chose qui aurait créé un brouillard entre nous deux…

La pression monte en moi. Je sens un serrement dans ma gorge et j'ai le goût de tout lui raconter, là, sans même en parler à Sarah. Mais je mets plutôt fin à la conversation.

– Maman, je ne peux rien dire. Je peux juste te dire que je t'aime toujours autant, même plus. Je vais aller dans ma chambre.

– Je ne veux pas te faire de peine, Emma…

– Je vais aller m'étendre un peu.

En arrivant dans ma chambre, je me jette sur le lit, en larmes. Je pleure pendant une bonne minute. Puis maman frappe à ma porte.

– Emma? Qu'est-ce que tu as? Pourquoi tu pleures?

– Je suis correcte, maman. Je suis juste fatiguée.

Un autre mensonge.

J'ai passé la matinée à regarder nos albums de famille. Là encore, j'ai pleuré en tournant certaines pages. Maman a plein de belles qualités, mais ses albums de photos ont besoin d'une petite réorganisation. Ils sont tout mélangés. Il y a même plein de photos qui ne sont pas dans les albums, mais dans des enveloppes.

En début d'après-midi, je suis retournée dans la cuisine où maman lisait et je lui ai proposé l'exercice de refaire les albums. Je sais que cette offre, c'est la meilleure façon de lui dire que je l'aime.

Nous revivrons notre belle vie ensemble.

Nous sommes allées au magasin chercher de quoi faire du *scrapbooking*. Ça a été notre journée. Mais il en reste encore beaucoup à faire.

Je ne suis pas allée au centre ce soir, je suis restée dormir à la maison. Ça fait au moins une semaine que je n'ai pas dormi ici.

Chapitre 7
Cesser de mentir et s'écrire pour vrai

La nuit du dimanche 5 août
Maman est déjà allée à Las Vegas, il y a quelques années, avec Pierre. Pourtant, je sais que ça ne lui ressemble pas et je n'ai jamais pu comprendre ce mystère : maman aime Las Vegas ?! La capitale mondiale du kitsch, du faux, du « n'importe quoi », du clinquant inutile, du gaspillage honteux. Tout le contraire de ce qu'elle est. Pourtant, elle aime ça. C'est à n'y rien comprendre…

Elle a perdu son porte-monnaie
Ce soir, je rêve.

Mais veux-tu me dire ce que je fais ici ? Je n'ai même pas le droit d'y être, je n'ai pas vingt et un ans. Imagine-toi : je suis à Las Vegas, au bord d'une piscine, derrière le méga-hôtel-casino Le Mirage ! C'est écrit en grosses lettres, juste là, devant moi, tout en haut de l'énorme complexe : « Mirage ».

Étendue sur une chaise longue, je relaxe en buvant un smoothie aux fraises et aux bananes (avec une ou deux gouttes de rhum…) tout en lisant un livre sur Robert Kennedy (encore lui !), l'ancien sénateur américain, frère du président John F. Kennedy. Robert Kennedy a été assassiné en 1968, alors qu'il s'apprêtait à devenir lui-même président. Dans le livre, il raconte ses voyages, sa carrière et parle de ses habitudes alimentaires. C'est un livre bizarre qui est écrit à l'envers. Il faut commencer par la fin et se rendre au début. Le lire demande un grand effort mental.

Il y a une autre chaise longue, juste à mes côtés. Sur cette chaise : une serviette turquoise et un livre intitulé *Sigmund Fraude*. Fraude ?

Je sais que c'est Poca.

Sarah arrive. Elle se met de la crème solaire 35, et elle s'étend sur sa chaise.

Nous sommes fin seules sur le bord de la gigantesque piscine, à part quelques préposés, tous habillés en rouge. Ils s'affairent à arroser les plantes, à passer le balai et à nourrir d'énormes perroquets qui parlent portugais. Il y a de la musique sud-américaine, et les préposés travaillent en dansant lentement.

Je réalise que tous ces individus sont en fait des clones de la même personne : tous des Robert Kennedy, habillés en garçons d'ascenseur, comme dans les vieux films. L'un d'eux vient chercher les verres vides sur la petite table entre nos deux chaises. Il nous fait une blague que je n'ai pas comprise, mais je ris par politesse.

Mon livre s'est transformé en album photos. Dans l'album apparaissent maintenant des photos d'olives, présentées par Nanette Workman dans le creux de sa main. Elle n'est pas peignée, elle a un foulard sur la tête comme une musulmane.

— Mais qu'est-ce qu'on fait ici ? que je demande à Sarah.

– On relaxe, Emma, on relaxe. Dans peu de temps, on plongera dans l'action. Pour le moment, on reprend notre souffle.

– Pourquoi ici ?

– C'est la plus belle piscine au monde. Je les ai toutes vues. Même celles qui n'existent pas encore.

– Tu sais, j'ai commencé à faire le ménage dans nos albums de photos avec maman.

– Je sais. Et j'ai une bonne nouvelle pour toi, ma Rouge.

– Vas-y, j'ai besoin d'une bonne nouvelle !

– On aura de la visite tantôt, juste ici.

– Maman ?

– Tu verras...

– Tu aimes ça, m'agacer, hein, Pocahontas ?

– J'adore ça, Fifi Brindacier.

Elle me fait un clin d'œil.

– Quand cette personne arrivera, elle s'installera juste ici avec nous et elle s'inquiétera parce qu'elle ne retrouve pas son porte-monnaie. À ce moment-là, je me lèverai et j'irai dans la piscine. Tu me suivras, OK ?

– Tout ce que tu veux, Poca.

– Tu as compris la consigne ?

– Pas très compliqué. Je ne suis pas sotte.

Quelques instants passent, et je vois au loin une personne s'avancer vers nous. Je ne l'ai pas tout de suite reconnue, mais plus elle s'approche, plus je vois bien qui c'est.

J'avais raison. C'est maman.

– C'est maman !

– Nous sommes dans son inconscient. N'oublie pas, viens me rejoindre dans la piscine.

Maman arrive près de nous et, en effet, elle est préoccupée. Elle s'assoit sur une chaise longue, dépose son sac à main sur la petite table.

– J'ai perdu mon porte-monnaie. Je ne perds jamais mes choses. Je ne suis pas comme toi, Emma… J'avais un bon d'achat de cinquante dollars de l'hôtel dedans. Vous ne l'auriez pas vu, par hasard ?

– Non, je ne l'ai pas vu, dis-je. Mais tu vas le retrouver, c'est certain.

– Je sais, je sais, mais ça me tape sur les nerfs. Je dois me calmer. Et toi, Sarah, tu ne t'ennuies pas trop, clouée dans ton lit ?

– Pas du tout, maman. Je m'occupe.

Comme prévu, Sarah se lève et part vers la piscine. Comme prévu, je la suis.

– Soyez prudentes, les filles.

– T'inquiète, maman, l'eau n'est pas profonde et les gardiens sont bien alertes.

Les gardiens sont des dauphins.

Une fois dans la piscine, Sarah m'entraîne un peu plus loin. Suffisamment pour que maman n'entende rien de ce que nous nous disons. Au rythme des vagues artificielles, on se parle…

– Rouge, c'est fini maintenant, tu vas tout lui dire. Je ne pouvais pas te laisser faire avant, parce que je n'avais pas idée de ce que ce nouveau monde voudrait dire pour elle. Vivre en parallèle de la réalité, ce n'est pas évident. Aujourd'hui, je sais. Enfin, je sais plus qu'avant. Je n'ai pas fini de découvrir, crois-moi. Au moment où on se parle, il est 3 h dans la nuit de maman. Quand on retournera sur nos chaises, tu vas te réveiller. Pas maman. Je resterai seule avec elle, ici. Tu regarderas immédiatement sous ton oreiller, puis tu iras dans sa chambre. Tu vas la réveiller délicatement. OK? Et tu lui donneras ce que tu auras trouvé sous ton oreiller. Ensuite, tu lui diras tout. Et tu lui demanderas de regarder sous son pied. Je te le dis: elle sera ébranlée. Rappelle-toi quand ça t'est arrivé.

– C'est bien. Ça m'enlève une tonne de pression sur les épaules. Même si je suis nerveuse à l'idée de tout lui dire.

Nous nageons un peu avec les dauphins et quelques Américains blonds venus de la Californie, puis nous retournons avec maman, qui panique encore avec son porte-monnaie.

– Pourtant, je suis bien certaine de l'avoir remis dans mon sac à main. Peut-être que je deviens Alzheimer…

– Maman, maman, arrête. Tu vas le retrouver, ton porte-monnaie. Avec ton beau cinquante dollars.

– Ne te moque pas, Emma. Je voulais vous emmener souper, ce soir…

– Du thaï?

– Du thaï.

* * *

Au petit, petit matin, lundi 6 août
Je me suis réveillée. Tout de suite, j'ai regardé sous mon oreiller. J'ai compris pourquoi je n'étais pas allée dormir avec Sarah au centre.

Sous mon oreiller, il y avait le porte-monnaie de maman.

Je me suis levée et suis allée dans sa chambre. Elle dormait. Elle ronflait même. Un petit ronflement qui ressemblait à un ronronnement de chat. Je me suis étendue à ses côtés et lui ai chuchoté à l'oreille, doucement :

— Maman. Maman. Réveille-toi. C'est moi.

Elle a ouvert les yeux.

— Emma ?

— Ne t'inquiète pas, maman. Tiens…

Et je lui ai remis son porte-monnaie.

Il lui a fallu au moins cinq secondes avant de comprendre ce qui se passait.

— Mais qu'est-ce que c'est ?

— C'est ton porte-monnaie.

Elle m'a regardée sans parler. Elle a regardé son porte-monnaie, m'a regardée encore. Elle était sans mots. Je lui ai murmuré dans l'oreille gauche :

— Tu t'inquiètes pour ton porte-monnaie depuis tantôt. Je l'ai retrouvé. Il était sous mon oreiller.

— Je ne comprends pas, Emma.

— Tu te souviens que nous étions sur le bord d'une gigantesque piscine, avec des dauphins ?

— Euh… oui. Oui.

— Tu te souviens, non ? C'était dans ton rêve.

— Mais… Je ne comprends pas, Emma. Tu me fais peur…

— Surtout, maman, n'aie pas peur. Surtout.

— …

— C'est Sarah, maman. Tu as toujours pensé que j'avais du mal à accepter les conséquences de son accident. Tu te souviens des jours qui ont suivi… quand je faisais des rêves…

— Oui…

— Tout ça est vrai, maman. Sarah continue à fonctionner, mais elle fonctionne dans le monde de l'inconscient.

C'est un très vaste univers que je ne comprends pas, mais dont l'existence est indéniable, je le sais, maman, je le SAIS. Quand les neurologues, le docteur Aldermann et ses collègues voient que l'activité du cerveau est mystérieuse, et que ces grands savants ne comprennent pas ce qui se passe, c'est ça.

— Mais, Emma, ça n'a aucun sens!

— Maman, rappelle-toi quand nous avons mangé de l'omble de l'Arctique, il n'y a pas si longtemps. La nuit précédente, j'ai rêvé que Pierre et moi, avec Sarah, étions allés à la pêche et avions attrapé ce poisson. Et rappelle-toi quelques jours plus tard : le bol de cerises. Tu te souviens du casseau de cerises?

— Si je m'en souviens? Ça m'a troublée comme tu ne peux pas savoir. Mais j'ai mis ça sur le dos des coïncidences…

— Et les bijoux. Tous ces bijoux en forme d'étoile verte à neuf branches, tu n'as pas remarqué?

— Mais tu m'as dit que c'est un ancien prof qui te les avait envoyés! Je ne t'ai jamais crue, remarque…

— Tu avais raison : c'était un mensonge. Regarde ici, mes oreilles. Mieux encore : regarde ma main.

Je lui ai montré l'étoile dessinée au fond de ma main.

— Ouf.

— Sarah a la même étoile sous le pied droit. Je sais que tout ça te trouble. Sarah n'a jamais voulu que je t'en parle, pour ne pas que tu sois inquiète ou que tu me croies folle. Je n'avais pas le choix de te mentir et je ne pouvais plus vivre avec ça. Hier, elle m'a donné le feu vert. Regarde sous ton pied droit.

— Je fais des rhumatismes. Regarder sous mon pied, c'est difficile. Tu verras, quand tu auras mon âge…

– Attends.

Je suis allée chercher un miroir dans la salle de bain et je lui ai montré le dessous de son pied.

Elle aussi a l'étoile.

– Mais qu'est-ce que c'est, cette étoile ?

– C'est un signe, tout simplement. C'est un trait d'union entre nous toutes. Nous avons autre chose à faire ici que manger, boire, dormir et faire des cornets de crème glacée… Pour avoir accès à l'étoile, il faut remplir neuf conditions : J'aime et j'aide. Je suis droit et travailleur. Je réussis, je suis efficace. Je suis différent, je suis sensible. Je sais, je comprends. Je suis loyal, je fais mon devoir. Je suis optimiste, je suis heureux. Je suis juste, je suis fort. Je suis bien, calme et facile à vivre. Tu ne trouves pas que c'est Sarah, non ?

– C'est Sarah, oui, et c'est toi…

– Ça a l'air que c'est toi aussi.

Je me suis pressée à ses côtés. Je l'ai collée. Aimée.

– Tu parles. Il est 3 h du matin. Je ne pourrai plus dormir.

– Il y a autre chose, maman…

– Encore autre chose ?! Tu ne crois pas que j'en ai assez pour cette nuit ?…

– Depuis le jour de l'accident, j'ai tout écrit sur mon bloc-notes. Au début, c'était pour le donner à Sarah, le jour où elle sera « revenue » parmi nous. Puis, ça s'est transformé. Je ne veux rien oublier de cette vie dans l'inconscient. Si tu veux, je vais t'envoyer ça sur ton iPad, tu pourras voir l'évolution de ma nouvelle relation avec Sarah, dans son monde qui est devenu le mien et le tien. Je te le dis, maman, c'est très déroutant au début, mais on s'habitue et ça devient exaltant. Tu aimes les voyages ? Tu en as tout un, là…

— Je ne sais pas quoi te dire, Emma. J'ai envie de rire et de pleurer en même temps, comme quand on tombe sur les fesses, entre la douleur et le chatouillement… Je suis sous le choc.

— Faut que tu gardes tout ça pour toi, surtout quand tu parleras au docteur Aldermann. Je sais qu'il est compétent et attentionné, mais je ne veux pas que ma sœur devienne un cobaye. Je sais que Sarah vit très intensément. Tu vas le voir par toi-même. Je sais aussi qu'elle est un objet de curiosité pour ces grands spécialistes du cerveau, mais il faut lui foutre la paix. C'est ma sœur, pas une souris blanche de laboratoire.

J'ai envoyé mon bloc-notes à maman par courriel, au beau milieu de la nuit. Il y en a pour un peu plus de quarante pages. Une fois qu'elle aura lu tout ça, elle verra que je ne suis pas folle. Pas tout à fait, en tout cas.

Je suis si contente qu'elle nous rejoigne, Sarah et moi.

* * *

Il est 4 h du matin et, cette fois, c'est maman qui est venue me rejoindre dans ma chambre. Elle a déjà tout lu.

Impossible de dire dans quel état elle est. Tu vois, maman n'a jamais été religieuse, elle est totalement athée. C'est une bonne personne qui s'est toujours efforcée de rendre la vie des autres plus facile, plus agréable. Elle s'est toujours préoccupée des âmes en peine. Elle nous a élevées selon ce principe : penser aux autres.

— C'est bouleversant, ce qu'il y a dans ton bloc-notes, Emma. L'étoile verte à neuf branches. Et Samuel, ce garçon de Moncton qui semble si malheureux malgré tout ce dont la nature l'a gratifié… Un jeune homme que tu ne connais pas…

– Que je connaîtrai bientôt.

– Tu croyais que je ne te laisserais pas partir seule au Nouveau-Brunswick? C'est ce que tu as écrit…

– Tu m'aurais laissée faire?

– Bien sûr que non, et je ne te laisserai toujours pas y aller…

– Quoi?!

– Laisse-moi finir. Je ne te laisserai pas y aller… sans poser mes conditions et te donner mes recommandations.

– Il ne faut pas t'inquiéter. Je ne ferai pas de folies. Tu sais pourquoi j'y vais. C'est pour éviter l'accident et pour inciter Samuel à suivre son vrai destin.

* * *

Au petit, petit matin, lundi 6 août, suite
Une fois maman un peu rassurée, je me suis recouchée. Il faut croire que mon voyage de cette nuit n'est pas terminé, car je me suis rendormie aussitôt.

Maintenant je rêve.

Vulgaire morceau de viande à l'encan
Trois immenses bols qui ressemblent à ces tasses qu'on retrouve à Disney World, dans un manège pour les enfants. Les bols sont en damier noir et blanc, comme les drapeaux qu'on agite quand une course automobile se termine.

Encore du noir et blanc, comme les chats vaches et les appaloosas.

Ces bols sont derrière chez moi, au sommet d'une petite colline que je n'avais jamais remarquée. Tu as sûrement déjà eu un *crazy carpet*? Les bols sont du même matériel, un plastique plutôt rigide.

Sarah est là, à côté des bols, et elle m'appelle. Mais qu'est-ce qu'elle a encore derrière la tête, celle-là?

– Emma! Arrive, on s'en va au Nouveau-Brunswick!

Soudainement, cachée dans le fond du troisième bol: maman! Elle se lève et me fait des signes avec la main. Elle porte sur la tête une casquette de baseball.

– Viens-t'en, Rouge! On s'en va faire un tour dans nos soucoupes glissantes.

Des soucoupes glissantes! Je ne savais pas, mais dans le monde de l'inconscient, le Nouveau-Brunswick est juste en bas d'une très longue pente douce, conçue exprès pour les gros bols à soupe noir et blanc. Ah! ces Acadiens.

Chacune dans notre bol, nous partons vers le bas de la pente dont nous ne voyons pas la fin. Je suis en parfaite sécurité, je sais qu'il n'y aura pas d'accident, Sarah me l'a dit, tu te souviens? J'ai même sauté au bas d'une falaise.

Nous sommes comme à La Ronde de mon enfance, avec ma sœur et ma mère. Un nouveau manège. On rit comme des petites filles surexcitées! En fait, c'est précisément ce que nous sommes.

Tout le long du parcours (je ne peux pas te dire combien de temps ça dure, ni sur quelle distance), nous croisons toutes sortes de choses, de gens, d'animaux impossibles. Entre autres, un régiment de soldats vêtus de noir à l'allure sévère. Tu sais, les soldats qu'on voit dans les films sur les nazis, avec des casquettes énormes? Ils sont une dizaine et traversent la pente de droite à gauche. J'ai peur d'en écraser quelques-uns, mais Sarah me crie que ce ne sont que des hologrammes. Des hologrammes! Alors je «passe au travers» sans les bousculer. Ça me fait rire.

Nous voyons aussi une famille de ratons laveurs affublés de tabliers vert fluo. Comme s'ils voulaient qu'on les voie clairement. Ils reviennent d'un resto. Comment je le sais? Aucune idée. Je le sais, c'est tout.

Des tentes sont plantées un peu partout le long du parcours. Je ne sais pas qui habite ces tentes. Il y a des enfants qui courent autour. Et nous, on continue de glisser sur la pente douce.

Je vois, au loin, se profiler la ville de Moncton. Pourtant je n'ai jamais vu Moncton. Sarah m'explique que les lieux changent dans les rêves. Je l'avais déjà remarqué. Depuis que je suis haute comme ça, maman nous a très souvent emmenées à Québec. Je connais bien la ville, la vieille ville surtout. Pourtant, quand j'y rêve, les choses ne sont pas du tout fidèles à la réalité. Les rues, les édifices, des quartiers complets apparaissent, que je n'ai jamais vus. Comme je n'ai jamais vu Moncton, je sais que l'image que j'en ai dans ma tête ne correspond pas à la réalité.

Nous arrivons à destination, à quelques pas du centre-ville. Nous débarquons de nos soucoupes glissantes, ne sachant trop qu'en faire. Les soucoupes trouvent elles-mêmes la solution: elles rapetissent et deviennent trois bols à soupe ordinaires. Ma sœur les range dans son sac à dos.

Sarah est notre guide, la capitaine de notre bateau imaginaire. Elle dirige les opérations. Maman demande:

— Où sommes-nous?

— Nous sommes dans l'inconscient de Samuel Arsenault.

— Le jeune sportif?

– Ouaip.

– Est-ce qu'il sait que nous sommes dans sa tête?

– Non. Mais il sent notre présence.

Sarah nous expose son plan. Nous irons à l'aréna, le Colisée Moncton. Un taxi s'amène. Nous y montons. C'est la fin de la matinée. On se rend compte qu'on est bien à Moncton: le conducteur, habillé en mascotte, parle un français coupé du gros accent de la place. On dirait qu'il chante, en fait.

– À l'aréna, s'il vous plaît.

– C'étions à cinq minutes.

Dans le taxi, Sarah me dit d'entrer dans le Colisée toute seule. Maman et elle reviendront me chercher dans une heure. En attendant, elles iront voir une exposition de rideaux de douche et de râteaux. Je suis encore dans le taxi quand je commence à entendre des sanglots. À la suite de Sarah et de maman, je descends du véhicule.

Le stationnement autour du Colisée est rempli de voitures, la plupart, de très belles voitures sport. Il y en a au moins deux cents. Que font tous ces gens à l'aréna? Qui sont-ils? Je laisse maman et Sarah partir vers leur exposition.

– Rapportez-moi un rideau de douche vert, avec des étoiles à neuf branches!

J'entre dans l'aréna.

C'est plein de gens. Ils sont tous endimanchés. La plupart sont des hommes. Il y en a des jeunes, des vieux, des beaux et des moins beaux. Un carton jaune est suspendu à une cordelette passée autour de leur cou. Moi aussi, j'en ai un. Il y a mon nom d'écrit, avec dessous: «Journaliste». Des gardiens de sécurité, les mêmes que j'ai vus pendant notre descente en soucoupe glissante, avec leurs grosses casquettes, habillés en noir, sont censés protéger le Führer. Cette fois, ce ne sont pas des hologrammes, mais des vrais.

Le petit carton, dans mon cou, annonce : « Encan Samuel Arsenault ». Comme j'ai une belle carte de journaliste, je vais voir de quoi il retourne.

J'entends les sanglots, encore.

Je me promène, l'air de rien, dans la place. Je griffonne n'importe quoi sur un calepin et j'épie les conversations. Il ne me faut pas longtemps avant de comprendre : tous ces gens sont ici pour participer à un encan. Ils se battront pour devenir propriétaires de Samuel Arsenault.

Quelqu'un s'apercevra sans doute bientôt que je suis une imposteur. Qu'est-ce qu'une jeune ado fait au milieu de tous ces hommes ? Pourtant non. Mieux encore : personne ne me regarde. Comme si personne ne pouvait me voir. J'ai un truc pour que personne ne sache que je suis ici frauduleusement : je feins d'être de mauvais poil, j'ai l'air bête. Personne ne parle à quelqu'un qui a l'air renfrogné.

Je m'approche d'un des gardes avec les grosses casquettes.

— Monsieur, pouvez-vous me dire où est Samuel Arsenault ? Je dois lui remettre quelque chose. C'est important.

Le type ne me répond pas, il ne m'a même pas regardée. C'est sûr. Quelle conne je suis des fois : ce type n'a pas de bouche !

Je vais vers un autre homme, celui qui me paraît le plus jeune. Lui pourra peut-être m'éclairer un peu.

— Samuel est avec ses parents dans le vestiaire du fond, me dit-il.

— Un vestiaire?

— C'est comme ça qu'on dit « une chambre de joueurs ».

— Vous savez où est ce vestiaire?

— Juste là-bas, il y a un corridor, regarde. Le vestiaire est tout au bout à droite. Mais tu n'as pas le droit d'y aller. Personne n'y a accès, juste sa famille et son *coach*. Il va sortir bientôt pour l'encan. Patiente.

Patiente!? Oh non, monsieur, je ne patiente pas. Ce n'est pas dans ma nature.

Je me rends au corridor indiqué et personne ne m'embête. Ce corridor, il est spécial, il y a un tapis roulant comme dans un aéroport. Je vois au loin, à droite, une porte entrouverte. De plus en plus clairement, j'entends les mêmes sanglots que tantôt. Je me demande à quel accueil j'aurai droit.

Quand j'arrive devant la porte entrebâillée, je frappe. Un homme vient à ma rencontre et il me dit d'entrer sans me demander qui je suis.

— Il est assis juste là, dans le coin, il vous attend.

Il m'attend? Comment, il m'attend? C'est tellement bizarre. J'ai deux vies. J'ai deux vies et les deux s'entremêlent. Je dis merci au monsieur et je vais vers Samuel. Je m'assois juste à côté de lui.

C'est une vraie farce, cette histoire. Samuel est déguisé. Je ne sais pas en quoi exactement, je dirais en prince. Il porte un habit doré, des bijoux et des gants blancs. Et il a les yeux tout rouges. C'est lui qui sanglotait.

Mon arrivée l'a calmé, je pense. Je le salue et lui prends la main.

— Enfin, te voici, dit-il. Je commençais à me décourager.

— Tu n'as pas l'air bien.

– Je ne suis pas bien, je veux m'en aller. Regarde de quoi j'ai l'air. J'ai l'air d'un prince et pourtant, je ne suis qu'un morceau de viande. Personne ne semble s'en rendre compte. Sauf toi. Sors-moi d'ici, s'il te plaît. Je veux m'en aller.

Il me parle comme s'il me connaissait depuis longtemps.

– Il y a plein de gens qui t'attendent...

– Je ne veux pas les voir. Je veux m'en aller. Je n'en peux plus. Je ne suis pas celui qu'ils pensent. Je ne veux pas être celui qu'ils veulent que je sois. Aide-moi. Je vais imploser.

– Je vais t'aider, juré. Regarde-moi dans les yeux et écoute-moi bien... Est-ce que tu sais où on est?

– Dans un vestiaire, à l'aréna de Moncton, pourquoi?

– Non, nous ne sommes pas à l'aréna. Nous sommes dans un endroit qui n'existe pas.

Il me fixe avec un gros point d'interrogation dans les yeux.

– Un endroit qui n'existe pas, c'est nulle part, non?

– Nous sommes dans ton inconscient, nous sommes au milieu d'un rêve...

– Qu'est-ce que tu fais ici, alors?

– Ce serait long à expliquer, Samuel. Et ça ne servirait à rien. Juste pour te le prouver, dis-moi, qui est avec nous, ici, dans ce vestiaire?

– Il y a mes parents, mon entraîneur Marc, un type que je ne connais pas, et nous deux.

– Tu en es bien certain? Regarde encore.

Les gens qui étaient avec nous se sont subitement transformés en chats.

Sacrée Sarah.

– Comment tu as fait ça?

– Je n'ai rien fait : c'est toi, c'est ton imagination. Tu dois aimer les chats, non ? Moi, je les adore.

– Les chats sont libres, ils n'ont pas de maître, ils décident de tout eux-mêmes et ne sont jamais prisonniers.

– Je pense la même chose. Ils ont de l'humour aussi, tu ne trouves pas ?

– Je trouve qu'ils sont plutôt sérieux...

– Tu veux en voir d'autres ? Viens, suis-moi.

Nous sortons du vestiaire et passons dans le hall d'entrée où, à mon arrivée, s'entassait la foule. Tous ces gens sont aussi devenus des chats. Certains sont en complet et cravate, d'autres en survêtement de sport. Je pousse la porte principale ; les chats sortent en trombe et la place se vide. Dans le stationnement, il n'y a bientôt plus une seule voiture.

Samuel et moi, nous marchons dans la ville.

– Je ne reconnais rien, dit Samuel. Je suis perdu.

– Ici, dans l'imaginaire, les endroits disparaissent et changent sans qu'on ne puisse rien contrôler. Tout ce que je connais ici, c'est le temple.

Mais pourquoi j'ai dit ça ? !

– Le temple ? s'étonne Samuel en fronçant les sourcils.

– Viens, allons nous asseoir en face.

– Où ça ?

– Juste là, à côté du salon de barbier, c'est le Temple de l'Étoile verte.

– De quoi tu parles ?

– Viens.

Samuel est maintenant vêtu normalement. Il porte des jeans et une chemise à carreaux, noirs et blancs évidemment, et des Nike assortis.

– Tu as remarqué ? Ton habit doré ? Pouf, disparu !

– Pourquoi je trouve ça normal ?

– Parce que ça l'est.

Nous nous asseyons sur un banc de parc, en face du temple.

– Je sais ce que tu veux faire, Samuel. Je sais que tu as des idées dangereuses. Elles sont inutiles.

– Qu'est-ce que tu en sais ?

– Ne commets pas l'irréparable, je te promets que tout ira mieux très vite. Mieux que tu ne peux l'imaginer.

– Je vis dans un mensonge. Je suis si malheureux. Je n'ai envie de rien, sauf d'en finir.

Il est si triste. Il est accablé. Il parle tout bas.

– Ne fais pas ça. Attends-moi.

– Existes-tu seulement ?

– Tu verras. Regarde mes boucles d'oreilles. Regarde-les. Regarde-les bien.

– Elles sont belles.

– Suis-moi.

Je me lève et, en quelques pas, on est dans le temple. C'est magnifique. Il y a des bancs en ébène ciré, tout autour d'une tribune centrale en ébène ciré également. Des vitraux de toutes les couleurs, certaines que je n'ai jamais vues avant. Par les vitraux s'infiltre une lumière qui donne une texture et une forme à l'air ambiant, comme de longs faisceaux. Plus loin, au fond, une très large porte, aussi en ébène ciré, sculptée. La porte semble lourde, pourtant elle est facile à ouvrir.

Elle donne sur une autre grande salle. Dans cette salle, les murs sont décorés d'étoiles.

– Tu vois les décorations sur les murs ?

— Wow! s'écrie Samuel. Comme tes boucles d'oreilles! C'est fou!

— Quand tu te réveilleras, rappelle-toi ces images… Rappelle-toi ces étoiles.

— Je veux surtout me rappeler de toi. Tu ne m'as pas dit ton nom.

— Emma.

— Tu es belle, Emma.

— Je ressemble à Fifi Brindacier.

— Tu es drôle. Il y a longtemps que je n'ai pas souri. Ça fait du bien.

— Je dois y aller, Samuel. Ma sœur et ma mère m'attendent avec mon rideau de douche. Jure-moi que tu ne feras rien d'idiot.

— Je veux partir avec toi. Je veux la paix.

— C'est impossible pour le moment, mais n'efface rien de ta mémoire. Quand tu te réveilleras, tantôt, écris tout ça sur ton ordi ou ta tablette. Souviens-toi de tout.

— Je veux que tu reviennes…

— Je reviendrai. À bientôt.

Je lui fais un câlin et je m'éloigne de lui, en glissant sur mes souliers comme si c'étaient des patins.

Je cherche Sarah et maman un petit bout de temps. Je les trouve en train de manger des queues de castors, les chanceuses. J'ai toujours adoré les queues de castors. Sarah me donne la moitié de la sienne.

Je t'aime, Sarah.

Nous remontons ensuite à bord des bols glissants, croisons encore les grosses casquettes. Ils sont drôles, ces bols. On rit. On rit surtout de voir maman s'amuser comme une petite fille. Elle est soudainement maquillée comme un chat, de ces maquillages qu'on voit dans les fêtes d'enfants.

Subitement Sarah, dans son bol, me contourne et me crie :

— Facebook !!

* * *

Je me suis réveillée à 7 h, contente de ma nuit. J'ai l'impression d'avoir accompli quelque chose.

Maman dort, je l'entends ronronner. Elle est sûrement encore avec Sarah. Je me demande bien ce qu'elles font. Elles rient, probablement.

Sarah et moi, on n'a plus besoin de se parler pour se comprendre. Juste un échange du regard et ça y est, c'est tout saisi. Ainsi, quand elle m'a crié « Facebook ! », j'ai tout de suite su ce qu'elle voulait dire.

Avant que maman ne se réveille, je suis allée sur Facebook et j'ai cherché « Samuel Arsenault ». C'est bien ma chance, il y en a des tonnes. C'est un nom populaire, faut croire. Mais j'ai tapé « Samuel Arsenault Moncton, Facebook » dans Google, et aussitôt je suis tombée sur le bon. Dans notre rêve, il n'avait pas tout à fait la même apparence que dans la réalité. Beau gars, j'avoue.

Je lui ai écrit tout de suite, en message privé. Les rêves s'effacent très vite. Il faut en prendre note dès le réveil, sinon ils disparaissent. À l'heure qu'il est, à moins qu'il se soit levé aux aurores, Samuel doit se souvenir de moi. Il faut que son premier geste ce matin soit d'aller voir son iPhone, son ordi ou sa tablette. Il va faire le saut quand il lira mon message ! Pour l'occasion, j'ai changé ma photo de profil. J'en ai mis une de ma boucle d'oreille droite. On la voit en gros plan.

Salut, Samuel. J'aimerais devenir ton amie Facebook. Je ne veux pas que tu me trouves bizarre, mais il faut que je te le dise : hier, tu étais dans mon rêve. Habillé en doré. C'est pourquoi je t'écris ce matin. J'ai tellement l'impression de te connaître ! Je demeure à Montréal. J'aimerais bien que tu acceptes ma demande. Voici mon courriel. Lamme@Hmail.ca
Emma Lauzon

Des fois, je me trouve un peu « crasse », comme dit maman. Mais tu comprends qu'il ne faut pas que je lui fasse peur… J'ai été un petit peu ratoureuse. Il n'y a rien de mal à être un peu ratoureuse, surtout quand c'est pour la bonne cause.

« *Tu étais dans mon rêve. Habillé en doré.* »

Je sais qu'il n'en reviendra pas.

Crasse, crasse, je suis crasse.

* * *

Il est 8 h. Maman est réveillée. Je ne sais pas trop dans quel état elle est. Dans ce temps-là, j'ai un truc simple pour le savoir : je le lui demande.

— Comment te sens-tu, maman ?

— Je ne sais pas si j'ai passé la plus belle nuit de ma vie ou la pire. Je remets tout en question.

— Tout ?

— Tout. Ma façon de vivre, mes croyances, mes peurs. Toi et ta sœur, vous m'obligez à tout repenser.

Je vais à l'ordinateur, pour vérifier si Samuel a répondu à ma demande d'amitié.

Sûr que je t'accepte comme amie FB. C'est la chose la plus bizarre qui me soit arrivée. Es-tu une sorcière? J'ai rêvé exactement ce que tu décris. Tu piques ma curiosité.

Nous échangeons nos numéros de cellulaire, puis nous nous envoyons des messages textes.

Qu'est-ce que tu fais à Montréal?

Des recherches. Je devais travailler cet été, mais il est arrivé quelque chose et, finalement, je ne travaillerai pas.

C'était quoi, ton travail?

Je devais faire des cornets de crème glacée.

Il est arrivé quoi?

Ce serait trop long à expliquer. Un accident, disons…

À toi?

Non, à ma sœur.

Elle est correcte?

Elle n'est pas en grande forme, disons.

Quel genre d'accident?

Un accident de vélo.

Plate.

Très plate.

C'est dommage que tu habites si loin, on aurait
pu se voir.

C'est toujours possible. Le Nouveau-Brunswick,
ce n'est pas au bout du monde!

Elle est belle, ton oreille avec ta boucle, sur ta
photo de profil, mais je serais curieux de voir à
quoi tu ressembles.

Va sur mon profil, il y a plein de photos.

Quelques minutes s'écoulent. Je repasse mon propre
profil, m'imaginant que nous regardons mes photos en
même temps. C'est vrai qu'il y en a beaucoup. Mais juste
des photos d'enfants.

Tu es cute. Tu as l'air drôle, espiègle, allumée…
Tu as des photos plus récentes?

Oui, mais je n'en mets pas sur Facebook.

Pourquoi?

Bof.

La fille avec toi sur les photos, c'est ta sœur?

Oui, elle s'appelle Sarah.

Vous ne vous ressemblez pas du tout.

Nous sommes adoptées. Moi, je suis Écossaise
de naissance. Un père et une mère aux
cheveux roux.

J'aurais deviné.

Sarah est autochtone de la tribu des Nakotas. En français, on dit «Assiniboine». Elle est née ici, mais sa mère vient de la Saskatchewan. Son père aussi, probablement, on ne sait pas trop.

Toi, tu es née en Écosse?

Non, je suis née ici aussi, presque en même temps. Ma mère vient de Kirkcaldy, au nord d'Édimbourg. Mon père est de Glasgow. Je n'y suis jamais allée. Et toi? Tu es né au NB?

À Moncton. Je n'ai pas de frère ni de sœur. Mes parents sont tous les deux vétérinaires. Ils sont divorcés.

Je sais, je l'ai lu. On raconte aussi que tu es tout un bollé à l'école…

Je suis mal à l'aise de parler des articles de journaux.

Excuse-moi.

Pas grave.

Pourtant, tout le monde aimerait être une star. Moi-même, j'aimerais bien. J'ai tout ce qu'il faut.

…

Tu ne réponds pas?

Je n'aime pas parler de ça.

Dsl.

C'est trop bizarre, l'affaire du rêve. Je voyais ça comme un cauchemar, mais maintenant je ne suis pas certain. C'est peut-être le contraire.

Tu vois? Des fois, la vie nous réserve des surprises. Surtout la nuit.

Mais pourquoi moi?

Je ne sais pas, c'est comme ça.

Trop fou.

Je ne suis jamais allée au Nouveau-Brunswick. Je suis passée par là une fois, en allant aux Îles-de-la-Madeleine, c'est tout.

Je t'invite, si tu peux.

Je vais voir. Faudrait que j'en parle à ma mère. Je crois qu'elle connaît quelqu'un à Moncton. Une amie.

Ce serait bien. Ça me changerait les idées.

Je sais que tu dois te changer les idées.

Pourquoi tu dis ça?

Je suis une sorcière, tu l'as dit. Je ne peux pas te donner tous mes secrets. Je sais que tu es découragé. Mais attends. La vie aura bien des surprises et des chemins à te proposer…

C'est la première fois depuis longtemps que je suis souriant. Merci.

Je veux voir ça.

OK. Attends.

Super.

Après quelques secondes, je reçois son *selfie*.

Wow! Le beau bonhomme. Je pensais que tu avais les cheveux plus longs…

Je suis allé chez le coiffeur hier.

Je décide de lui envoyer un *selfie* à mon tour. C'est une photo de moi de dos.

Tu me niaises?

Un peu.

Super derrière de tête!

N'est-ce pas? Et tu ne m'as pas vue en personne, je suis *stunning*.

Tu es drôle. N'oublie pas que, *anyway,* je t'ai vue dans mon rêve…

Un rêve, ça déforme les gens et la réalité. Je suis bien plus belle que celle que tu as vue! Je dois te laisser.

Je veux connaître l'histoire de l'accident. Tu me raconteras, promis?

Promis. Mais pas tout de suite. Bye, la star.

Arrête. Bye.

J'ai la tête qui tourne. Quand ça m'arrive, je relaxe en mangeant une rôtie aux cretons de veau. Je m'apprête à me lever pour aller m'en préparer une quand mon ordinateur émet un timbre électronique. Briiip. Briiip. J'ai reçu un courriel. Je reçois toujours plein de cochonneries tout le temps. Cette fois, c'en est un vrai. Il contient un document.

Troublant, ce n'est pas le bon mot. C'est plus que troublant. Assommant.

Le courriel est de Samuel. Je prends une bonne respiration.

Salut Emma. Je ne sais pas pourquoi, mais je te fais confiance. Je t'envoie la dernière page de mon journal. C'est un journal hyper top secret. Il y est question de toi. Je vais peut-être regretter de te l'avoir envoyé, mais tant pis. Garde le silence. Please.

Et, en pièce jointe, ce texte.

5 août
Hier, je suis allé à la quincaillerie Leblanc et je me suis acheté du fil électrique.
Chaque jour, je m'enfonce. Mon air est du sable mouvant. J'ai toujours le goût de vomir. Plus je suis populaire, plus j'ai du succès, plus je suis malheureux. Le succès est un enfer. Le succès dans le sport, un enfer. Le succès social, un enfer. Le succès à l'école, un enfer. Le succès avec les filles, un enfer.
Je ne suis rien si je n'ai pas de succès.
Je ne suis rien.
Les gens qui m'entourent font fausse route. Mon père, ma mère, Marc, mes amis, mes ennemis, ils font tous fausse route.

Je n'ai pas le droit de le dire. Je suis « chanceux »… Chanceux ? Où ça, « chanceux » ?

J'ai beaucoup lu sur l'adolescence, ce passage de la vie où tout change, où l'innocence disparaît pour faire face aux questions sans réponses. On est assez mûrs pour se poser des questions, mais trop « verts » pour avoir les réponses.

Est-ce que je veux que tout le monde me foute la paix ? Je ne sais pas.

Est-ce que je veux être seul dans mon coin ? Je ne sais pas plus. Je pense que je ne veux être nulle part. Ne pas exister. Ne plus exister.

Je suis le contraire de ce que les gens pensent que je suis. Ils me pensent fort et je suis faible. Ils me pensent heureux et je suis malheureux. Ils me pensent amical, je suis renfermé. Ils me pensent brillant, je suis con.

Je suis un personnage dans la vie de tous, mais je ne suis personne dans ma propre vie, sinon un hypocrite, un menteur, un imposteur.

Est-ce que j'ai des complexes ? Non. Je suis juste malheureux. Ce qui me rend malheureux, c'est que je n'ai aucune réponse à mes questions. Je tourne en rond et je suis étourdi.

Je ne suis pas suicidaire, mais…

Je ne veux pas mourir, mais…

… mais si la vie plantait un accident, juste là, en plein centre de mon chemin, ce serait libérateur. Peut-être.

J'ai juste le goût de pleurer. Il faut que je pleure en secret. Je veux me sauver, mais je ne sais pas de quoi, de qui, ni où. Je veux juste me sauver.

Je n'ai plus rien à quoi me raccrocher.

Mon père, un chic type qui m'aime, croit que mon chemin est tout tracé. Que mon chemin est pavé de succès, de recon-

naissance et de bonheur. Ma mère, que j'aime, pense la même chose. Avec tout ce que j'ai reçu à la naissance, disent-ils, l'échec est impossible. Pourtant moi, je ne vois que l'échec.

J'aimerais bien l'échec si c'était MON échec, mais mon propre échec serait l'échec des espoirs des autres, pas des miens.

Je suis dans un remous. Je coule. Cette descente est intenable. Elle entraînera avec moi ceux que j'aime et qui ne le méritent pas. Alors, je fais quoi? Je vis l'enfer dans ma tête. Faut-il que je l'endure, pour ne pas tuer mon entourage? Toujours pas de réponse. Un accident, vite. Un accident qui réglera tout.

Je ne m'appartiens pas. J'appartiens à mes parents, à mes amis de classe, à mes coéquipiers. J'appartiens à ceux qui voient en moi une étoile de hockey. Et je déteste le hockey. Je sais quand j'ai commencé à détester ce sport: quand on m'a isolé. Quand les autres ont été éliminés. Quand on m'a dit de ne plus jouer avec les autres, mais malgré les autres. Je dois me distancer des autres, ils me nuisent. Ils ne m'aident pas. Ils ne m'aident plus.

Ce n'est pas comme ça qu'on me l'a dit, mais c'était ça: « Tu n'es pas dans la même classe. Les autres te ralentissent. Fonce. Fous-toi d'eux. » La descente a commencé comme ça. Ç'a été l'enfer à partir de ce moment. Quand le monde a décidé que j'étais le nombril. Je ne suis pas le nombril. Je ne veux pas l'être, et je ne le serai pas. Malgré ce que tous disent.

6 août

Je suis au neutre, comme toujours. Je bouffe mes céréales, sans appétit, par automatisme. Je n'ai pas de but, je n'ai envie de rien. D'ailleurs, je fais tout par automatisme. Comme regarder Facebook et mes courriels. Par automatisme. J'en lis un sur quatre. Et encore.

Or, ce matin : surprise. J'ai reçu le courriel le plus bizarre de ma vie. Comment j'expliquerais ? Ce courriel m'a réveillé. Ma tête s'est remise à tourner. Comme si mon moteur avait redémarré, l'espace de quelques instants.

Ça fait du bien, un peu de bruit de moteur.

J'ai fait un cauchemar la nuit dernière, comme souvent. On avait mis ma tête à prix. Ils étaient une foule à m'évaluer. Combien je valais ? Oui, oui : combien je valais ? J'étais une bête de cirque. Un cheval pur-sang. Un animal. Un animal très bien habillé, mais un animal quand même.

Ils se présentaient tous à moi, à Marc, à mes parents, pour les convaincre que je serais mieux traité sur leur ferme que sur une autre. Je voulais leur crier que je ne suis pas un morceau de viande, Canada catégorie A, ils riaient de moi. J'étais habillé comme un prince et malheureux comme un pauvre.

Alors que j'étais assis dans un vestiaire, une fille rousse avec des boucles d'oreilles vertes brillantes est entrée. Tous les gens autour se sont transformés en chats.

Un rêve, c'est un rêve, une mise en scène et une création de l'imagination. Faut pas prendre ça pour du cash.

Mais là, c'est trop fort. Ce courriel étrange m'a jeté par terre.

« Salut, Samuel. J'aimerais devenir ton amie Facebook. Je ne veux pas que tu me trouves bizarre, mais il faut que je te le dise : hier, tu étais dans mon rêve. Habillé en doré. C'est pourquoi je t'écris ce matin. J'ai tellement l'impression de te connaître ! Je demeure à Montréal. J'aimerais bien que tu acceptes ma demande. »

Il est 8 h et je suis abasourdi. Une coïncidence? Le hasard? Le hasard ne peut pas avoir le dos si large. Et qui est cette Emma Lauzon?

J'ai hésité, puis je lui ai écrit. J'ai accepté sa demande d'amitié.

C'est la première fois depuis longtemps que ma tête est absorbée par autre chose que ma salope de vie. Comment cette fille, Emma, a fait pour apparaître dans ma nuit? Et surtout POURQUOI?

J'ai un entraînement tantôt. Marc m'a dit que j'allais rencontrer quelqu'un d'important. Quelqu'un d'important à ses yeux n'est pas nécessairement quelqu'un d'important pour moi... Marc est le meilleur gars du monde, mais il n'a aucune idée de ce qui se passe dans mon esprit. Je ne lui dis rien. Je ne veux pas lui faire de peine, encore moins à papa et maman. Alors, je continue. Mais au moins, j'ai cette sorcière rousse, avec les boucles d'oreilles, qui m'ouvre une porte. Emma Lauzon.

* * *

J'ai fait le déjeuner pendant que maman se remettait de ses émotions, et moi des miennes. Maman aime ses œufs très cuits sans que rien ne bave, et le jambon sauté dans la poêle. Je la connais bien. Et je vois qu'elle est pleine de questions et de doutes. Qui ne le serait pas, à sa place?!

— Fais pas cette tête-là, maman. Accepte la situation. Elle est spéciale, cette situation.

— Je l'accepte, mais laisse-moi le temps de m'y habituer.

— C'est une bonne nouvelle que Sarah continue à exister, à vivre, à être drôle.

– Oui, mais…

– Mais quoi ?

– Mais ce que je veux, c'est la voir courir, comme avant. La voir vivre, jouer…

– Elle le fait, maman. Tu l'as vue dans la piscine à Las Vegas… Un vrai dauphin, comme toujours ! En mieux.

Sarah a toujours été un poisson, alors que moi, je nage comme une roche. Comme une roche incompétente.

– Pardonne-moi, Rouge, mais j'ai besoin d'un peu de temps pour digérer tout ça. Je ne peux pas m'empêcher d'avoir la gorge serrée quand je vois ma belle Sarah prisonnière d'un lit. C'est quand même ça, la réalité.

– Mais la réalité n'est pas celle que tu penses ! C'est ce que tu dois te dire. Sarah, toi, moi et tous les autres, on a toujours eu la même conception de la réalité. On avait tort, tu vois bien.

Elle boit une gorgée de jus d'orange en hochant mollement la tête, comme si elle n'était pas tout à fait convaincue (je sais bien qu'elle ne l'est pas encore).

– J'ai texté Samuel, ce matin, dis-je après une pause.

– Le jeune garçon du Nouveau-Brunswick ?

– Nous nous sommes écrit pendant une bonne dizaine de minutes.

– Et puis ?…

– Et puis, je vais aller le voir au Nouveau-Brunswick. Sarah aussi dit que je dois y aller.

– Pas tout de suite, quand même ?

– Le plus tôt possible. Samuel ne va pas bien. Il est très déprimé. Il pense au pire. Il faut que j'y aille.

– Je n'aime pas ça… Tu le sais.

Nous sommes arrivées au centre en fin de matinée. Sarah est toujours dans le même état. Pleine de fils. Elle respire bien, mais il faut qu'elle soit aidée par une grosse machine. Pascalina était auprès d'elle, elle y était depuis 8 h ce matin. Elle est gentille, cette fille. Des fois, j'aimerais la mettre dans le secret des dieux… Elle est restée avec nous un moment, puis nous a laissées seules avec Sarah.

Devant maman, j'ai parlé à ma sœur.

— J'ai écrit à Samuel. Il est encore en danger, mais je sais que mon arrivée dans sa nuit l'a ébranlé de la bonne façon. Maintenant, je dois aller le voir à Moncton. Maman dit qu'elle n'est pas sûre.

Maman s'est approchée de Sarah et lui a caressé le front. Elle lui a dit tout doucement :

— Je me sens si bizarre de te parler, mon amour. Je te vois dans ton lit, immobile, avec plein d'appareils et de fils et de moniteurs. Je me sens un peu folle. Aide-moi à accepter ton monde imaginaire…

Il fallait que je corrige :

— Maman, ce n'est pas un monde imaginaire ! Cette vie est bien réelle ! Elle n'est pas le fruit de ton imagination, ni de la mienne, ni de celle de Sarah.

— Je sais, je sais. Mais… Cette chose me fait peur. Sarah, j'aimerais mieux te voir devant moi, comme avant. Je veux t'entendre.

— Pour l'entendre, maman, tu n'as qu'à l'écouter.

* * *

En début d'après-midi, nous sommes retournées à la maison pour continuer notre réorganisation des albums de photos. Ça a été un après-midi un peu triste. Mélancolique, plutôt.

Nous nous sommes retrouvées presque noyées dans les photos à replacer. Il y en a au moins quatre millions. Sarah et moi à la pouponnière avec une infirmière que je ne connais pas et qui ressemble à une grand-mère. C'est maman qui a pris la photo. Plein d'autres clichés quand nous étions bébés. Pour vrai, on est trop belles. Je suis grassouillette et Sarah, pas du tout. Elle a la tête tellement noire, c'est pas possible. Et moi, je n'ai presque pas de cheveux.

Puis d'autres photos. Notre voyage à Disney World, nous avons neuf ans. J'adore les pirates, la grosse mousse, l'imperméable jaune avec la face de Mickey, Sarah qui a eu peur dans un manège de sorcière. La Maison des miroirs, le petit Indien comique, les sept Nains et le gros château.

Une autre photo, sur le bord d'un lac dans le coin de Ferme-Neuve, chez un ami de Pierre. Maman me raconte que Sarah a plongé dans le lac, à partir du vieux quai de bois, et que je suis restée là, debout, rieuse et impressionnée par les prouesses de ma sœur.

Sarah avec un gros poisson au bout d'une ligne à pêche rudimentaire.

Des clichés de notre visite tout près des chutes Montmorency dans le coin de Québec. On avait couché au Château Frontenac. C'est sûr que je ne m'en souviens pas beaucoup, j'étais trop jeune. J'ai tellement vu ces photos. Une autre où tout le monde rit de moi parce que je ne veux pas manger de crevettes. Bizarre, aujourd'hui, j'en mange des tonnes. Puis une dans un motel des Îles-de-la-Madeleine.

Une autre quand Sarah et moi avons suivi des cours de judo, toutes petites. J'étais meilleure que ma sœur. Je la faisais culbuter comme je voulais. Ça la fâchait, et moi, ça me faisait rire.

Faire du *scrapbooking* peut paraître une activité innocente. Quand maman et moi, on s'y met, ça devient très intense, chargé d'émotions. Maman m'a dit qu'elle choisissait nos activités d'enfance en tenant compte des origines de Sarah. De la pêche, de longues marches, de la natation, des randonnées en montagne, beaucoup de sport et de plein air.

— Et moi, mes origines ?

— Quoi ? Tu n'aurais pas voulu qu'on boive du scotch en jouant de la cornemuse, tout de même ?

— Très drôle !!!

Ça a été un bel après-midi, rempli de larmes et de rires. Les deux extrêmes qui, finalement, se rejoignent.

Maman et moi, on adore parler de Sarah. La différence, c'est que ça tire des larmes à maman, et moi, ça me remplit d'espoir. Sarah ne mourra pas, je le sais. Mais maman est toujours dans le doute.

Il y a une photo qui me trouble plus que toutes les autres. C'est une photo de Sarah et moi, dans la minuscule cour arrière de notre appartement de la rue Drolet, à l'époque. Nous avions huit ans, pas plus. Un chat sans domicile se baladait comme les chats se baladent naturellement, à la recherche d'une souris, probablement, ou juste d'un espace tranquille. Indépendant, suffisant, en plein contrôle de sa vie. Le chat est venu dans les bras de Sarah, sans même qu'elle l'appelle.

J'ai vu cette photo cent fois. Mais je ne l'ai jamais examinée. Dans les escaliers de notre appartement, il y a Sarah avec le chat dans ses bras. Je suis juste à côté d'elle.

Tu l'as deviné, c'est sûr : c'est un chat noir et blanc, un chat vache. Ce qu'il a de particulier, c'est son collier.

Je ne sais pas si c'est moi qui pousse mon imagination trop fort et trop loin, mais dans son cou il y a un bijou que je connais bien. Tu vois ce que je veux dire.

C'est une étoile. Une étoile verte…

— Qu'est-ce que tu fais ?

— Je vais chercher une loupe.

Armée de ma loupe, je regarde la photo de très près. C'est bien ça : une étoile verte à neuf branches.

Sarah, tu es folle. Mais je t'aime.

Chapitre 8
Départ pour Moncton

Mercredi 8 août

Il est 19 h. Je pars en autobus pour le Nouveau-Brunswick. Samuel ne sait pas que je m'en viens lui rendre visite. Je ne le lui ai pas dit. J'ai apporté la petite valise carrée de maman. Elle doit bien avoir cent ans. Dedans, mon iPad et mon iPhone, sans lesquels je ne pourrais pas vivre.

Maman m'a donné l'adresse et le numéro de cellulaire d'une de ses amies, Lyne, qui habite à Moncton. Elle et maman ont été des compagnes de travail pendant quelques années et sont demeurées en contact. Elle lui a écrit pour lui dire que je m'en venais à Moncton.

Maman dit que j'ai déjà rencontré cette amie, mais je ne m'en souviens pas du tout. Elle est infirmière à Moncton. Elle ne travaille qu'à l'occasion, elle est à quelques mois de la retraite. Elle m'attendra à la gare. Je vais loger chez elle.

Maman est venue avec moi au terminus d'autobus, rue Berri. Elle m'a donné deux cents dollars. Au cas. Je l'aime. Mon autobus part dans douze minutes. J'arriverai très tôt demain matin ; ce voyage durera entre dix et douze heures.

Tu n'as pas le droit de rire, mais c'est la première fois que je pars toute seule. J'ai presque seize ans, il commence à être temps! Faut que je sois prudente. Tous les garçons vont tomber amoureux de moi (du moins, c'est ce qu'a l'air de craindre maman!).

À peine une demi-heure après le départ, je me suis endormie.

Évidemment, je rêve.

La nuit du mercredi 8 août

Der Wüstenfuchs

Je suis assise sur un banc de parc avec ma petite valise carrée. Détendue comme une grosse paresseuse. J'attends quelque chose, mais je ne sais pas quoi ni qui. Je regarde en face de moi et je ne vois que de l'espace. Ça semble être un vaste désert. Un vent chaud souffle.

Rien ni personne à l'horizon.

Je ne sais pas pourquoi je suis là. Je lis *Le Journal d'Anne Frank*. Ce que j'ai entre les mains, ce n'est pas réellement un livre, mais un petit calepin avec notes manuscrites en allemand. Je ne devrais rien y comprendre, mais je le lis avec beaucoup d'intérêt. Au-delà des mots, il y a une sensation qui n'a ni langue, ni sens. Juste une sensation. Un *feeling* de force et de résilience.

Maman m'a souvent parlé de ce livre. C'est l'histoire vraie d'une jeune Juive de mon âge, Anne. Anne s'est cachée aux Pays-Bas avec sa famille pendant la Deuxième Guerre mondiale. Puis ils ont tous été arrêtés et envoyés dans un camp de concentration nazi, à Bergen-Belsen, en Allemagne. C'était au temps de la Shoah (*shoah* est un mot hébreu qui veut dire «catastrophe»).

Souvent, quand je lis un livre, je m'endors en tournant les pages. C'est d'ailleurs un de mes trucs pour avoir de bonnes nuits de sommeil. Mais je n'oserais pas le dire aux écrivains qui se forcent pour écrire des histoires formidables... ces histoires qui ne servent finalement qu'à m'endormir. Je me suis même endormie en lisant *Harry Potter* et *Le Seigneur des Anneaux*. J'ai le sommeil facile, faut croire. Tu ne trouves pas que c'est amusant de rêver qu'on dort? C'est comme impossible. Mais dans ce rêve, je ne m'endors pas. Je suis hyper-concentrée sur ma lecture.

Une odeur venue de loin me fait soudain lever les yeux. Je vois, à une centaine de mètres, quatre formes. Trois personnes et un animal (qui ressemble à un chien ou à une chèvre) s'avancent vers moi. Ils ont l'air fatigués. Ils ont le pas lourd. Je ne peux pas les reconnaître, je ne sais même pas si ce sont de véritables personnes ou juste des ombres. Lorsqu'ils s'approchent, ça devient plus clair : ce sont trois soldats. Je n'ai pas peur du tout.

Arrivés à ma hauteur, je constate que deux de ces soldats n'ont pas de bouche (comme le type, au Colisée, qui avait refusé de me répondre dans le rêve où je cherchais Samuel). Ils ont leur nom cousu sur leur veston. Hermann Higgs et Gerdt Boson. Boson et Higgs.

Celui du milieu a un plus bel habit et une plus belle casquette. Comme les deux autres ne peuvent pas parler, c'est lui qui m'adresse la parole. Il a une voix de sable et il parle en allemand mais je comprends tout, comme s'il me parlait dans ma langue. Il est poli. Je lui parle aussi en allemand. Une bollée, c'est une bollée.

— Qu'est-ce que vous faites ici, *fräulein*?
— Je m'en vais au Nouveau-Brunswick voir un ami.

– Où?

– Au Nouveau-Brunswick, juste au bas d'une pente.

– Quel est votre nom?

– Emma Lauzon. Et vous?

– Erwin Rommel.

– Vous êtes un soldat?

– Je suis un *generalfeldmarschall*. On m'appelle «der Wüstenfuchs». Cela veut dire: «le renard du désert».

L'animal avec eux est effectivement un renard. Un renard qui comprend la langue humaine et qui semble très indépendant. Il n'a pas l'air méchant. Le renard est un habitué de mes nuits, semble-t-il, comme les chats vaches. La première fois, il était argenté; là il est roux.

– Pourquoi vos amis n'ont pas de bouche?

– Parce qu'ils n'ont rien à dire.

– Ils mangent comment? Il faut qu'ils mangent.

– Vous posez trop de questions.

– Je suis juste curieuse de savoir comment on fait pour manger quand on n'a pas de bouche.

– Puisque vous voulez tout savoir, je donne à manger au renard et ce sont eux qui digèrent.

– Je ne comprends pas.

Il crie:

– Cessez de poser des questions!!! C'est moi qui commande ici!!!

Je sais que je devrais avoir peur, mais il ne m'impressionne pas du tout, même en gueulant comme un putois.

– Les nerfs! Je ne suis pas sourde. Baissez le ton.

– Je veux voir vos papiers!

– Mes papiers? Quels papiers?

– Montrez-moi vos papiers!

Le renard se mêle soudainement à la «conversation».
D'un ton blasé, il me parle par la pensée, sans faire le
moindre son.

– Montre-lui n'importe quoi. Sors des papiers de ta
vieille valise carrée, montre-les-lui, il va te foutre la paix. Je
le connais. Il crie, il crie, mais il n'est pas méchant.

– Allez, c'est un ordre : je veux voir vos papiers, sinon je
vous fais prisonnière!

– Bon. Puisque vous insistez…

Je lui montre le calepin d'Anne Frank, ce sont les seuls
papiers que j'ai. Je ne vais certainement pas lui donner
mon iPad, ni mon iPhone.

Il regarde le calepin rapidement et il me le remet.

– Tout est en ordre, dit-il. Mais à votre place, *fräulein*, je
ne resterais pas ici. C'est une zone dangereuse. Il va y avoir
beaucoup d'action. Des explosions, des tirs, ce n'est pas un
endroit pour une *fräulein* comme vous.

J'ai le goût de lui dire de se mêler de ses affaires, mais je
me retiens. Tout de même.

Les trois soldats et le renard poursuivent leur marche
vers nulle part. Je les regarde tranquillement s'effacer. Le
renard se retourne et me fait un clin d'œil.

Je me dis que les deux soldats sans bouche ne doivent pas
aimer être toujours avec cet homme au drôle de caractère,
Erwin Rommel. Il crie pour rien. Drôle de pistolet.

* * *

Je me suis réveillée avec un sentiment de fierté. Je ne sais
pas pourquoi. Peut-être parce que je n'ai pas été impressionnée par le *generalfeldmarschall* Rommel, même s'il

criait avec son air bête. Parce que je lui ai tenu tête? Je suis fière de moi. Agréable sensation. Vive la Rouge!

Je me rends compte que c'est la première fois, depuis longtemps, que je rêve sans que Sarah y soit.

Il y a du mouvement dans l'autobus. Il est 22 h 30 et nous faisons une halte à Québec. La soirée est magnifique. Il fait bon, juste assez chaud. Je suis descendue de l'autobus pour marcher un peu. Le chauffeur nous a dit qu'on repartait dans une dizaine de minutes, de rester dans les parages. J'ai eu le temps d'aller m'acheter un sac de croustilles au ketchup et un jus de légumes.

En mangeant mes croustilles, sur un banc, juste devant l'autobus, j'ai eu encore une fois la preuve que le monde est fantastique et que Sarah est folle. Dans le sac de croustilles, il y avait une petite carte à collectionner enveloppée dans un papier cellophane. La série «Les animaux du Canada». Quarante-huit cartes à collectionner.

La mienne représentait un renard… particulier. Ce qu'il a de particulier? Sur l'image, il me fait un clin d'œil! J'ai contemplé ma petite carte de renard au clin d'œil et j'ai esquissé un sourire plus large que le pare-chocs de l'autobus. Puis, je suis remontée.

Plus de la moitié des voyageurs ont débarqué au quai de Québec. Quelques-uns sont revenus à bord.

J'ai pris une photo de ma carte à collectionner. Puis j'ai googlé «renard» sur mon iPhone.

Le renard roux (Vulpes vulpes) est un mammifère qui ressemble à un petit chien agile et de charpente délicate; son museau et ses oreilles sont pointus, son pelage long et lustré et sa queue, grande et touffue. Le mâle est un peu plus

gros que la femelle. La taille varie quelque peu d'un indi-
vidu à l'autre et selon les régions ; les renards roux des ré-
gions nordiques tendent à être plus gros. L'adulte pèse de
3,6 à 6,8 kg et mesure de 90 à 112 cm du bout du museau
au bout de la queue, cette dernière comptant pour le tiers de
sa longueur totale.

Sarah n'arrête pas de me dire qu'elle m'aime. Elle prend toutes sortes de chemins pour me le faire savoir. Comme placer un renard dans un sac de croustilles au ketchup.

Je t'aime aussi, Poca.

Même si je ris, j'ai une larme au coin de l'œil. Elle est toute petite, mais bien là.

L'autobus est reparti. Il y aura quelques autres arrêts avant d'arriver à destination. D'abord dans la région de Rivière-du-Loup, puis à Edmundston, puis à Fredericton, la capitale du Nouveau-Brunswick, et nous arriverons finalement à Moncton. Je suis le trajet sur mon iPhone.

J'aime voyager en autobus. On est confortable dans les grands sièges. Et j'ai mon oreiller qui sent Sarah. Le paysage défile par la fenêtre.

Je suis bien.

J'ai continué mes recherches sur Samuel Arsenault. C'est incroyable le nombre d'articles qu'on lui a consacrés! Même si je le voulais, je ne pourrais pas tout lire avant d'arriver à Moncton. Toute une star, ce Sam.

Je m'endors.

* * *

Ma scène sur la scène

Je rêve.

Un animateur est sur une scène. Il est bien peigné et porte un smoking. Trois petits moutons bruns saluent la foule. Ils viennent de jouer un extrait de *La Chatte sur un toit brûlant*, version chantée.

— Bravo! clame l'animateur. C'est excellent. Bravo encore. On les applaudit! Ils le méritent bien, n'est-ce pas? Bravo!

Je ne sais pas ce que je fais là.

Je suis nerveuse.

Le monsieur en smoking s'apprête à me présenter à la foule. Je lui fais signe d'arrêter, mais il ne me voit pas.

Je vais faire une folle de moi. Je vais me présenter devant tous ces gens et je n'ai rien à dire. Je panique.

Soudainement, Sarah apparaît derrière moi, en hologramme. Elle me tient par les épaules et me parle doucement.

— Vas-y, Emma! Je vais t'aider. Tu n'as qu'à répéter ce que je vais te souffler à l'oreille.

— Mais je vais m'effondrer!

— Non, non, tu ne t'effondreras pas. Répète après moi, c'est tout. Personne d'autre que toi ne me voit.

— Et voici maintenant notre septième participante, lance l'animateur. Du quartier Villeray, de la merveilleuse ville de Montréal : Emma Lauzon! On l'applaudit!

Je m'avance au centre de la scène. Je suis habillée tout croche. Je ne connais pas l'endroit. C'est une salle de spectacle pleine à craquer de gens impatients, un public exigeant. Je veux m'en aller. Cauchemar. Sarah me parle et je répète machinalement tout ce qu'elle me dit :

– Bonsoir à tous. Je m'étais préparée à vous chanter une version de *Madame Confiture* de Nanette Workman, mais j'ai changé d'idée. Ce serait une perte de temps, alors qu'il y a tant à faire. Un jeune homme brillant, généreux, brave, et qui a une mission importante devant lui, est sur le point de mettre fin à ses jours. J'ai décidé de ne pas chanter. Je veux vous parler de cette personne…

Je constate, en regardant l'auditoire, que les gens qui le composent portent tous des habits de gala et des robes longues. Tous des vieux, des riches. Je ne suis pas à ma place. Je n'ai pas d'affaire là. Mais je ne peux pas m'en sortir. Sarah est juste derrière moi.

– Alors, cessez de l'applaudir. Il ne veut pas être applaudi, il veut être entendu!! Il ne veut pas vous entendre, il veut être entendu! Allez-vous finir par comprendre?!

Je ne sais pas pourquoi, mais je suis tout à coup hyper-agressive. Comme si je parlais à des idiots. Naturellement, en chœur, ils se mettent à me conspuer, à me huer. Mais je m'en fous. Je continue à les haranguer.

– Criez tant que vous voulez! Tout ça, c'est votre faute! Assumez-en les conséquences! Vous êtes là, devant moi, vous avez payé très cher votre siège, et vous n'êtes pas foutus de comprendre ce que vous faites ici! Vous me faites pitié avec tous vos beaux atours. Vous êtes tous aveugles! Pire que ça, vous n'êtes pas de vrais aveugles, vous vous fermez les yeux!! Comme dit le vieux proverbe: *il n'y a pire aveugle que celui qui ne veut pas voir*. Tout ce que vous voulez voir, ce sont vos bijoux, vos belles tenues et vos souliers vernis, vos carrières, vos amis influents ou célèbres, vos comptes en banque, vos photos dans le journal! Vous voyez qu'un jeune homme, promis à faire grandir toute la société, est au bord du précipice et tout ce que vous faites, c'est huer et crier, parce que vous êtes venus ici pour entendre *Madame Confiture*!! Eh bien, sachez-le: Madame Confiture, elle vous emmerde!!

Et là-dessus, je quitte la scène.

Attendant dans les coulisses, il y a un homme mince, noir, beau, avec une trompette. Quand je le croise derrière les rideaux, il me fait une moue. Il ne me parle pas, mais son regard est très bavard. C'est comme s'il me disait: «Meilleure chance la prochaine fois.» Je le reconnais. Il est sur un des CD favoris de maman. Il s'appelle Miles Davis. Sous les applaudissements de la foule, il s'installe et souffle dans sa trompette. Mais aucune note ne sort de son instrument, seulement des puces, des millions de puces qui envahissent la salle, provoquant une panique générale.

Sarah, toujours en hologramme, me met une serviette autour du cou et me guide vers ma loge. Je ne savais même pas que j'en avais une. On dirait que je suis une *big star*! Dans la loge, il y a les trois petits moutons bruns qui sautent partout, comme des enfants.

Mais qu'est-ce que je viens de faire là?

Je n'ai jamais été très gênée, mais je suis toujours restée polie. Je n'aurais peut-être pas dû écouter Sarah. Ou j'aurais dû apprendre *Madame Confiture*, chanter et retourner chez moi, comme prévu.

Sarah me dit de me rendre à la fenêtre de la loge. Je ne vois pas de fenêtre, juste un cadre, posé croche, sur le mur à ma droite. L'image dans le cadre: trois pommes jaunes et quelques fleurs.

— Regarde par la fenêtre!

— Où ça, la fenêtre? Il n'y a pas de fenêtre...

– Juste là…

Je m'approche du cadre avec les pommes et les fleurs, et, en effet, c'est bien une fenêtre. Dehors, je vois la foule de tantôt. Les gens retournent à leurs voitures au pas de course. Ils se sont transformés en pingouins. Il n'y a pas une seule personne, juste des pingouins avec des chapeaux, qui marchent d'un pas pressé vers des voitures, dans un vaste stationnement. Ils ne voient pas que je les regarde.

Soudainement, un rideau de douche vert avec des étoiles, acheté dans une exposition, se ferme et me cache la vue.

* * *

Je me suis réveillée un peu après la petite ville de Dégelis.

Ce qui est agréable quand tu voyages seul en autobus, c'est que tu peux divaguer. Tu peux faire vagabonder ton esprit où tu veux. Tu n'as pas de conversation avec qui que ce soit, tu te tiens compagnie à toi-même.

Je pense à la musique.

Dans mon iPod, j'ai trois millions de chansons, à peu près. En partie grâce à maman et à Diane. Maman a une incroyable collection de disques vinyles et de CD. De la musique que Sarah et moi on a toujours entendue, sans vraiment s'en rendre compte.

Maman a beaucoup chanté tout au long de sa vie, elle a toujours aimé ça. Mais quand Diane est décédée, elle a comme avalé toutes ses chansons préférées et a cessé de chanter. Moi, mes souvenirs musicaux ne m'ont jamais quittée puisque je les ai copiés dans mon iPod. J'en ai plein. Robert Charlebois, Beau Dommage, Harmonium, James

Taylor, Stevie Wonder, les Supremes, les Beatles, Pink Floyd et plein d'autres.

Parmi tous ces disques qui ont constitué la bande sonore de mon enfance, il y en a un que je ne comprends toujours pas, mais que j'aime plus que tous les autres. Comme si c'était mon ventre, et non ma tête ou mes oreilles, qui l'écoutait. Un disque que j'ai dû entendre mille fois. Il n'y a pas de paroles, juste de la musique. Une musique qui est plus une ambiance qu'une musique, en fait.

Je sais que c'est vieux. L'enregistrement original date de 1959. Il est difficile à comprendre, et on ne peut pas l'aimer du premier coup. Même pas à la deuxième écoute. Mais, avec le temps, cette musique vient te chercher, comme les grandes pièces classiques de Beethoven ou de Mozart. Juré.

Dans mes écouteurs, comme un ami, il y a ce fameux CD : *Kind of Blue* de Miles Davis.

C'est bien lui, Miles Davis, que j'ai croisé dans les coulisses de la salle de spectacle, dans mon rêve. Il avait les joues molles. J'aurais dû lui demander son autographe. *Fail.* Maman aurait été impressionnée.

Je suis dans un autobus, au milieu de la nuit, entre Montréal et Moncton. Je regarde filer les arbres dans l'ombre de la pleine lune, les belles petites maisons en bois, les autos en contre-sens, les petits commerces et les panneaux-réclames.

Mon appuie-tête est confortable.

En regardant les lampadaires de la route s'enfuir derrière moi sur le rythme de la musique, je suis comme hypnotisée et je me rendors.

Cent six langoustines

Je rêve.

Je rejoins Sarah dans la cafétéria du cégep de Jonquière. Il y a deux ans, Sarah a participé aux 48es Jeux du Québec à Saguenay (elle n'a rien gagné). Elle était dans l'équipe de ringuette de Montréal. J'étais avec elle, nous étions restées trois jours. Je me souviens bien des lieux.

Nous sommes dans le rang avec nos petits plateaux. Il y a des langoustines pour souper, et une soupe au poisson et aux lentilles. L'attente est longue, et nous avons le temps de regarder les athlètes et les officiels qui bouffent. Il n'y a pas beaucoup de place pour s'asseoir, l'endroit est plein. Sarah a une idée.

– Commande mon repas pour moi, je vais aller tout de suite nous réserver une place dans la caf.

– Parfait. Tu veux combien de langoustines?

– Cent six. Et un jus de tomate.

Je ne sais pas comment j'arriverai à négocier cent six langoustines. C'est beaucoup trop.

Sarah va, comme prévu, nous réserver une place dans la cohue. Elle me crie:

– J'ai une place!! J'ai une place!!

Elle s'assoit juste à côté de deux femmes. Une dame âgée, qui a des écouteurs, et une autre plus jeune, qui tricote un foulard. J'ai le goût de dire à Sarah de se la fermer, mais je n'ose pas devant tout le monde. D'un signe de tête, je lui montre que j'ai compris. Par gestes, elle m'enjoint, pas très subtilement, de regarder le type derrière le comptoir, celui qui sert.

C'est Samuel.

Je suis soudainement envahie par la peur qu'il me reconnaisse, il ne faut pas qu'il sache que je suis ici. Je fais signe à Sarah de venir prendre ma place dans la file. Elle ne comprend pas.

Je ne sais plus quoi faire, j'avance et j'avance et je serai bientôt juste à sa hauteur. J'ai mis mon capuchon par-dessus ma tête et chaussé mes verres fumés. Je voudrais me retrouver trois mètres sous terre. Il va me reconnaître. J'arrive devant lui.

Ce n'est plus Samuel, c'est Pierre, l'ami de maman. Il me reconnaît, c'est sûr.

– Tu penses que je ne te reconnais pas ? Tu es drôle.

– Pierre ? Ouf, tu me soulages…

– C'est ta sœur qui te joue un tour.

– Je le savais.

– On n'a plus de langoustines, il ne reste que des céréales naturelles. Tu en veux ? C'est meilleur pour la santé, de toute façon.

– Deux bols, s'il te plaît.

Il remplit deux bols de céréales, choisit deux petits contenants de lait et me les tend. Je dépose le tout sur mon cabaret et je rejoins Sarah à la table. Mais elle n'est plus là. À sa place, il y a les deux soldats pas de bouche, Boson et Higgs. Ils ne peuvent pas manger, et je suis obligée de bouffer les deux bols de céréales.

* * *

Le matin du jeudi 9 août
Je viens de me réveiller. On est déjà au Nouveau-Brunswick.

Je suis frustrée de ne pas comprendre tout ce qui se passe pendant mon sommeil. La dernière fois, Sarah m'a à peine parlé. Je ne sais plus quoi penser. Qu'est-ce que Pierre faisait derrière le comptoir de la cafétéria, à Jonquière? Et pourquoi ma sœur m'a laissée avec Boson et Higgs, les deux soldats sans bouche? Tout ça doit avoir un sens, mais je ne le comprends pas.

J'ai une petite fringale. Rêver de la cafétéria m'a donné faim, on dirait. Je prends une des trois pommes que maman a mises dans ma valise. J'ai aussi une barre granola aux amandes et à la vanille et le reste de mes croustilles au ketchup. Parce que j'ai dû fouiller dans le compartiment au-dessus de sa tête, je m'excuse auprès de la dame aux écouteurs, assise sur la banquette juste devant moi. Elle est montée dans l'autobus à Québec, avec une jeune femme qui tricote.

Merde. Je la reconnais. C'est la dame qui était assise à la même table que Sarah, dans la cafétéria de Jonquière, dans mon rêve. Celle qui tricote n'est plus là. Elle est partie aux toilettes, à l'arrière du véhicule. Son tricot est sur le siège. Tiens, je repense soudainement aux pommes du tableau de mon autre rêve, celui où j'avais une loge après ma crise sur scène. Tout est logique.

On dirait que Sarah joue avec moi comme un chat avec une souris.

Pendant que je regarde par la fenêtre de l'autobus, je vois que la dame devant moi me fait signe. Enfin, je pense qu'elle me fait signe, je vois juste sa main au-dessus de la banquette qui m'indique de venir la rejoindre. Une vieille main veineuse et douce.

— Est-ce que vous voulez me parler?

Sans répondre à ma question, elle me demande d'approcher ma tête, comme pour me confier un secret.

— Il ne faut pas accuser ta sœur d'être gourmande, même en pensée.

– Quoi?

Elle enlève ses écouteurs et les pose sur ma tête, délicatement, comme une grand-maman. Dans les écouteurs, en boucle : la courte conversation dans la cafétéria de Jonquière, quand Sarah m'a demandé de lui commander cent six langoustines. Par je ne sais quel miracle, la dame a cette conversation dans son appareil, un lecteur MP3, je pense.

Ouf.

– *Commande mon repas pour moi, je vais aller tout de suite nous réserver une place dans la caf.*

– *Parfait. Tu veux combien de langoustines?*

– *Cinq-six. Et un jus de tomate.*

La dame en rajoute :

– Sarah a demandé cinq ou six langoustines, pas cent six. Sois plus attentive la prochaine fois. Elle ne peut pas être si gourmande, tout de même.

Elle reprend ses écouteurs, les repose sur sa tête, sans dire un mot de plus. Abasourdie, je retourne à mon siège. Au même moment, la jeune femme tricoteuse qui l'accompagne revient. Elle a bien vu que je m'étais assise à côté de sa compagne de voyage. Elle me demande :

– C'est elle qui vous a fait signe de vous asseoir près d'elle? Elle ne parle presque pas. Pas du tout, en fait.

– Ce n'est pas grave. Ça ne m'a pas dérangée.

– Oh, je sais, je sais. Elle n'est pas méchante. C'est ma mère. Je la ramène dans sa famille, pour ses derniers jours. Elle souffre d'Alzheimer au plus fort degré. Et ça s'aggrave quotidiennement. Elle ne se souvient de rien, la pauvre. Même pas de son propre nom. Elle ne sait pas qui je suis. Elle ne parle plus. Elle est aux couches… La vie s'échappe d'elle lentement, mais sûrement.

Je suis stupéfaite.

L'autobus fait halte pour une pause «délions-nous les jambes et allégeons nos vessies». Je reste à mon siège. Mais qu'est-ce qui vient de se passer, encore? Je te le jure: je suis parfaitement réveillée.

Je fouille dans mon sac pour retrouver une contenance, en fait je cherche une pomme, on dirait que j'ai encore faim. Parmi plein d'objets entassés en désordre, je mets la main sur un vieux calepin. Le papier, usé, est très doux. Je le sors du sac tout de suite.

C'est le calepin d'Anne Frank.

Avec un soupir, je me tourne vers la vitre. Dehors, sous un réverbère, un renard argenté me fait un clin d'œil.

* * *

L'autobus, une fois reparti, avance dans la nuit chaude de l'été acadien et j'écoute de la musique. Sade, Basia, Jobim, Gilberto, Davis. Ma tête roule à trois cents kilomètres à l'heure. Beaucoup plus vite que le bus.

Il sera bientôt 5 h du matin. Il fait noir. Une fois de temps en temps passe une lumière furtive. Je suis dans la lune et je repense à tout ça. Il faut que je me brasse la tête, que je revienne sur terre.

Comment la madame qui n'a plus ses esprits a-t-elle pu me faire entendre ça? Si cet épisode avait fait partie de mes rêves, d'accord, je veux bien… Mais j'étais pleinement réveillée. Elle aussi.

Je ne sais plus si je veux continuer, j'ai l'impression de devenir dingue. Sérieusement.

Cinéma

Pour le moment, je rêve.

Sarah est dans une salle de cinéma. Il n'y a pas de film à l'écran. La salle est vide. Elle est dans le siège du milieu de la première rangée, en avant, et elle m'attend. Je rentre et je croise Diane qui s'apprête à faire du patin à roulettes, avec un seul patin.

— Où est ton autre patin ?

— Chez le boulanger, j'y vais tout de suite.

Elle sort.

Sarah est tout sourire et me fait signe de m'approcher d'elle. Je ne sais pas pourquoi, mais je boude. Je me sens abandonnée. Pour bien lui indiquer mon humeur, je laisse un siège vide entre nous deux.

— Qu'est-ce que tu as ?

— Je pense que je boude. Attends, je vais vérifier sur mon iPhone... Oui, c'est bien ça : je boude.

— Bon. Tu me feras signe quand tu arrêteras ton numéro.

— Il me reste encore une quarantaine de secondes et ça sera fini.

J'attends quarante secondes et je lui dis :

— OK, j'ai fini de bouder. Cette dame qui a l'Alzheimer, elle m'a troublée. Tu le sais. Je sais que tu le sais.

— Le cerveau des gens qui ont cette maladie est beaucoup plus actif qu'on pense. Dans toutes ces têtes-là, il y a des souvenirs, des expériences, tout ça est emprisonné, mais pas effacé. Ce sont des gens qui sont souvent abandonnés, mais ils sont comme des chevaux sauvages. Ils savent survivre. Ils connaissent le vrai sens de la liberté.

– Des chevaux qui sont noir et blanc, tu me diras. Des appaloosas…

– Ha! Tu es drôle, tu n'en manques pas une.

La porte du cinéma s'ouvre alors. Des soldats (encore des soldats! Décidément…), en rang bien serré, entrent et s'installent, très disciplinés, sur les sièges du fond. Ils sont une centaine, habillés en noir. Ils ont tous enlevé leur grosse casquette. Ils appartiennent à l'armée nazie. Depuis ma rencontre avec le *generalfeldmarschall* Rommel, je dois avoir une fixation.

– Sarah, regarde. Des soldats.

– Ils ne sont pas dangereux. Ils ne sont pas armés.

– Je vais retrouver Lyne, une amie de maman, j'espère que je n'ai pas trop de bagages.

– Pourquoi tu dis ça?

– J'ai complètement vidé ma chambre, j'ai même apporté mes poissons-anges. Je les ai bien protégés dans une paire de bas.

– Je crois que je vais y aller, tu n'es pas dans ton assiette.

Les lumières s'éteignent et le film commence. Un western.

Je ne me souviendrai pas de la suite.

Chapitre 9
La rencontre

Le conducteur m'a réveillée. Nous sommes arrivés à la gare d'autobus de Moncton. J'ai pris le temps de tout noter sur mon iPad, même si le conducteur se montrait impatient. Il m'a fallu moins de cinq minutes. Patience, monsieur Autobus, patience. J'ai aussi regardé mes courriels. J'avais un message de Samuel.

Tu as occupé presque toutes mes pensées depuis trois jours, Emma L. Dans ma tête je t'appelle « la sorcière ». Mais ce n'est pas négatif, c'est juste mystérieux. Et avoue que tu l'es... Je voudrais bien savoir si tu étais sérieuse quand tu m'as dit vouloir venir à Moncton. Si oui, je t'invite à loger chez moi. Mes parents n'auront aucune objection. Fais-moi signe...

Je ne lui ai pas répondu, j'aime bien les surprises. Surtout dans ce cas-ci. Il est important d'avoir un impact majeur pour assurer la réussite de ma mission.

Le chauffeur avait bien hâte d'aller fumer sa cigarette puante. J'ai pris ma valise carrée et mon sac et je suis descendue du bus.

Le matin est beau à Moncton. Lyne était là. Sans la reconnaître, j'ai tout de suite su que c'était elle. Elle est venue, tout sourire, vers moi. Elle ressemble à Susan Sarandon, l'actrice qui jouera dans le nouveau film de Xavier Dolan. Je ne savais pas si je devais lui dire « vous » ou « tu ».

Elle m'a tendu la main. J'ai déposé ma valise et lui ai tendu la mienne.

– Lyne ?

– Emma ! Le voyage n'a pas été trop long ?

– J'ai dormi un bout de temps. Ça a passé vite. Mais j'avoue que j'ai une petite faim…

– Je m'en doutais, j'ai des muffins bien frais à la maison, avec un jus d'orange pressée.

– Est-ce que je dis « tu » ou « vous » ?

– « Tu », franchement. Donne-moi ta valise.

– Non, non, ça va. Elle ne pèse rien.

Nous sommes allées à sa voiture, une vieille Previa bleu acier. Maman en a déjà eu une pareille. Même que je pense que c'est la même, maman a dû la lui donner ou la lui vendre à rabais. J'ai mis ma valise et mon sac derrière et je suis montée, côté passager.

– J'habite tout près.

– Il fait beau à Moncton !

– Ce sera comme ça pendant au moins quatre jours. On a eu un été formidable jusqu'ici. Ça fait du bien, parce que l'hiver dernier a été épouvantable. Si tu crois que vous avez des tempêtes à Montréal, te devrais voir ça ici : c'est l'apocalypse. Comment va ta sœur ?

– Elle est stable. Dans les circonstances, elle va bien.

– Ta mère m'a raconté l'histoire de votre accident. C'est si triste…

– On va s'en sortir. Sarah est forte. Elle est bien entourée.

– La vie nous réserve parfois de ces surprises dont on se passerait bien volontiers ! Pauvre petite fille...

Elle a secoué la tête, puis m'a demandé :

– Tu es venue à Moncton pour rencontrer quelqu'un que tu connais ?

– Ouais. Samuel Arsenault.

– Samuel Arsenault est très connu ici.

– Je l'ai connu sur Facebook. J'ai bien vu qu'il était populaire...

– Il sait que tu es ici ?

– Non, je lui fais une surprise.

– On raconte qu'il est une future superstar.

– C'est ce qu'on raconte, oui. Il est chanceux.

Nous sommes entrées dans la maison de Lyne.

Elle habite seule mais a deux pensionnaires : un étudiant en médecine et un homme plus vieux qui donne des cours en électricité dans une école privée. Le monsieur a un chat. Noir et blanc. L'étudiant a la peau noire, « presque bleu marine », qu'elle dit. Il parle français et vient du Nigéria. Le monsieur plus vieux est un Acadien qui parle plus anglais que français. Aucun n'est à la maison en ce moment. Partis travailler ou étudier.

C'est la maison familiale de Lyne, c'est là qu'elle a grandi. Elle l'a reçue en héritage, quand sa mère est décédée, il y a trois ans. Elle a un frère plus jeune, il s'appelle David, et il vit depuis longtemps en Arizona, où il donne des conférences sur l'environnement et milite dans une organisation dédiée à la protection des rivières.

Lyne est née dans cette maison au début des années 1950. Elle y a habité toute sa vie. La maison a été rénovée, bien sûr. Elle a encore beaucoup de gueule. Lyne m'a expliqué que c'était très important de lui laisser son cachet vieillot. Même son père est né dans cette maison ! Wow !

Il y a un magnifique jardin dans la cour arrière, avec au moins une cinquantaine de variétés de rosiers. L'un d'eux s'appelle Céline Dion. Lyne a installé plusieurs cabanes d'oiseaux et une fontaine un peu quétaine, mais qui fait un beau bruit d'eau. Pendant quelques années, des hirondelles noires nichaient dans ses cabanes, mais maintenant, elles sont peuplées par des étourneaux à queue courte. Des bandits avec des ailes.

Lyne pratique toujours le métier d'infirmière, mais elle ne fait que quelques visites dans deux maisons de retraite et chez certains patients de sa connaissance.

Après avoir posé ma valise, j'ai mangé deux muffins aux abricots (j'adore les abricots, ces petites pêches trop savoureuses…) avec de la confiture de mirabelles et un jus d'orange. Ça fait un peu différent des croustilles au ketchup, mettons. Aussi, Lyne met du jus de canneberge dans son jus d'orange frais, ça le rend un peu plus rouge et sucré, c'est excellent. Bonne note à son dossier.

Une fois que j'ai eu mangé, elle m'a montré la chambre où je vais coucher. C'est sûr que c'est la plus belle de la maison. Il y a un grand lit, quatre oreillers pesants, une doudou ça d'épais, une table de nuit, un grand placard qui sent l'ancien temps, une télé HD à écran plat, un lecteur Blu-ray avec plein de films sur une étagère. Sans oublier un petit système audio et une vieille commode dont les tiroirs glissent facilement. Tout ça, gratuit !! Je resterais ici toute ma vie. Il y a aussi un grand tapis qui a sûrement été tissé à la main.

Après avoir remercié Lyne, je me suis installée. J'ai vidé ma vieille valise carrée.

Je me sens riche.

J'ai juste une idée dans la tête : Samuel. Autant je suis heureuse d'être ici, autant je me sens adulte, autant je me sens libre, autant Samuel va mal. Bien plus mal que Sarah.

Mais tout semble s'aligner parfaitement pour notre rencontre-surprise! Les Flyers de Moncton, l'équipe de Samuel, ont une séance d'entraînement en début d'après-midi au Colisée de Moncton, rue Killam Drive. L'avantage dans une ville comme Moncton, c'est que tout est à proximité. J'ai demandé à Lyne de m'y conduire, tantôt.

Je ne sais pas si je te l'ai déjà dit, mais je ne connais rien au hockey. Totalement rien. Les joueurs ont des patins et courent après une rondelle en caoutchouc noir. C'est tout ce que j'en sais. Je connais les grands Jean Béliveau et Guy Lafleur, les joueurs préférés de maman. Mais le sport lui-même, je n'y connais rien. Mon sport favori, c'est le *skate*. Avant le *skate*, c'était le vélo. Mais le vélo n'est plus mon sport favori, tu peux comprendre pourquoi.

Je me connecte au réseau sans fil pour voir mes courriels. Samuel m'a envoyé un autre extrait de son journal, sans préambule cette fois.

Jeudi matin, 9 août
Je suis réveillé depuis 5 h du matin. Je me suis tout de suite installé à l'ordi. Je suis retourné sur Facebook dans l'espoir que la sorcière m'aurait réécrit, mais non. Alors je lui ai écrit moi-même :

«Tu as occupé presque toutes mes pensées depuis deux jours, Emma L. Dans ma tête je t'appelle «la sorcière».

Mais ce n'est pas négatif, c'est juste mystérieux. Et avoue que tu l'es... Je voudrais bien savoir si tu étais sérieuse quand tu m'as dit vouloir venir à Moncton. Si oui, je t'invite à loger chez moi. Mes parents n'auraient aucune objection. Fais-moi signe...»

Aucune réponse. Mais il est encore tôt.

Aujourd'hui, à 12 h 30, il y a une séance d'entraînement spéciale pour tous les joueurs de seize ans «élite» du Nouveau-Brunswick. Je connais quelques-uns de ces joueurs, même si la plupart n'ont pas été mes coéquipiers. Il y aura plein d'entraîneurs et d'éclaireurs de la Ligue junior majeur. Ça me tente autant d'aller là que de recevoir une claque au visage. Mais encore une fois, comme toujours, je vais y aller quand même, pour ne pas décevoir les gens autour. Surtout mes parents et Marc. Et il y aura plein de journalistes.

C'est fou, je sais, mais je voudrais avoir une commotion cérébrale. Je voudrais qu'un docteur me dise que je n'ai plus le droit de jouer au hockey. Je serais débarrassé de ce poids insupportable. Il ne faut pas que mes parents lisent ceci. Ils me croiraient fou. Ils auraient de la peine. Ils n'auraient pas tort.

L'an dernier, un joueur de Miramichi, Matthew Diamond, un autochtone de la tribu des Micmacs et excellent défenseur, a subi une commotion et est passé à un poil d'y rester. Il a eu une oreille presque complètement arrachée. Il n'est plus là cette année. Il avait été sélectionné par l'équipe de Cap-Breton. Pour l'instant, tout est fini pour lui.

Je l'envie. Je changerais de place avec lui n'importe quand. Je sais que Matthew changerait lui aussi de place avec moi. Il n'a pas de parents, il demeure chez un oncle qui est toujours saoul. En plus, Matthew a perdu toutes ses dents quand il avait quatorze ans. Un coup de bâton d'un imbécile. Je m'en souviens.

La vie est injuste. Des fois, on dirait que personne n'est satisfait de son propre sort. Ce n'est pas sa faute, mais Matthew a abandonné l'école très tôt. Il n'est même pas allé au secondaire. Tout ce qu'il sait faire, c'est transporter et lancer une rondelle, et se battre. Il n'y a pas beaucoup de portes qui s'ouvrent devant lui, il peine à écrire son propre nom. Tout le monde le sait dans la ligue : il ne sait pas quoi faire avec un crayon, mais devient un génie quand il a un bâton de hockey entre les mains. C'est une organisation charitable qui lui fournit son équipement. Pour payer ses bâtons, il travaille comme emballeur dans une épicerie grande surface. Moi, je n'ai jamais eu à travailler, mes parents sont riches. Le monde est à l'envers.

J'ai appris à vomir en silence, sans faire de bruit.

Je suis devant mon ordinateur et les yeux me chauffent. Je pleure encore.

J'ai un énorme caillou dans la gorge. Je ne sais pas combien de temps je pourrai endurer ça. Je suis torturé et je ne dois pas parler. Je ne sais pas quoi faire pour passer le temps, je m'enfonce dans mon humeur grise, comme dans du sable mouvant. Je fouille sur Facebook, sans trop savoir ce que j'y cherche. C'est toujours la même chose. Plein de gens m'adorent, et plein d'autres me détestent. Je ne sais pas pourquoi ceux-ci m'aiment et ceux-là, pas. Et puis, ils n'ont rien d'autre à faire, ces gens-là, qu'encenser ou mépriser quelqu'un qu'ils ne connaissent même pas ?

Comment je vais faire pour me sortir de ce trou qui se creuse de jour en jour un peu plus ?

J'ai terminé ma lecture dans un grand soupir. Comme il a mal! J'ai eu envie de lui répondre mais je me suis retenue. Nous nous verrons dans quelques heures de toute façon…

J'aimerais mieux qu'il m'appelle «magicienne» plutôt que sorcière. Je n'ai pas un grand nez crochu avec une verrue dessus! J'ai un joli petit nez avec quelques taches de rousseur. Il est mignon, mon nez.

Ce midi, j'irai au Colisée et je verrai Samuel, et il me verra. J'ai hâte. Je sais qu'il y aura beaucoup de monde là-bas. Mais je sais déjà comment j'attirerai son attention.

Une anecdote en passant. J'avais six ans, je me souviens très bien. C'était notre première journée d'école, à Sarah et moi. En revenant à la maison, dans l'autobus, un garçon a ri de moi parce que j'étais de la couleur d'une carotte. Je n'ai pas répliqué, c'était la première fois que ça m'arrivait. Il s'appelait Thierry.

Maman et Diane avaient invité Pierre à souper, ce soir-là. Nous avons mangé du macaroni chinois et une salade de chou. J'ai raconté l'affaire de la carotte à table. Pierre m'a alors donné un truc pour impressionner les garçons: il m'a appris à siffler. Pas un petit sifflement du bout des lèvres, mais un gros sifflet, hyper-fort qui peut réveiller la rue au complet, et plus.

Après le souper, nous sommes allés dans la ruelle, derrière chez nous. Le truc est simple: s'agit de placer ses lèvres et sa langue de la bonne façon, et de savoir comment laisser partir l'air.

Pierre m'a montré trois façons de faire. La première: avec quatre doigts, le majeur et l'index de chaque main. Deux à droite de la bouche et deux à gauche. J'ai une petite bouche, ça allait mal. Je me sentais comme si j'avais la bouche remplie de doigts.

La deuxième : faire un petit cercle avec le pouce et l'index, te foutre ça dans la bouche, écraser ta langue avec ces deux doigts, et souffler fort. Facile.

La troisième : sans doigts. Celle-là est la plus difficile, mais la plus performante. Il faut savoir contrôler la langue et la placer exactement de la bonne façon en poussant derrière les dents d'en bas. Pierre était impressionné, je l'ai eu tout de suite. Sarah n'a jamais été capable. À ce jour, elle ne sait toujours pas comment, même si j'ai essayé cent fois de lui montrer.

Pierre avait parfaitement raison : quand je siffle dans la cour d'école, ou dans la rue, ou au parc ou dans l'autobus, je vois bien que les garçons sont impressionnés, peut-être même un peu intimidés…

Fouit ! Fouit !! Rouge est là.

* * *

Au Colisée.

Tous les joueurs viennent d'entrer sur la patinoire. Quand j'aperçois le joueur numéro 67, avec «Arsenault» écrit dans le dos, je lance mon plus beau sifflet. Une pro. Il se retourne et me voit.

C'est clair qu'il ne m'a pas reconnue. Il m'a regardée une seconde ou deux et a continué à patiner, comme les autres.

Je ne suis pas toujours très subtile. La subtilité, ce n'est pas ma grande force. Je me fais rire moi-même.

Les trois entraîneurs ont maintenant rassemblé les joueurs au milieu de la patinoire et leur expliquent quelque chose. Ne me demande pas quoi. J'imagine que ce sont les exercices à faire.

Dans les estrades, il y a plusieurs personnes, assises par petits groupes. Certains sont seuls. Ils ont à peu près tous un cahier de notes. Il y a sûrement beaucoup de parents. Quelques enfants courent dans les rangées. Je crois qu'ils cherchent des rondelles égarées. Je ferais bien la même chose, mais je suis plus mûre que ça.

Sarah est entrée dans mes pensées et me rappelle la raison de ma présence ici. C'est bien beau avoir du plaisir et rire de mes propres niaiseries, mais Samuel est en danger. Il ne faut pas que je l'oublie. Je suis là pour le sortir de la merde. Une chance qu'il y a Sarah pour me rappeler à l'ordre.

Je m'avance tout près de la patinoire dans un coin. Il ne me remarque pas. Je vois bien qu'il est concentré sur ce qu'il a à faire. Puis il se retrouve près de moi. Derrière la visière qui protège son visage, je vois qu'il est plus beau en personne que sur les photos des journaux que j'ai vues. Il est très beau. Très très.

Une dame descend des estrades et vient juste à mes côtés. Elle me parle. Elle est gentille.

— Est-ce que vous êtes la petite amie d'un des joueurs?

— Non, je suis venue voir jouer Samuel Arsenault, le numéro 67. On en parle beaucoup dans les journaux et sur le Web, je suis juste curieuse. Il est populaire.

— Je sais. C'est mon fils.

C'est sa mère! La mère de Samuel Arsenault!! Ça m'ébranle un peu. Elle est si heureuse et fière. Elle me parle de lui. Je pense que c'est Sarah qui a provoqué ça. Sarah porte fièrement le costume du hasard.

— D'où viens-tu?

— De Montréal. Je suis en visite chez une tante qui aime beaucoup le hockey, dis-je, mentant sans hésiter. Je n'avais rien à faire cet après-midi. Comme elle demeure tout près, elle m'a proposé de venir voir cette séance d'entraînement.

– Tout le monde ici est venu pour voir Sam. C'est un phénomène, tu sais. Un peu comme Sidney Crosby.

Je ne veux pas avoir l'air d'une parfaite idiote, alors je ne lui dis pas que je ne sais pas qui est Sidney Crosby. J'ai déjà entendu son nom, mais je ne saurais pas te dire à quoi il ressemble ni dans quelle équipe il joue. Ma culture du hockey est très limitée.

– Samuel a seize ans. Il peut faire ce qu'il veut, il est tellement bon à l'école. Il a plein d'amis. Il pourrait être médecin, avocat, homme d'affaires, il pourrait même faire de la politique, mais son père et moi, on sait que c'est le hockey qui l'intéresse. Alors on le suit, on l'appuie, on l'encourage. Il sait que nous sommes derrière lui.

Je me retiens de répondre. Comment ses parents peuvent-ils à ce point ignorer sa souffrance? Ça me fait mal. J'ai le goût de lui crier après.

– J'ai commencé à lui faire un *scrapbook*. Et je garde tout ce qui se dit et s'écrit sur lui dans un dossier sur mon ordinateur. Quand il sera plus vieux, il pourra avoir des souvenirs de ses débuts.

– C'est bien.

– Et toi? Comment t'appelles-tu?

– Emma. Emma Lauzon.

– Tu es étudiante?

– Je serai en secondaire cinq l'an prochain.

– Samuel ira jouer en Abitibi, à Val-d'Or. On lui a déjà trouvé une pension. Il part bientôt. Ça me fait un pincement, mais je sais qu'il a hâte.

– Pourquoi en Abitibi?

– Il y a eu une séance de sélection, et la première équipe à choisir était Val-d'Or, ils ont pris Samuel, tout le monde le savait. La famille qui l'accueille est habituée. Ces gens hébergent des joueurs tous les ans depuis une dizaine d'années. La direction de l'équipe leur confie toujours les plus jeunes, pour qu'ils soient mieux encadrés. Ça nous soulage de le savoir entre bonnes mains. Samuel est très sage et sérieux. Son père et moi, on ne sait pas ce qu'est une crise d'adolescence. Pourtant, il a grandi dans deux maisons.

– C'est bien.

– J'allais me chercher un café, tu veux quelque chose?

– Non merci.

– À la prochaine. Contente de t'avoir rencontrée. Dis donc, Emma, juste par curiosité, est-ce que c'est toi qui as sifflé tantôt?

– Sifflé?

– Oui, oui, un gros sifflement.

– Je ne sais pas siffler.

– Aah. Je pensais que…

Et elle s'en va. Emma : menteuse.

Cette phrase me reste collée en tête : «Samuel est très sage et sérieux…» Il sait bien comment cacher son jeu, en tout cas.

Je le fixe. Je le suis des yeux partout, je ne regarde même pas les autres. Puis, un petit groupe de joueurs se retrouve juste devant moi, dans le coin. Il est là. Il me regarde encore. Je lui fais un sourire et un clin d'œil. Ça lui fait manquer un jeu, c'était à son tour et il est demeuré immobile.

Un des entraîneurs crie :

– Sam!! Qu'est-ce que tu fais??!

Il déguerpit avec une rondelle et continue à jouer.

À peine quelques instants après, il revient dans le même coin. Cette fois, il me regarde avec insistance et me fait signe avec sa main de tasser mes cheveux. Je m'exécute, et il voit mes boucles d'oreilles.

Son visage se transforme. Il a une altercation avec son *coach* et quitte la glace en vitesse.

* * *

Ouf. Quelle scène! J'ai paniqué.

Quand Samuel est parti comme une fusée tandis que son entraîneur criait après lui, j'ai tout de suite regardé ses parents dans les estrades. Ils étaient clairement sous le choc.

Quand je dis que j'ai paniqué, j'ai paniqué pour de vrai. J'ai bondi de mon siège et je suis sortie du Colisée sans savoir où me cacher. Dehors, sur le trottoir en face, il y avait un couple de gens âgés, je les ai approchés. Ils ont bien vu que j'étais énervée.

– Qu'est-ce qui se passe, mademoiselle?

– Rien, rien. Je cherche un endroit où m'acheter un livre…

Grosse conne d'Emma. C'est tout ce que j'ai trouvé à dire. «Je cherche un livre.» Des fois, je me décourage…

– Il n'y a pas de librairie dans le coin, mais il y a la pharmacie juste à deux coins de rue. Ils ont des livres.

– Merci.

– Vous allez bien?

– Je vais parfaitement bien!

J'ai couru vers le commerce que la dame m'avait indiqué. Où est ma tête?

À peine deux minutes plus tard, Samuel m'a rejointe dans la pharmacie.

— Emma ?

— Je savais bien que tu allais me retrouver... Tu as parlé aux vieux devant le Colisée ?

— Eh oui...

J'ai soupiré, reprenant mon souffle, puis je lui ai tendu la main.

— Bon. Soyons officiels : je m'appelle Emma Lauzon, de Montréal.

— Je m'appelle Samuel Arsenault, de Moncton, qu'il a répondu en serrant ma main. Ça m'a pris quelques secondes avant de te voir par la vitrine. Tu faisais semblant de lire des livres ?! Et pourquoi tu t'es sauvée ?

— J'ai paniqué... Je ne voulais pas causer toute cette commotion... Qu'est-ce qui s'est passé ?

— Quand je t'ai vue derrière la baie vitrée, il y a eu une explosion en moi. Monsieur Morissette, l'entraîneur, a encore sifflé après moi. Je m'en foutais. Je suis allé le retrouver au centre de la patinoire. Et même si la séance n'a commencé que depuis dix minutes, j'ai fiché le camp.

— À cause de moi ? Mais tout le monde va me détester...

— Monsieur Morissette m'a traité de « star ». Il m'a dit : « Bon, seize ans et déjà au-dessus de tes affaires, la star ?! » Je me suis excusé. J'ai dit que j'avais une urgence. Il m'a dit que je courais à ma perte. J'avais juste le goût de l'envoyer se faire foutre.

— Mais, Samuel, qu'est-ce que tout le monde va penser de moi ?

Malgré tout, même essoufflé devant le petit rayon de livres de la pharmacie, Samuel a l'air... je ne dirais pas heureux, mais libéré. Il a même l'air d'avoir du fun. Comme un enfant qui vient de réussir un coup pendable.

Il continue à me décrire la scène.

– Je suis sorti de la patinoire sans penser une minute aux conséquences. C'est la première fois de ma vie que je fais quelque chose comme ça, et ça fait du bien! Je me foutais de tout et de tous. Je suis parti. Je sais que mon père et ma mère, dans les estrades, étaient abasourdis. Je m'en foutais aussi. Je leur ai dit : « Je veux aller voir Emma. » Je suis entré dans le vestiaire en vitesse. Je n'ai même pas pris ma douche. J'ai laissé tout mon équipement : mes patins, mes bâtons, mon chandail sur le plancher. Je suis sorti à vitesse grand V, en prenant mon sac à dos à la volée. Je voulais te voir tout de suite! Mais j'ai vu, en sortant du vestiaire, que tu avais filé.

– Tu es fou, Samuel!

– Mes parents ont couru derrière moi. Je me suis arrêté. Mon père était rouge comme une tomate. Il m'a dit : « Es-tu devenu fou?? Qu'est-ce qui se passe? Tu ne peux pas quitter la glace comme ça, Sam! Ça ne se fait pas. » Je lui ai dit que je savais ce que je faisais.

J'aurais bien voulu que notre rencontre, à Samuel et moi, se fasse dans le calme. Je n'avais pas prévu causer une telle crise.

Samuel continue son récit des événements :

– J'ai bien vu dans leurs visages qu'ils étaient complètement désemparés. Pour la première fois, je leur ai dit la vérité. Je ne suis pas menteur, mais d'habitude j'aime mieux garder certaines choses pour moi. Je leur ai dit, en courant, que je cherchais une fille qui était juste au coin de la patinoire.

– Ça, c'est moi...

– Ma mère pleurait, tout essoufflée. Mais ses larmes ne m'affectent pas. Je ne l'ai pas vue pleurer souvent. Elle m'a dit: «Samuel, mon amour, tu ne peux pas faire ça. C'est insensé, avec tous ces gens qui se fient à toi! Qui est cette fille que tu dois voir? La petite rouquine qui était assise là-bas? Je lui ai parlé, et elle m'a dit qu'elle ne te connaissait pas. Tu ne peux pas faire ça, Sam!»

– Pauvres eux…

– Je suis parti à la course. En sortant du Colisée, je ne t'ai pas vue, ni à gauche ni à droite, nulle part. C'est là que j'ai vu le vieux couple. Le monsieur m'a renseigné. Il m'a dit: «Si j'étais vous, j'attacherais mes souliers.» Et je suis reparti à la course.

Merde. Quel bordel.

– Mon père a crié: «Sam!! Sam! Mais qu'est-ce qui se passe?! Qu'est-ce que tu fais?! Sam!» Il a couru derrière moi. Ma mère l'a suivi et criait aussi. Comme tu vois, ils ne m'ont pas rattrapé. Je sais que je les ai troublés, je sais qu'ils paniquent, mais je m'en fous. Je voulais te voir, point. Je voulais voir Emma, la sorcière. Euh… désolé: la magicienne.

Chapitre 10
Révélations

Il est beau. Il a de beaux yeux bleus de la couleur d'une topaze. Il a des cheveux ondulés comme les vagues d'un lac sous le vent. Il est en forme comme un cheval pur-sang.

Ce qui le rend encore plus beau, c'est ce qu'il dégage. De la douceur et une grande fragilité, une sensibilité qu'un gars de son âge n'aime pas dévoiler. C'est ça qui le rend encore plus beau.

Nice dude.

J'aurais été ridicule de ne pas lui dire la raison de ma présence à Moncton. Je déballe donc mon sac. Je me souviens que Sarah m'a dit quelques fois, la nuit, qu'on ne trouve la solution que dans la vérité. Alors, la rousse ne se gênera pas. Cependant, je dose, bien sûr. Je ne voudrais quand même pas le faire paniquer.

Dans la pharmacie, en faisant semblant d'être intéressés aux livres et aux revues, on se raconte brièvement nos chemins, nos parcours, nos vies, dans ce décor un peu ordinaire. Dans une pharmacie, sous les néons, l'atmosphère ne se prête pas tellement aux conversations profondes. Alors nous décidons de quitter la place. Juste pour ne pas trop avoir l'air fou, j'achète deux paquets de gomme au raisin et une petite bouteille de vernis à ongles rose «pailleté».

En sortant de la pharmacie, Samuel me fait une proposition.

— Es-tu en forme ?

— Certainement, pourquoi ?

— Tu ne connais pas Moncton, et moi, je connais par cœur tous ses recoins. On va marcher et je vais te présenter ma ville, OK ?

— Parfait pour moi.

— Mais avant de partir, si tu permets, je vais me déguiser…

— Quoi ?

— Il faut que je mette mon attirail pour être « incognito », sinon, on risque de se faire interrompre continuellement.

— Wow.

— Wow ?

— Une vraie star. Je suis chanceuse.

— Arrête.

Je vais dire deux choses. Même si je me doute bien que tu sais ce que je veux te dire. La première : je crois que j'ai eu un coup de foudre. Le premier de ma vie. Je n'ai jamais ressenti ça avant. Je ne me doutais pas que ça allait virer comme ça, mais c'est ça. La deuxième, c'est que je pense que c'est la même chose de son côté. En fait, pour dire vrai, ce n'est pas tellement que je le pense. C'est plutôt que je l'espère.

Je pars donc à la découverte de Moncton avec mon guide, la star locale. C'est fou. Malgré ses verres fumés et sa casquette enfoncée jusqu'aux yeux, tout le monde le regarde, tout le monde le reconnaît. Mais les gens ne sont pas tous idiots. Ils voient bien que si Samuel prend la peine d'essayer de se dissimuler, c'est qu'il veut la paix. On la lui fout, donc c'est bien.

Il m'apprend toutes sortes de choses intéressantes. Par exemple, Moncton est le nom d'un conquérant anglais, Robert Moncktton. Avant que ce dirigeant ne conquière la ville, elle s'appelait «Le Coude». Samuel me raconte la déportation des Acadiens qui sont allés peupler la Louisiane dans le fin fond des États-Unis. Il m'emmène visiter quelques parcs, le centre-ville, le campus de l'Université de Moncton, la Magnetic Hill.

Moncton est une ville calme qui sent bon.

Nous marchons toute la journée et nous rions beaucoup. Je suis assez drôle quand je m'en donne la peine. Son iPhone sonne plusieurs fois. Les douze premières fois, il ne répond pas. À la treizième, je lui dis qu'il vaudrait mieux qu'il réponde. C'est son père au bout du fil. Il l'enjoint de ne pas s'inquiéter, lui dit qu'il le rappellera. Même s'il ne comprend pas ce qui se passe, je crois que son père accepte la situation. Pour le moment, il n'a pas trop le choix.

* * *

Nous sommes assis sur la pelouse du parc Centennial, avec deux *slotches*. J'ai trouvé le moyen de parler de suicide. Un petit sujet léger (!).

Samuel a pleuré.

– Comment peux-tu savoir ce que j'ai toujours caché à tout le monde? me dit-il. Comment peux-tu savoir à quel point je suis écœuré de la vie? Quand j'ai fait ce rêve, ce fameux rêve où nous nous sommes rencontrés, tu m'as dit de ne pas «commettre l'irréparable», ce sont tes mots exacts. Comment as-tu fait?

– Ce n'est pas moi. C'est ma sœur.

Alors j'ai ouvert mon jeu. Je lui ai tout dit, en commençant par le plus important : l'accident de Sarah, causé par ma stupidité. Je lui ai parlé du coma dans lequel elle est toujours plongée. Je lui ai donné tous les détails sur mes rêves, qui sont devenus ma vraie réalité. Je lui ai expliqué que c'est elle, Sarah, qui l'a trouvé lors d'un de ses voyages dans l'inconscient.

Je lui ai surtout mentionné l'étoile verte à neuf branches. Sur mes boucles d'oreilles. Je lui ai dit que cette étoile était un passeport pour l'inconscient, une simple marque qui indique que celui ou celle qui la porte a une vie parallèle.

Je lui ai montré ma main et l'étoile verte qui y est imprimée.

Il a d'abord pensé que c'était un tatouage. Je lui ai expliqué que non, que ce n'était pas un tatouage, mais une marque, un symbole.

Je suis allée dans tous les détails. Je ne pense pas en avoir oublié un seul. Pauvre Sam. Je vois bien dans son regard qu'il est plein de questions. Mets-toi à sa place ! Peut-être que si j'étais lui, je me sauverais à toutes jambes, j'appellerais la police ou l'ambulance. Une vie parallèle ? Qu'est-ce que c'est que cette histoire ?

— Samuel, moi, je ne suis qu'une touriste dans cet univers. Ma sœur Sarah y vit depuis le 23 juin. C'est elle qui m'y a amenée. Une étoile est apparue sous son pied, son vrai pied. Je ne sais pas du tout comment elle y est arrivée, mais elle est bien là, comme celle qui est dans ma main.

Je lui ai dit que, plusieurs semaines après l'accident, l'étoile (le passeport, comme je l'appelle) est aussi apparue sous le pied droit de ma mère.

Je lui ai surtout fait comprendre que je déteste perdre mon temps, et que si je me suis déplacée jusqu'ici, seule en autobus, c'est pour l'amener à réfléchir. Il sait que je sais qu'il veut en finir, mais maintenant, il faut qu'il remette tout en question.

— Tu n'as pas le droit de mourir, que je lui ai dit en guise de conclusion.

Il n'a pas su quoi répondre.

— Le fil électrique. Celui que tu as acheté, il y a deux jours. Je sais à quoi tu veux qu'il serve. Eh bien, tu verras : il a disparu. Vas-y, fouille dans ton sac. Montre-le-moi.

Il a regardé dans son sac. Il n'y avait plus aucune trace de ce fil. Je ne savais pas si je devais continuer à lui parler, je le sentais complètement désemparé.

— Tu n'as plus le droit de marcher sur cette route, que je lui ai dit quand même. Tu n'aimes pas ta vie ni ce que tu fais ? Je suis ici pour te montrer un autre chemin. Tu es trop important pour quitter le jeu. Est-ce que tu comprends ce que je te dis, Samuel ? Regarde-moi.

— Oui, oui…

— Ton « oui, oui » est mou. Je t'avertis, star Sam, je ne te laisserai pas faire. Tu vas voir que la petite rousse a la tête plus que dure…

— Je te le jure, Emma.

Il était sincère. Mission accomplie. Pour l'instant. Il pourrait encore changer d'idée.

J'ai hâte d'en parler à Sarah. Quoique Poca sait probablement déjà tout. Pas moyen d'avoir un scoop.

* * *

217

Il est maintenant 18 h 30. J'ai adoré ma journée. Nous avons dû marcher plus de dix kilomètres aujourd'hui, je n'ai pas calculé. Nous finissons nos *slotches*, et j'appelle Lyne chez elle pour qu'elle vienne me chercher. Je suis trop fatiguée pour marcher jusqu'à sa maison. Pendant que nous l'attendons, juste au coin du parc Centennial, je sers à Samuel le coup fatal :

— J'ai un cadeau pour toi, la star. Tiens.

Une boule de papier journal.

— Hmm. Bel emballage. Du papier journal.

— Exactement. Mais prends au moins le temps de regarder dedans.

Il y fouille et trouve la bague. Celle que Sarah m'a suggéré de prendre dans la boutique au nord du Nord.

— Wow. Mais, pourquoi ? L'étoile à neuf branches… Ça veut dire que je suis dans l'équipe des vies parallèles ?

Il la met à son annulaire gauche. Elle est parfaitement ajustée.

— Je suis contente que tu l'aimes. Je vais t'agacer, OK ?

— Je suis là pour ça.

— J'aurai un autre cadeau pour toi, dans les prochaines vingt-quatre heures, qui sera un million de fois plus beau.

— Tu m'écœures, la carotte…

— Reste bien vivant, bien aux aguets, et tu verras… Tiens, regarde la date sur le journal.

Il déplie la boule de journal dans laquelle j'avais enveloppé la bague. C'est une page du journal *L'Acadie nouvelle* de l'édition du jour de sa naissance.

— Merde. Tu es une vraie sorcière.

— Sam…

— Une magicienne…

– C'est mieux.

Lyne est arrivée. Je lui ai présenté Samuel. Inutile, elle l'avait évidemment reconnu.

– Tu veux que je passe te déposer chez toi? lui a-t-elle proposé.

C'est une star, Sam, mais il est plus gêné qu'une huître. J'ai répondu à sa place:

– Non, pas nécessaire, il vient avec moi chez toi. Si tu veux, bien sûr.

– Pourquoi pas. Est-ce que tes parents savent où tu es?

– Je vais les rappeler tantôt, on s'est parlé. Tout est correct.

– Parfait. J'ai fait des aubergines à la grecque et une salade au fromage feta. Vous devez avoir faim.

Samuel et moi, on a mangé les aubergines de Lyne, avec les deux pensionnaires: le professeur d'électricité qui ne parle pas beaucoup, avec son chat vache à ses pieds, et Salomon, l'étudiant en médecine qui est très gentil, timide et qui a un défaut de langage, il bégaie. Je crois qu'il est gêné de parler français. Ce n'est pas sa langue.

Pour tout te dire, je ne suis pas folle des aubergines. Mais comme dit le vieux proverbe: «À aubergine donnée, on ne regarde pas le menu.» Ça m'arrive d'inventer des proverbes. Une autre de mes forces.

Sam a bien aimé le souper. Il aime manger santé. Moi, je préfère la pizza pepperoni-fromage.

Dans la grande maison de Lyne, il y a une autre chambre de libre. Je lui ai demandé si Samuel pouvait passer la nuit ici.

– Seulement si ses parents sont d'accord.

Samuel a appelé son père. La conversation ne s'est pas éternisée. Sa mère était là aussi. Elle était dans tous ses états. Son père était plus calme. Il lui a quand même fait un peu la morale.

— Sam, plusieurs personnes comptent sur toi, tu ne dois pas les laisser tomber. Je ne sais pas ce qui se passe avec toi, mais je te demande de réfléchir aux conséquences de tes actes. Où es-tu?

— Chez la tante d'une amie, ne t'inquiète pas.

— Samuel, fais attention, il y a beaucoup de gens qui vont tout faire pour profiter de toi. Je n'aime pas ça. Où elle demeure, cette tante?

— Pas loin de chez nous, dans le centre-ville de Moncton.

— Je peux aller te chercher.

— Non, papa. Ça va aller, j'ai besoin de relaxer un peu. C'est ce que je fais: je relaxe.

— Tu en es bien sûr?

— Oui, papa. Passe-moi maman.

— OK. Un instant.

Sa mère semblait au bord de la panique. Je l'entendais d'où j'étais assise.

— Sam, mon petit Sam, mais qu'est-ce que tu fais?

— Maman, arrête de capoter. Je vais très bien. Tu n'as pas à t'en faire.

— Tu n'as jamais fait ça, t'enfuir comme ça d'un entraînement! Qu'est-ce qui se passe dans ta tête?!

— Maman…

— Je ne sais pas quoi penser, Sam.

— Il ne se passe rien de grave. Mon amie Emma est très gentille et sa tante est une infirmière.

— Sam, je t'en prie… Cette fille, je n'ai pas confiance en elle. Elle siffle comme un *bum*!

– Je vais te rappeler demain matin. Je veux reparler à papa.

Son père est revenu au téléphone.

– Dis à maman qu'elle se calme, je ne suis pas fou, tout de même.

– Je veux parler à la tante, passe-la-moi s'il te plaît.

Samuel a remis le téléphone à Lyne.

– Mon père veut vous parler…

– Oui?

– Bonjour madame.

– Bonjour.

– Faites attention à mon fils. Je ne connais pas votre nièce, mais je sais que tout le monde tente de profiter de lui. Vous savez qui il est?

– Absolument, c'est le jeune joueur de hockey dont on parle dans les journaux…

– Mon fils est un trésor. Souvenez-vous-en. Je vous laisse mon numéro de téléphone, s'il se passe quoi que ce soit, appelez-moi.

– Parfait. Mais ne vous inquiétez pas.

– Une dernière chose, qui est cette jeune fille, Emma, c'est votre nièce?

– Si on veut, oui. C'est la fille de ma meilleure amie.

– C'est une bonne fille?

– Elle est parfaite. Allumée, gentille, honnête, brillante.

– Bon. Appelez-moi quand vous voulez, on s'inquiète pour Sam.

– Sans faute.

Même si on a parlé toute la journée, Samuel et moi, on a encore plein de choses à se dire. Après le souper, il a demandé à prendre une douche. Il n'avait pas de vêtements de rechange. J'ai demandé à Salomon s'il pouvait lui prêter un pyjama, Sam était trop gêné de le faire lui-même. Samuel et lui sont à peu près de la même taille. Salomon lui a prêté un bas de pyjama, et moi, mon grand t-shirt RFK.

J'ai branché mon iPod sur le petit système audio de ma chambre et j'ai fait jouer ma musique à *random*. Samuel et moi, on a continué à discuter dans ma chambre. Je lui ai surtout parlé de Sarah. Je lui ai montré plein de photos. Je lui ai dit qu'il allait bientôt la connaître.

Je vais te dire ce qui me rend fière de moi, et ce qui rend sûrement Sarah fière de sa Rouge: je vois très bien que Samuel va déjà mieux.

Avec tout le parcours qu'on s'est tapé dans Moncton aujourd'hui, je suis fatiguée. Sam aussi. Mais lui, je pense que ce sont plus les émotions qui sont venues à bout de sa résistance. Il a bâillé quelques fois.

— On se couche et on reprend tout ça au matin, ça te va?
— Parfait.

Il s'apprêtait à quitter ma chambre pour aller dans la sienne, juste à côté. Comme il s'est levé, je lui ai donné un petit renseignement supplémentaire.

— Demain, soit dans une heure et quinze minutes, eh bien… c'est ma fête.
— Quoi?
— Je vais avoir seize ans.
— Bonne f…

Je l'ai interrompu.

— Attends, ma fête c'est à partir de minuit.

Après un sourire, il est parti se coucher. Nous nous sommes endormis, chacun de notre côté du mur.

* * *

La nuit du jeudi 9 août
Je rêve.

Happy birthday, dear Lucy

Tu as remarqué, quand je rêve, souvent, mes souliers sont comme des patins sans lames. Je me déplace vite, sans forcer, et je ne tombe jamais. Comme si mes déplacements étaient du temps perdu, comme si l'important c'était la destination et pas le chemin.

Il y a un restaurant au bout d'une rue que je ne connais pas, dans une ville que je n'ai jamais vue. Un de ces snack-bars qu'on voit dans les films des années 1950, avec des tables pour quatre personnes, chacune avec quatre napperons de papier couverts de publicité : pour un salon de coiffure, un garage, une animalerie, un cabinet d'avocats, etc. Deux banquettes, face à face, en cuirette turquoise capitonnée, arborent de grosses punaises en métal argent un peu terni. Au bout de chaque table, juste à côté de la salière et de la poivrière, modèles de base, il y a une boîte de métal contenant des serviettes de papier minces et une boîte à musique pleine de chansons country.

Je m'assois à une table. Je suis en jupe (!), moi qui n'en porte presque jamais. J'ai un document avec moi. Je regarde machinalement la boîte à musique. Plein de petits personnages y apparaissent et me font des clins d'œil. Au point où je les trouve fatigants. Je comprends alors que ces gens-là, qui ne peuvent pas parler, ne font que me souhaiter bonne fête.

223

Le serveur (à qui je n'ai même pas adressé la parole, ni rien commandé) arrive à ma table avec un *milk-shake* et un petit gâteau au fromage et aux abricots surmonté d'une bougie. Je le reconnais tout de suite : c'est Michael J. Fox, l'acteur qui joue dans le film *Back to the Future* !

– Ce sont les gens, là-bas, qui vous offrent ça.

– Quels gens ?

Je me retourne et trois personnes portant des masques de carnaval me font des petits tatas et m'applaudissent un peu, en m'adressant des « pouces en l'air ».

Merde.

Je suis venue ici pour avoir la paix et lire un document sur la mécanique aéronautique, pas pour me faire achaler par trois bouffons de carnaval ! L'un d'eux me fait signe de venir les rejoindre. Je ne veux pas. Il me siffle. Ce sifflet, c'est le mien.

Chaque sifflet est unique, comme le son d'un violon ou d'une trompette. Tous les violons, toutes les trompettes se ressemblent, mais chacun a sa sonorité bien à lui, à elle.

Je soupire et je me lève par politesse. Ils m'ont quand même offert un *milk-shake* et un gâteau, après tout. En arrivant près d'eux, je constate que les trois personnages masqués sont Sarah, maman et Samuel ! Ils rient de bon cœur. Je m'assois et maman actionne la boîte à musique. Un vieux cowboy me chante *Happy birthday, dear Lucy.*

Dear Lucy ? C'est moi, ça ?

Michael J. Fox m'apporte mon *milk-shake* et mon morceau de gâteau. Maman commande du poisson et de la salade pour tout le monde, de l'omble de l'Arctique, avec des rondelles d'oignons pour faire plaisir à Sarah.

Samuel et Sarah se sont beaucoup aimés dès leur rencontre. Je suis contente.

Sarah a de nouveau ses cheveux longs et ils sont tressés, comme quand elle était petite. Elle ressemble réellement à Pocahontas. Je l'ai toujours surnommée comme ça pour l'agacer, mais cette fois, c'est clair qu'elle est pareille.

On fait des blagues à propos de mes seize ans. Maman et Sarah savent bien que je suis souvent en folie et que je ne donne pas ma place quand vient le temps de taquiner les autres. Cette fois, c'est moi qui suis la cible des blagues. Sarah se paye la traite…

— Dis-moi, la jupe (elle a remarqué que je portais une jupe à carreaux), as-tu déjà embrassé un *dude*?

— C'est pas tes affaires…

— Allez, allez, dis-le : as-tu déjà *frenché*?

— C'est ma vie personnelle!

Samuel se joint à la conversation.

— Ça m'intéresse aussi, Emma : as-tu déjà embrassé un *dude*?

— Vous me tapez sur les nerfs! Maman, aide-moi. Dis-leur que ça ne les regarde pas.

— Non, non. Je suis curieuse aussi. Moi, j'ai embrassé un garçon pour la première fois à quinze ans. C'était un pacifiste petit et laid, mais très brillant.

— Il s'appelait comment?

— Je ne me souviens même pas de son prénom. Je me souviens seulement de son nom de famille : Gandhi. Il portait des petites lunettes rondes d'intello et était très timide. Mais ne dévie pas la conversation, on parle de toi, pas de moi.

— Non. Je n'ai jamais embrassé un gars ni une fille, si tu veux savoir.

Et tout le monde s'esclaffe.

Le poisson est excellent et la salade à la luzerne aussi. Sarah redevient sérieuse.

– Vous êtes prêts pour la prochaine étape? nous demande-t-elle.

Maman et moi, on a saisi. Sarah a quelque chose à dire. Samuel est perplexe.

– La prochaine étape? répète-t-il en fronçant les sourcils.

– Juste avant de partir, Samuel, je dois te dire une chose : je sais que tes noires intentions vont revenir te hanter, mais tu n'as plus le droit de les laisser gagner. Regarde les trois visages ici. Celui de Marie-Andrée, le mien et celui d'Emma : nous avons besoin de toi. Tu ne peux plus quitter la table.

– Je ne veux pas quitter la table, Sarah. Je ne vois pas de quoi tu parles!

– Enlève ta bague. Prête-la-moi.

– Enlever ma bague?

– Celle qu'Emma t'a donnée, tu le sais. Tu n'as pas douze bagues, tu en as une!

– Pourquoi?

– Prête-la-moi une seconde.

Samuel enlève sa bague et la remet à Sarah.

– Ton ongle…

Il remarque sur l'ongle de l'annulaire gauche de Sarah, comme sur sa bague, une étoile verte à neuf branches. Sarah enfile sa bague à son propre doigt, le même. Elle ferme les yeux une seconde, puis la lui redonne.

– Tiens.

Samuel la remet à son doigt.

Soudainement, émergeant de la table, des poignées, comme celles du guidon d'un vélo, apparaissent. Quatre paires de poignées. Les poignées ont remplacé les ustensiles.

– Attachez vos ceintures.

Il y a effectivement des ceintures de sécurité sur les banquettes turquoise. Suivant la consigne de Sarah, nous nous attachons.

Michael J. Fox revient à la table. Nous avons l'air fou. Tous les quatre attachés avec les mains sur les poignées, on se serait cru, encore, dans un parc d'attractions. Mais il ne semble pas surpris.

Dans la boîte à musique, une vieille chanson de David Bowie joue. *Space Oddity*.

Annelies Marie

La table se met à trembler, et le sol du restaurant aussi. Tout commence à tourner. On se regarde les uns les autres avec un mélange de crainte et d'excitation; sauf Sarah, qui a l'air de bien s'amuser. Je revois la même Sarah que lors de notre voyage à Disney World.

Le plafond s'ouvre.

Nous voici dans l'espace, tournoyant à une vitesse folle. Ça dure une minute, peut-être plus, peut-être moins, je ne sais pas. Le temps est une notion bizarre, des fois, surtout la nuit.

Soudainement, tout cesse de bouger. L'éclairage, qui avait disparu, réapparaît.

Nous sommes encore attablés dans un resto tous les quatre, mais à une tout autre table, plus rustique. Les gens autour de nous sont drôlement habillés. Nous sommes dans une auberge.

Samuel se lève pour aller à la salle de bain. Il en revient avec un grand sourire collé au visage (je ne l'ai pas vu sourire beaucoup depuis hier). Il reprend sa place et embrasse Sarah sur les deux joues.

– Sarah, tu es trop formidable.

– Je le sais, c'est bien certain! répond-elle. Mais pourquoi tu dis ça?

– Parce que.

Il lui tend un journal écrit en néerlandais, *De Telegraaf.* Je ne sais pas comment je sais que c'est du néerlandais, mais je le sais. Sarah prend le journal, le regarde à peine et le lui remet. Samuel le range ensuite dans son sac à dos.

– Garde-le en souvenir, Samuel. J'ai compris beaucoup de choses ces derniers temps. J'ai surtout compris que, moi qui croyais avoir atteint une certaine dimension, je n'en suis qu'au début. C'est important, ce que je vais vous dire.

Maman est nerveuse.

– Sarah, ne m'en demande pas trop, dit-elle. Je suis déjà stressée de savoir ce que je sais. N'exagère pas, je ne le prendrais pas. J'en serais incapable.

Même si j'ai hâte de savoir ce que Sarah a à nous dire, j'interviens; une question me trotte dans la tête.

– Dis donc, Sarah, où sommes-nous?

– À Amsterdam.

Je regarde Samuel, qui écoute Sarah, et je remarque que ses oreilles grandissent tranquillement. Elles deviennent comme des oreilles de renard.

– Samuel, tes oreilles!!

– Qu'est-ce qu'elles ont, mes oreilles?

– Elles grandissent.

– Je suis absorbité, c'est pour ça.

– Tu es quoi?

– Absorbité, je te dis.

– «Absorbité»??

228

Sarah poursuit. Elle nous raconte ce qui s'est passé dernièrement dans sa vie parallèle : elle a rencontré son Guide.

– Ton Guide ?

– Ce n'est pas évident à expliquer, je commence à peine à comprendre moi-même. Je ne suis qu'une Fleur.

– Une Fleur ? Décidément, Sarah, tu es mystérieuse...

– Pas tant que ça, tu verras.

– Et qu'est-ce qu'il t'a dit, ton Guide ?

– Il m'a calmée. L'univers de l'inconscient n'est pas tellement complexe, il est surtout très vaste. Quand tu y as accès, au début, c'est inquiétant. C'est si nouveau... Comment je dirais ? C'est comme passer des premiers dessins de l'homme préhistorique sur les murs de sa caverne aux nouveaux dessins tout en couleurs et en trois dimensions, qui bougent. Rappelle-toi, la Rouge, quand tu m'as demandé si je pouvais entrer en contact avec les gens décédés, je ne savais pas de quoi je parlais. Mon Guide me l'a dit : la mort, telle qu'on la conçoit, n'existe pas. Rien ni personne ne s'éteint. Tous les gens qui sont encore présents dans la mémoire ne serait-ce que d'une seule personne, eh bien, ces gens existent encore et existeront tant et aussi longtemps qu'ils ne seront pas effacés de toutes les mémoires. La mémoire est un terreau très fertile qui ne laisse rien ni personne mourir. Quand on dit de quelqu'un qu'il est un « immortel », c'est vrai ! Tous les Jules César, Napoléon Bonaparte, Jean-Paul Sartre, Adolf Hitler, Al Capone, Jésus, Mahomet, Tolstoï, Babe Ruth, Serge Gainsbourg, George Washington, Pablo Neruda, Diane et notre grand-père, ils vivent à plein. Ils existent encore, ils vivent encore. Une personne existe tant qu'il y a une seule tête qui se souvient d'elle. C'est extraordinaire.

– Et ceux dont personne ne se souvient?

– J'ai posé la question à mon Guide. Ils sont dans une autre dimension. Une dimension qu'on appelle la dimension de la paix. Ils se reposent et sont prêts pour la prochaine étape: la renaissance. Mais ça peut prendre des milliers d'années avant que ça ne se produise. Imagine un énorme iceberg, un glacier. Chaque personne est un glacier. Le glacier fond, et fond, et fond, jusqu'à ce qu'il n'en reste qu'une toute petite goutte. Cette goutte ne peut jamais s'effacer et disparaître. C'est impossible. Cette goutte-là sera à la base d'une nouvelle personne, d'un nouvel iceberg, et tout recommence. Ainsi va la vie.

– Alors c'est qui, ton Guide? demande Samuel à Sarah.

– Je ne connais pas encore toute son histoire. C'est un homme bon. Il s'appelle Hans. Il n'est pas passé à l'histoire, mais il a fortement marqué sa famille et son village, Mittelbergheim. Il vient d'Alsace. C'est beau, l'Alsace. Il est mort vers la fin de la Deuxième Guerre mondiale, donc au milieu des années 1940. Il me l'a dit lui-même: il n'est qu'un Guide. À la base, il y a les Fleurs. Ça, c'est moi et tous ceux et celles qui entrent pour la première fois dans l'univers de l'inconscient: tous ceux-là sont techniquement vivants. Ils respirent, digèrent, dorment en paix, mais demeurent sur les frontières du véritable univers. Comme cette dame dans l'autobus pour Moncton, qui est venue à ma défense. Tu te souviens, Emma? La dame aux «cent six langoustines».

– Oui. Celle qui avait notre conversation sur son lecteur MP3…

Je frissonne à ce souvenir. Cette rencontre était si surprenante!

Sarah poursuit:

– Au-dessus des Fleurs, il y a les Guides, puis il y a les Maîtres, les Grands Maîtres et les Astres.

– Les Astres? Comme les étoiles?

– Exact. Emma, tu m'impressionnes. Tu auras une bonne note dans ton bulletin. C'est précisément ça: quand tu as passé toutes les étapes, tu deviens une étoile. Une âme lumineuse jusqu'à la fin des temps.

– J'ai toujours eu de bonnes notes…

Maman, restée silencieuse jusqu'ici, objecte:

– Pas toujours, Rouge. Je peux te donner des exemples…

Samuel rit. Sarah continue, alors que je fais une tendre grimace à maman.

– Mais s'il y a des Fleurs et des Guides, et des Maîtres et tout le reste, nous, on est quoi? Maman, moi et Samuel, on est quoi maintenant?

– Vous êtes comme des parties de la Fleur, des pétales peut-être, des feuilles, un parfum…

– Qu'est-ce qu'il faisait, ton Guide, avant de mourir?

– Il était vigneron et a été forcé de s'enrôler dans l'armée, au grand malheur de sa femme, de ses deux enfants et de tout le village. C'est une bonne personne. S'il est devenu Guide, c'est qu'il avait l'âme pure, tu vois… Rappelle-toi la signification des neuf branches. *J'aime et j'aide. Je suis droit et travailleur. Je réussis, je suis efficace. Je suis différent, je suis sensible. Je sais, je comprends. Je suis loyal, je fais mon devoir. Je suis optimiste, je suis heureux. Je suis juste, je suis fort. Je suis bien, calme et facile à vivre.* Hans a tout ça en lui. Il deviendra un Maître, c'est certain.

– Tu as aussi un Maître? Est-ce que tu le connais?

– Oui. Très bien.

– Il faisait quoi, lui? Il a existé quand? C'est qui?

– Tu verras bien.

Une petite fille de cinq ou six ans, vêtue d'une tunique marine et d'un chemisier blanc, entre alors dans l'auberge et s'assoit seule à une table juste derrière nous. Une petite fille extravertie aux cheveux noirs et au grand sourire. Nous l'avons tous remarquée. Samuel se lève pour aller lui parler.

– Est-ce que tu es perdue? lui demande-t-il gentiment.

– Non, j'attends mon *vater*.

– Pardon?

– Mon papa.

– Veux-tu manger? Boire quelque chose?

– Non, ça va.

– Comment tu t'appelles?

– Annelies Marie. Et toi?

– Samuel.

– J'ai terminé l'école et j'attends qu'il vienne me chercher.

– Tu vas où à l'école?

– Dans une école Montessori, pas loin.

– Bon. J'étais juste curieux. On ne voit pas souvent des petites filles comme toi, seules…

– Merci, *herr* Samuel.

* * *

Je me suis réveillée à 3 h 45 du matin. En pleine nuit.

J'ai tout noté dans mon dossier nocturne, sans rien manquer de ma dernière nuit. J'ai seize ans. Me semble que je suis plus belle que jamais. Vive moi.

Lyne a laissé une robe de chambre derrière la porte, sur un crochet en forme de cygne. Elle est blanche avec une mésange brodée à la place du cœur. J'aime bien les mésanges. Une fois, quand nous étions enfants, Sarah et moi sommes allées à un chalet que Pierre avait loué. Sarah attirait les mésanges et les faisait manger dans sa main. Elle m'avait fait croire qu'elle connaissait leur langage.

Sans faire de bruit, je vais dans la chambre à côté, où dort Samuel. Je referme la porte.

Il ne s'est pas réveillé. Il est peut-être encore avec maman et Sarah, à Amsterdam. Je m'étends lentement à ses côtés et je l'écoute respirer. Il est couché sur les couvertures. Il n'a pas mis le haut du pyjama que Salomon lui a prêté. Il est bien musclé. Je lui donne un dix pour son dos. Et aussi une grosse note pour son arrière de tête.

Je fais glisser mon doigt très délicatement le long de sa colonne vertébrale. Il se réveille.

— Il est quelle heure ?

— Quatre heures…

Il reste silencieux pendant quelques secondes, le temps de replacer ses esprits. Puis il me chuchote :

— Bonne fête, Lucy…

— Merci, Germain, que je réplique avec un clin d'œil, utilisant un nom qui n'est pas le sien pour le taquiner.

— J'ai fait un rêve, tu étais là.

— Je sais. Avec maman et Sarah. Comment tu la trouves, Sarah ?

Un autre silence. Là, il est réellement réveillé. Il allume la petite lampe blanche sur la table de chevet.

— Une sorcière. Tu es une sorcière.

— Samuel…

— OK. Une magicienne, d'abord. Comment peux-tu ?…

— Ce n'est pas moi, c'est Sarah.

– J'hallucine, je te jure, j'hallucine.

– Mais non. Es-tu bien réveillé, Sam?

– Oui, très bien.

– On est quelle date?

– Le 10 août.

– Où es-tu?

– Chez Lyne, une amie de ta mère. Et je porte le pyjama que Salomon m'a prêté. Salomon est pensionnaire ici, c'est un étudiant en médecine qui bégaie un peu.

– Es-tu assez réveillé pour lire ceci?

Je lui passe mon iPad, avec mes notes toutes fraîches. Il lui faut quelques minutes pour tout lire.

À la fin de sa lecture, il regarde dans le vide un moment. Il semble soufflé.

– C'est exactement ce que j'ai vécu la nuit dernière…, murmure-t-il.

– Tu vois pourquoi il est important que tu continues ton chemin, pourquoi tes idées noires sont à bannir. Il y a beaucoup plus que la vie ici, Samuel.

– Je t'ai dit de ne plus t'en faire avec ça…

– Maintenant, tu n'as plus le choix: il y a un nouveau chemin que tu ne connais pas, et tu marches dessus.

– Ouf…

Le pauvre Samuel n'est pas au bout de ses « ouf ».

Je t'ai dit que je ne l'avais pas vu sourire beaucoup, avant cette nuit. Cette fois, il ne sourit pas: il rit. Il rit, dis-je? Il s'étouffe de rire! Je suis obligée de lui demander de se calmer, sinon il va réveiller la maisonnée et la ville au complet.

Il se fout la face dans l'oreiller. Il est en larmes.

– Rien de tout ça n'est possible, Emma, c'est impossible! Je capote!

— Veux-tu un peu plus d'«impossible», la star?
— Vas-y! Je suis prêt!
— Parle moins fort…
— Vas-y, Rouge, vas-y…
— Donne-moi ta bague. Ferme les yeux, ne triche pas…

Il enlève sa bague, et je la garde dans ma main.

— C'est une habitude chez vous, les filles, de me demander d'enlever ma bague?

— Ouvre les yeux.

Il a encore sa bague au doigt.

Du moins le croit-il, au premier regard.

Pourtant, je l'ai bien dans ma main, je la lui montre.

— Qu'est-ce que c'est? Un tatouage?

— C'est ton passeport pour l'inconscient. Ton étoile.

Sur son annulaire, il y a la marque, bien imprimée, de l'étoile verte. Je lui redonne sa bague. Avant de la renfiler, il regarde encore la base de son doigt. Il gratte, pour voir. J'ouvre ma main et place ma paume juste sous la lampe de chevet pour qu'il puisse bien voir.

— Je te l'ai montrée au parc. C'est mon étoile à moi. Et maman et Sarah l'ont sous le pied. Comprends-tu, maintenant, ce que ça veut dire?

— Ouf.

Un deuxième ouf.

Il en reste deux autres. Il est 4 h 20.

— En veux-tu plus? Parce que j'en ai plus.

— Avec toi, j'en voudrai toujours plus.

Je ne sais comment interpréter ce qu'il vient de me dire. Je veux juste te rappeler que Samuel est très loin de me laisser indifférente. Il est si beau, si gentil, si sensible…

Il ne faut pas que je m'égare.

– Ouvre ton sac à dos.

Il y découvre le journal que Sarah lui a remis la nuit dernière, celui-là même qu'il a rapporté de la salle de bain de l'auberge, *De Telegraaf.*

– C'est le journal de cette nuit…

– Regarde la date.

– « *10 augustus 1934* ».

– Cette fois, essaie de ne pas rire trop fort.

Il n'a pas fait ouf, mais sa face a hurlé « ouf ». Ça compte pareil.

– Nous avons voyagé dans le temps, merde !

– Sarah t'expliquera que le temps et l'espace sont des notions bien différentes dans le monde de l'inconscient. Je le sais, elle m'a fait fouiller sur le Web. Même si je n'ai pas compris grand-chose, je la crois. On en a une autre preuve, non ?

Il lui reste un dernier « ouf » pour cette nuit.

– Tu te souviens de la petite fille qui s'est assise seule à une table de l'auberge, à Amsterdam ?

– Annelies Marie ?

– Elle, exactement.

– Pourquoi tu me parles d'elle ? Ne me dis pas qu'elle va sortir du placard…

J'avais prévu le coup, je lui montre mon iPad.

Une photo.

– C'est elle, merde, c'est exactement elle ! C'est Annelies Marie ! Une petite fille aux cheveux noirs.

– Le monde entier la connaît sous son autre nom…

– Quel autre nom ?

– Anne Frank.

– C'est qui, Anne Frank ?

Je lui raconte son histoire, brièvement. Puis je me lève et je vais chercher le calepin d'Anne Frank, le vrai, dans ma valise carrée.

Il ne dit pas ouf avec sa bouche, mais, encore une fois, avec ses yeux. Le compte y est : quatre « ouf ».

Je lui donne un gentil baiser sur la joue et je retourne dans ma chambre, finir ma nuit.

* * *

Une fête chez les Tziganes

Je rêve.

Un immense champ de blé. Méga. Il y a seulement un arbre, au milieu, un majestueux, naturellement. C'est peut-être le même champ et le même orme que l'autre fois. Je ne sais pas.

Imagine que c'est la brunante. Un soleil du soir qui, tranquillement, fond derrière l'horizon.

Il fait juste assez chaud. Imagine qu'il y a un petit vent doux de fin d'été.

On dirait que chaque tige de blé a appris sa chorégraphie par cœur. Elles sont des millions à se pencher toutes en même temps dans un sens ou dans l'autre, au gré de l'air qui bouge. Comme des oiseaux en bandes.

Imagine qu'au milieu de ce vaste champ, il y a deux filles, deux sœurs qui s'aiment.

C'est là que nous sommes, Sarah et moi. On marche sans parler. Au loin, on aperçoit un feu ; pas un incendie : un feu de joie. On entend vaguement de la musique et des gens chanter et rire. C'est vague.

On se rapproche.

– Où sommes-nous, Sarah ?

– En Roumanie. Dans un village qui s'appelle Satulung.

– Qu'est-ce qu'on fait ici ?

– On est venues s'amuser, ça va faire du bien.

– On est quand ?

Question bizarre. « On est quand ? » Mais on s'habitue, quand on a une sœur qui est une Fleur...

– En 1930. En août.

Satulung ? Je n'avais jamais entendu ce nom. Sarah perçoit mon ignorance.

– À Satulung, en 1930, les autorités recensent 3895 Roumains, 361 Hongrois, 88 Tziganes et une communauté juive de 165 personnes qui sera exterminée par les nazis durant la guerre.

– Qu'est-ce qu'on est venues faire ici ?

– Juste danser et chanter, je te dis, Rouge. Juste danser et chanter.

Nous nous rapprochons de la fête. Un monsieur avec les cheveux très longs, attachés, une barbe grisonnante, une très vieille tuque et une voix en sable, toute rauque, nous aperçoit et vient à notre rencontre. Il fait de grands signes.

– Venez, venez... Venez danser !!

Il est très enthousiaste, c'est le moins que je puisse dire. Il se présente avec son accent mi-russe, mi-italien.

– Je suis Ion Ludovic Roman, je suis peintre. Voici ma femme, Nikolina. Venez, nous avons du vin, des tripes frites et de la tisane tzigane.

Des tripes frites ? Non merci, pas pour moi. J'aurais préféré qu'il m'offre des croustilles au ketchup...

Il retourne danser en nous faisant des signes pour qu'on aille le rejoindre près du feu. Je ne devrais pas dire ça, mais il ne sent pas très bon. Il sent la sueur et le bois brûlé.

Il y a deux violons usés, deux guitares, deux petits bandonéons et des objets de toutes sortes sur lesquels on tape pour le rythme (des bouteilles, des boîtes en bois, une vielle pièce de métal…). Il y a aussi des hommes qui chantent et quelques danseurs et danseuses.

– Qui sont ces gens-là, Sarah?

– Des Roms.

– Comme la ville de Rome?

– Non, des Romanichels. Ce sont des nomades, des gens qui se déplacent en groupe, comme des animaux sauvages en troupeau, qui n'ont pas de travail et qu'on considère comme des rats.

– Romanichels?

– Des Tziganes, si tu veux, ou des Bohémiens, des Gitans. Ils ne le savent pas pour l'instant, mais ils seront vite des proies. Des gens vont tout faire pour les exterminer.

– Qui?

– Ne pense pas à ça, viens danser, viens t'amuser.

Sarah entre dans la danse, tout près du feu. Je la regarde faire. Elle est folle. Elle danse mieux que tous les autres. Elle entraîne tout le monde.

Elle a un foulard rouge dans les cheveux et porte deux énormes boucles d'oreilles. Ça me fait penser, je touche à mes oreilles… Elles sont encore là, mes étoiles.

– Viens, Emma, viens!!

J'y vais.

Tout le monde me regarde un peu bizarrement. Sarah m'explique à l'oreille que ces gens-là n'ont pas souvent vu de rousses. Je suis peut-être leur première. Ils doivent bien se demander de quelle planète je viens. Je viens d'Écosse, les amis! Voulez-vous que je sorte ma cornemuse?

Encore une fois, les gens parlent un drôle de langage, du roumain, je pense. Pourtant, je comprends tout. Sans le savoir, je dois comprendre deux cents langues. Non seulement belle, mais brillante, la Rouge.

Je remarque alors quelque chose d'étrange. Je chuchote à Sarah, tout en dansant:

— As-tu remarqué, Sarah?

— Oui. Ils ont tous le même visage.

— Tu ne trouves pas ça bizarre? Ils ont tous le même visage à différents âges. Comme si c'étaient seulement deux personnes: un homme et une femme, les autres sont des copies, c'est *so* bizarre.

— Normal! Ce sont des amoureux interdits qui ont passé l'épreuve du temps et se multiplient et s'aiment en même temps et tout le temps. Ion Ludovic et Nikolina. Allez, la Rouge, le monde te regarde, danse!!

Une ou deux danses plus tard, essoufflées, nous allons nous asseoir près du feu, bras dessus, bras dessous. Ion Ludovic nous offre à boire. C'est dégueulasse. C'est beaucoup trop fort. Un alcool à base de châtaignes, qui va détruire mon estomac. J'y ai trempé les lèvres, ça brûle ma langue. J'aime mieux le mélange de Lyne: *ginger ale* et jus de raisin.

— Avez-vous de l'eau?

— De l'eau? Ha! ha! ha!

Il me donne une tisane à la camomille sauvage, cueillie le jour même dans un champ, pas loin. Ça leur sert de médicament contre je ne sais trop quoi. Sarah ne prend rien. Elle se lève et va vers le seul garçon qui ne ressemble pas aux autres. Il a les cheveux blonds. C'est un des deux joueurs de violon. Elle lui demande son instrument, qu'il lui tend.

Dans la vie de tous les jours, Sarah est discrète, même gênée, beaucoup plus que moi (maman me l'a toujours dit : j'ai un front de bœuf). Je ne sais pas ce qui se passe, mais elle ne l'est plus du tout, cette nuit. Je sais qu'elle n'a jamais touché à un violon de sa vie. Et pourtant.

Elle prend le violon et commence à jouer.

C'est trop beau. C'est doux. Comme une sérénade pour s'endormir ou s'embrasser. On entend le feu crépiter et le son du violon, c'est tout. Tous la regardent et l'écoutent jouer, sans respirer. Nous sommes tous envoûtés, moi la première. Je suis si fière de ma sœur.

Ses doigts dansent sur le violon, comme si chacun d'eux était une ballerine andalouse. Elle a les yeux fermés.

Ça dure quelques minutes, puis elle redonne le violon au garçon blond…

C'est Samuel! Je ne l'avais pas reconnu.

* * *

Je me suis réveillée tôt. Il y a la petite lumière rouge de mon iPhone qui clignote. J'ai reçu un courriel.

Même s'il couche à quelques pas de moi, Samuel m'a écrit. Comme si, chaque fois qu'il se retrouve devant son iPhone, il pouvait s'ouvrir sans se censurer.

Vois ce qu'il m'a écrit.

Tu es repartie dans ta chambre. Je n'ai pas pu me rendormir tout de suite, ma tête tourne à une vitesse folle. Je ne suis certain de rien, sauf d'une chose : tu me fascines.

Je repense à tout ce qui se passe. J'ai du mal à comprendre. La bague, l'étoile, le journal, Sarah, Annelies Marie, que je ne connaissais pas. Surtout, à ce que je ressens. Une lumière m'est apparue, là-bas au loin. Un peu voilée, mais je la vois.

Le goût de vivre et de poursuivre.

Je me suis tourné et retourné dans mon lit, incapable de m'endormir. Trop d'images surgissent, trop de tout.

Rien n'arrive pour rien. C'est mon père qui m'a souvent dit ça.

Je n'ai plus le goût d'en finir. Une autre pensée qui me trouble. Ça fait six mois que je ne pense qu'à ça, que je planifie, que je cherche sur le Web et soudainement au bout de deux jours, j'ai changé de cap, complètement. Cent quatre-vingts degrés. Comme si je réalisais pour la première fois que ma vie m'appartient. Je suis capable, maintenant, de mettre des mots sur mes émotions.

Puis, je me suis endormi.

Je ne me souviens de rien de ce sommeil. Je n'ai pas rêvé. Sinon d'un violon.

Un violon ? Je n'ai jamais vu un violon de ma vie et soudainement, il m'apparaît, comme ça. Et il vit, un peu étonnant, non ? merde. Il respire. Un violon qui respire, je le vois, je l'ai entre mes mains.

Il y a aussi cette fille qui danse, avec d'énormes boucles d'oreilles et des cheveux noirs.

Rien de plus.

Merci, Emma.

* * *

Le matin du vendredi 10 août
C'est rare que je rêve d'odeurs.

Dans mes rêves, il y a des formes, des gens, j'entends de la musique, mais mon beau petit nez picoté n'est pas souvent sollicité. Et là, oui. En plus, c'est mon odeur favorite : le bacon qui frétille dans un poêlon…

J'ouvre les yeux. Je réalise que je ne dors pas du tout. J'entends du mouvement dans la cuisine. Lyne fait cuire du bacon. Il est 7 h 20. Le jour de ma fête.

Je me lève, les cheveux en broussaille.

À la cuisine, Lyne s'affaire devant le poêle. Ses deux pensionnaires, Salomon et le monsieur, sont attablés et lisent. Salomon le journal, et le monsieur, un livre avec des chiffres.

— Emma ! C'est moi qui fais trop de bruit ?

— Non, pas du tout. C'est l'odeur de ton bacon qui est venue me chercher.

— Bonne fête, Emma. Marie-Andrée a appelé, tantôt, pour te souhaiter une belle journée.

— Je vais la rappeler. Bonjour, Salomon.

— Bon-j-j-jour.

— Bon matin, monsieur le professeur d'électricité…

— Bonne fête, mademoiselle. Je m'appelle Léon Brienz.

— Bonjour, monsieur Léon.

Samuel, en t-shirt RFK avec le bas de pyjama de Salomon, se présente dans la cuisine.

— Bonne fête, Emma !

— Merci, Sam.

Il me fait un câlin. *Yesss.*

Lyne nous sert un déjeuner du tonnerre. Des œufs brouillés à la mexicaine, du jus d'orange fraîchement pressée, une montagne de tranches de bacon, des toasts de pain naan et de la confiture de mirabelles. Un petit déjeuner qui ramènerait la paix sur terre.

Le téléphone de Lyne sonne. Sa sonnerie est drôle, c'est un bout d'une chanson de Lady Gaga, *Poker Face*. «*Pa-pa-pa-pa-pa-pa-pa-pa poker face.*»

– Allô?

C'est le père de Samuel. Sam lève les yeux au ciel; il avait éteint son propre iPhone pour avoir la paix… Lyne lui tend l'appareil, puis il va dans le salon. Je le comprends. Il n'a pas à discuter de ses affaires devant l'assemblée.

Après trois minutes, il revient à la table. Rien dans son visage ne laisse transparaître quoi que ce soit.

– Mon père s'inquiète. Quoi de neuf?

* * *

Après le méga-super-hyper-bon petit déjeuner, Samuel et moi, on retourne dans ma chambre. J'ai envie de lui parler du courriel qu'il m'a envoyé la nuit dernière. Mais quelque chose me retient. J'ai le sentiment que c'est tabou. Sinon, il m'aurait dit tout ça de vive voix.

– Mon père a parlé au *coach*. Il y a un match aujourd'hui, à 13 h. Il veut absolument que je joue.

– C'est ton père qui veut que tu y sois, ou c'est ton *coach*?

– Les deux.

– Ils ont raison, Sam. Faut que tu sois là.

– Ça ne me tente pas. Et si tu veux savoir, c'est ta faute…

Ou plutôt, c'est grâce à toi si je me suis libéré d'eux. Et maintenant, tu me dis que je dois y retourner…

– Tu fais bien ce que tu veux, Samuel. Mais moi, je pense que ce serait mieux. En fait, je SAIS que ce serait mieux.

– Pour qui? Ce serait mieux pour qui?

– Pour la vie. Pour la suite des choses. Il faut y aller en douceur. Ne rien brusquer. Rappelle-toi: *« J'aime et j'aide. Je suis droit et travailleur. Je réussis, je suis efficace. Je suis différent, je suis sensible. Je sais, je comprends. Je suis loyal, je fais mon devoir. Je suis optimiste, je suis heureux. Je suis juste, je suis fort. Je suis bien, calme et facile à vivre. »* Tu te souviens?

– Pourquoi tu me dis ça, Rouge?

– Le bonheur de trop de gens autour repose sur toi.

– C'est exactement ça que je ne veux plus.

– Mais tu es ailleurs, Samuel. Tu n'as pas eu assez de preuves? Tu en connais plus sur la vie et sur sa profondeur que tous ces gens réunis. Non? Tu ne serais pas ici, souriant et calme, si tu n'avais pas appris ce que tu as appris depuis les dernières heures… Rappelle-toi: *« C'est comme passer des premiers dessins de l'homme préhistorique sur les murs de sa caverne aux nouveaux dessins en trois dimensions, tout en couleurs… »* Toi et moi, et Sarah et maman, et plein d'autres, on sait que tu feras autre chose de ta vie que de courir sur des lames après un morceau de caoutchouc. Mais faut progresser en douceur, sans blesser les autres. Vas-y, aujourd'hui. Tu verras, la vie va se charger d'écrire le prochain chapitre. Fais confiance. Vas-y et donne tout ce que tu as.

Samuel reste silencieux un moment. Je poursuis:

– Fais toujours attention de ne blesser personne. Surtout pas tes parents. Eux ne savent pas et ne pourront jamais savoir. Mais ils t'ont aimé et t'aiment encore. Ils ne savent juste pas comment t'aimer.

— Ok. Je vais y aller.

— … Et tu seras meilleur que tu ne l'as jamais été. Je serai là. Je serai là avec mon sifflet du tonnerre.

— Ma mère a dormi chez mon père. Je pense que c'est la première fois depuis cinq ans.

Une heure plus tard, Lyne reconduit Samuel chez lui.

* * *

J'ai réarrangé la sonnerie de mon iPhone.

Quand c'est Samuel qui m'appelle, me texte ou m'envoie un courriel, j'entends *Chega de Saudade*.

> *Va, mon chagrin, et dis-lui*
> *que sans elle*
> *c'est impossible; supplie-la*
> *De revenir, parce que je n'en peux plus*
> *De souffrir.*

Sam m'a encore écrit. Une autre page de son journal.

Salut Emma,
Je t'écris depuis le vestiaire au Colisée. L'échauffement va commencer bientôt.
Quand j'ai mis les pieds chez mon père ce matin, il y avait une grande tension dans l'air. J'ai bien vu que maman n'avait pas dormi de la nuit.

— Sam, mon Sam, tu m'as fait tellement peur…

Elle était encore en sanglots. Elle m'a serré dans ses bras. Elle m'a servi la même rengaine qu'hier. Je te résume la conversation.

— Tous les sacrifices qu'on a faits, papa et moi! Je ne comprends pas...

— Je sais, je sais, maman.

— Tu es notre gloire, notre trésor. Tous ces gens qui t'aiment et qui se fient sur toi. Cette splendide vie qui t'attend. Je ne comprenais pas, hier, comment tu pouvais laisser tomber tout ça...

— Je serai là tantôt, maman. Oublie tout ça. Je vais aller au match, OK?

— C'est qui cette fille? C'est elle qui t'a mis ces idées dans la tête?

— Maman, s'il te plaît.

— C'est qui?

— C'est une amie.

— Non, ce n'est pas une amie, Sam. Tu ne la connais même pas. Elle vient de Montréal et ne sait même pas qui tu es. Je le sais: je te rappelle que je lui ai parlé. C'est une autre groupie qui te tourne autour pour profiter de toi. Je te jure, Samuel, méfie-toi. Excuse mon langage, mais c'est sûrement une petite vaurienne. Elle siffle comme un putois.

J'ai respiré par le nez. Mon premier réflexe était de faire une joyeuse crise. Toi, une vaurienne?? Je me suis retenu. Je n'ai rien rajouté.

Papa a été témoin de cette conversation et je voyais bien qu'il n'était pas à l'aise. Pour lui, tout ce qui importe, c'est que je sois sur la glace cet après-midi.

Par contre, je ne peux pas non plus en vouloir à maman. Je sais qu'elle veut mon bien. Mais souvent, ses émotions ont le dessus sur sa raison. Une mère, c'est une mère.

Je voulais te dire, Emma… Quand tu es venue me réveiller la nuit dernière et que je t'ai vue, étendue juste à côté de moi, j'avais juste le goût de me serrer contre toi. Je me souviens de ton doigt qui glissait le long de ma colonne vertébrale. Je faisais semblant de dormir. Je n'aurais jamais voulu que cesse cette balade de ton doigt dans mon dos…

Hier, papa est allé dans la chambre des joueurs quand j'ai foutu le camp en laissant tout mon équipement derrière. Il l'a rangé dans mon gros sac. Et maman l'a lavé.

Papa ne parle pas beaucoup. Je sais qu'il m'aime et qu'il veut mon bonheur. Je veux aussi le sien. Il donnerait sa main droite, et même sa gauche, pour que je sois heureux. J'ai le goût de tout lui raconter.

Je ne peux pas. Il ne comprendrait pas. Je ne ferais que rajouter une couche de doute. Mon père est une bonne personne. Je me mets à sa place. Si mon fils me racontait qu'il vit une vie en parallèle, j'appellerais Urgences-Santé.

Papa m'a conduit au Colisée. C'est un match préparatoire contre des joueurs de seize ans de l'Ontario. Dans les estrades, il y a des éclaireurs, des officiels, des dirigeants et des journalistes. Après ma sortie spectaculaire d'hier, j'aurais dû entrer dans le vestiaire gêné, pourtant non.

Le coach *principal, monsieur White, s'est adressé à tous les joueurs tantôt.*

— Le match de cet après-midi n'a l'air de rien, mais c'est un match d'une grande importance. C'est un examen final. Les officiels se sont entendus avec nous, les coaches : *pas de violence. Jouez votre match. Mais ne débordez pas dans vos élans. Je veux rajouter quelque chose ici. Hier, vous avez vu, comme moi, que Samuel a quitté la patinoire subitement, sans raison apparente. Je tiens à m'excuser devant tout le*

monde. Je l'ai traité de « star », et je n'aurais pas dû. Samuel subit beaucoup de pression, vous le savez. Il avait simplement besoin de respirer un peu. Je suis bien content qu'il soit de retour avec nous aujourd'hui. Bienvenue, Samuel. Et toutes mes excuses.

– Merci, monsieur White.

Je n'ai pas eu le courage de me lever et de dire la vérité. J'aurais bien aimé, mais faut croire que j'ai encore du chemin à faire avant de m'assumer complètement. J'aurais bien aimé voir la réaction des autres si j'avais dit : « Non, non, ce n'est pas ça, c'est juste que j'ai vu une fille dans les estrades, une sorcière magicienne qui m'est apparue en rêve, et j'ai voulu aller la rencontrer tout de suite. » Les gars m'auraient traité de débile.

Je connais seulement quelques joueurs de mon équipe. Mike, Henry et JF. Ils viennent de mon coin. Les autres, je sais qui ils sont, mais je ne connais pas leurs noms. Ils viennent d'un peu partout au Nouveau-Brunswick. J'en ai affronté quelques-uns, sûrement, mais je ne les reconnais pas.

J'ai hâte de te revoir, Emma.

Chapitre 11
L'accident

Vendredi 10 août, midi
Jour de ma fête

Lyne est venue me conduire au Colisée.

Il y a quelques centaines de partisans dans les estrades. Tous les parents et les amis des joueurs de l'Ontario, qui n'étaient pas là hier, y sont, bien entendu. Il y a d'autres éclaireurs, des journalistes, des dirigeants, et tout le tralala. La plupart sont là pour admirer le numéro 67. S'ils savaient qu'hier j'ai promené mes doigts dans son dos, je deviendrais moi aussi une célébrité.

Aujourd'hui, je n'ai pas à me faire reconnaître par le numéro 67. On s'est rencontrés il y a moins de vingt-quatre heures, pourtant il me connaît déjà très bien, il connaît même mon odeur.

Dans mon sac à dos, j'ai mis quelques barres tendres, une bouteille d'eau citronnée hyper-froide, et des gogosses inutiles de fille. Je regarde les gens dans les estrades et j'essaie de deviner qui ils sont...

Puis BANG! Méga-surprise. Écoute ça.

Il n'y a personne à côté de moi. Ni derrière, ni devant. Je me suis assise sur le dernier banc, en haut, dans un coin.

Complètement seule, je te dis. Soudain, je crois percevoir du mouvement derrière moi. Je me retourne et je vois quoi, d'après toi? Allez, devine!

Un chat vache!!

Non, je me trompe. Ce n'est pas UN chat vache, c'est MON chat vache, avec son collier étoilé. Et tout bonnement, il est entré dans mon sac.

Tu connais l'expression «Le chat est sorti du sac»? Ça veut dire qu'un secret a été découvert. Alors, je te le demande: que veut dire l'expression «Le chat est entré dans le sac»? Qu'un secret s'est caché?

Une autre divagation, signée: la Rouge.

Le chat est bien dans mon sac à dos. Il a juste sa petite face qui dépasse. Il me regarde d'une façon tellement intense, je suis comme hypnotisée. Tu sais, quand tu regardes un chat dans les yeux et qu'il fait de même? Tu es certaine qu'il réfléchit. Qu'il a quelque chose dans la tête. Tu n'as aucune idée de ce que c'est.

Un chien, ce n'est pas la même chose, il parle aussi, mais on sait ce qu'il dit. Il dit: «Aimez-moi.»

Le chat vache me regarde avec douceur.

Je sais que c'est toi, Sarah.

Sur son collier, juste à côté de son étoile verte, il y a autre chose. Une pochette en tissu avec une boucle rouge minuscule. Une chance que je suis éloignée de tous, ils me croiraient folle. Je regarde dans ses yeux et je sais que Sarah-le-chat-vache me parle.

– *Regarde dans la petite poche de mon collier.*

Je prends délicatement la pochette et je regarde. Une superbe petite broche. Une étoile verte à neuf branches.

– Merci Sarah, tu as pensé à ma fête…

— *Rappelle-toi, quand je suis retournée à la course dans la boutique de verre. J'avais bien vu que tu avais regardé cette broche.*

— Wow. Je la mets tout de suite.

Même sur ma veste d'exercice banale, ma petite broche est magnifique.

— Qu'est-ce que tu fais ici, Sarah?

— *Je veux voir jouer Samuel.*

— Mais c'est écrit à l'entrée: pas d'animaux. Comment tu as fait pour entrer?

— *Tu connais ta sœur... Elle trouve toujours une façon.*

— Je retire ma question. Est-ce que je peux te prendre dans mes bras?

— *Il ne faut pas que le chat sorte du sac.*

Je règle le problème en mettant le sac sur mes genoux pour flatter Sarah, dans le sac. Sous la gorge. Elle ronronne, ma Poca.

Les joueurs des deux équipes entrent sur la patinoire, tout en bas. Les gens crient. Sarah et moi, on regarde. Ils n'ont pas les mêmes numéros qu'hier, ils n'ont pas leur nom sur leur dossard. Je reconnais quand même mon Sam.

— Samuel est le numéro 7 des Rouges, dis-je à Sarah. Regarde-le.

— *Mais je le sais déjà! Tu me prends pour une idiote?*

— Oh. Pocahontas, toutes mes excuses.

J'ai toujours aimé rire de ma sœur. Me payer sa tête. Elle aussi se paie ma tête rouge. Comme dit le proverbe: «La vengeance est douce au cœur de l'Assiniboine.»

Mon téléphone sonne, c'est ma mère.

— C'est la fête de quelqu'un que je connais! me dit maman d'un ton joyeux.

– Ah oui? Qui donc?

– Bonne fête, ma Rouge. Seize ans! Ça passe trop vite. Tu es à l'aréna?

– Merci, mamouchka. Je t'aime. Oui, je suis à la patinoire. Devine avec qui? Devine.

– Avec ta sœur. Je le sais. Avec Sarah.

– C'est fantastique, non? Le jour de ma fête!

– Comment elle va?

– Elle m'a donné une petite broche en cadeau. Et toi, j'espère que tu as un méga-cadeau pour moi…

– Comment elle va, Emma? insiste maman.

– Elle ronronne assez fort pour réveiller le Nouveau-Brunswick au complet. Une chance qu'elle est cachée dans mon sac…

– Emma…

– Je te laisse, maman. La partie va commencer. Je n'ai presque pas touché aux deux cents dollars que tu m'as confiés.

– Je te les donne, c'est ton cadeau de fête. Tu en fais ce que tu veux.

– Quoi?

– Dépense, dépense. Célèbre!

– C'est trop, maman.

– Même trop ne sera jamais trop pour toi, ma Rouge.

– Je t'aime. Sarah fait dire la même chose.

– Fais attention à toi. À elle. Rappelle-moi bientôt.

– Juré.

Je raccroche.

Un instant plus tard, le match commence. Ça crie dans la place. Même moi, pour qui ce jeu est le mystère total, même moi, la dernière-née des néophytes, eh bien je vois, comme tout le monde, que Samuel est le meilleur. Tous les autres joueurs tournent sans arrêt autour de lui. Il a toujours la rondelle. On dirait que c'est lui qui commande, lui qui décide de ce qui va se passer dans le jeu. Il est comme le premier violon dans un orchestre. Tous, autour de lui, l'accompagnent.

Après la première période (il y en a trois), il a déjà compté deux buts. Les Rouges ont deux et les Bleus, zéro.

Allez, les Rouges!! Allez, les Rouges!!!

J'aime les Rouges. Surtout le numéro 7.

Sarah-le-chat-vache-avec-un-beau-collier sort la tête du sac et me regarde.

— *Tu l'aimes, le numéro 7?*

— Je suis folle de lui.

— *Tu as été fantastique, Emma. Tu as chassé ses démons. Il est libre, maintenant.*

— Libre?

— *Complètement. Nous sommes dans sa tête, juste là.*

— Tu crois?

— *Je le sais... Il va te le dire lui-même.*

Ma sœur est une Fleur magique. Ma sœur est un chat vache. Ma sœur est un bijou. Ma sœur est ma meilleure amie.

* * *

Après l'entracte, les joueurs reviennent sur la glace pour la deuxième période. Chaque équipe est dans son territoire. Les joueurs patinent en rond, pour se délier les jambes avant de recommencer l'affrontement.

En passant juste en bas, devant nous, Samuel me fait un signe avec sa main. Sarah me l'avait dit. Il touche sa tête et me pointe, pour me dire : « Je pense à toi », c'est évident. Puis il met la main sur son cœur et mime des battements, pour me dire « Je t'aime ».

Je pose ensuite mon regard vers Sarah, dans mon sac.

Elle n'est plus là !!

Je m'inquiète. Je l'appelle.

– Sarah ! Chat vache ! Ne me laisse pas comme ça !!

Je regarde encore dans mon sac, je fouille jusqu'au fond. Merde, elle est partie.

C'est alors qu'une petite mousse de pissenlit s'échappe de mon sac à dos et s'envole. Je pense tout de suite à la toute première fois, tu te souviens ? Quand une petite mousse est devenue un chat vache dans le panier de mon vélo ? C'est la même chose, mais à l'envers.

C'est le chat vache qui est devenu une mousse de pissenlit.

J'ai le réflexe de courir après la mousse, puis je me dis que ce n'est peut-être pas une bonne idée, alors je la laisse partir. Ce n'est certainement pas la dernière fois que je vois ma sœur… Je regarde la petite mousse encore visible à l'œil nu. Elle vole doucement vers la patinoire.

Samuel compte un troisième but, le champion ! Je me lève en sifflant. La mère de Sam me jette un regard. Elle a reconnu mon sifflet. Oups.

Je ne vois plus la mousse.

Le jeu se transporte ensuite à l'autre bout de la patinoire. Samuel récupère la rondelle dans le coin, en diagonale avec moi. Deux joueurs lui courent après, d'autres les rattrapent. il y a confusion, de ma place je ne vois rien.

Soudain l'arbitre siffle. Il y a une commotion dans le coin de la patinoire. Un joueur est étendu sur la glace, un

Rouge. On se dépêche de lui mettre un collet cervical. Je pense au pire. Je prends mon sac et cours à l'autre bout, en enjambant les rangées de sièges. Des joueurs s'attroupent sur la glace, des spectateurs s'agglutinent à la baie vitrée.

C'est le numéro 7! Merde, c'est le numéro 7!!

C'est Samuel. Il ne bouge pas. Qu'est-ce qu'il a?!

Il m'a dit je t'aime, ce n'est pas le moment!! Dans ma tête, je n'arrête pas de hurler: «Sarah!! Sarah!! Reviens! Sarah!! »

Un des arbitres crie:

– Appelez Urgences-Santé!

Le père de Samuel saute sur la patinoire, suivi de sa mère. Je me fraie un chemin parmi les gens entassés contre la bande. J'essaie de voir le visage de Samuel mais je n'y arrive pas. Tous les joueurs sont autour de lui. Le père leur demande de s'éloigner. Quelqu'un veut tourner Sam sur le dos, mais le père s'enflamme.

– Ne le touchez pas. Attendez les ambulanciers!

J'ai mal au cœur. Mes jambes deviennent toutes molles. Je revois l'accident de Sarah.

Il n'y a pas de sang sur la patinoire. Est-ce que c'est bon signe ou pas??!

Les ambulanciers arrivent en moins de trois minutes.

Les images se bousculent.

Des flashes.

Sans trop réfléchir, je quitte l'aréna, enfile les corridors et me rue hors du Colisée. Dehors, je me tiens tout près de l'ambulance jaune. Les gyrophares sont activés et il y a plein de gens autour. Avec eux, j'attends.

Les deux ambulanciers, les parents de Samuel et un des *coaches* arrivent bientôt au pas de course. Sur la civière, il y a Samuel. Il n'a plus son casque et ils ont découpé son chandail numéro 7. Son père lui parle. Il voudrait bien lui parler calmement, mais il a de la difficulté, surtout en courant.

– Reste ici, Sam. Reste avec moi. Regarde-moi. Parle-moi. On s'en va à l'hôpital. Reste avec moi. Il ne faut pas que tu dormes, mon grand. Reste ici!!

Puis Samuel lui marmonne quelque chose que je n'entends pas. Il parle. Samuel parle. Il n'est donc pas dans le coma!! Il ne bouge pas ses jambes, mais il est là.

Ils hissent la civière dans l'ambulance. L'ambulancière prend le volant, et l'ambulancier reste derrière, avec le père de Samuel. Il dit au *coach* et à la mère de Sam de se rendre à l'hôpital. Il n'y a pas de place pour eux dans l'ambulance.

Avant que l'ambulancier ne referme la porte arrière, j'aperçois la mousse. Elle entre dans l'ambulance. Personne, sauf moi, ne l'a vue.

Sarah-la-mousse est là, et Samuel parle. Je suis presque rassurée.

Il y a un attroupement. Les spectateurs qui étaient dans le Colisée se sont agglomérés avec des journalistes. Il y en a plusieurs accrochés à leurs iPhones. Tout le monde parle en même temps. Panique. Certains parlent d'un coup salaud, d'autres disent « accident ».

Personne ne s'occupe de moi.

La mère et le *coach* de Samuel montent dans la voiture de l'entraîneur. Ils tentent de suivre l'ambulance, mais elle va trop vite. Leur voiture s'arrête au bout du grand stationnement et fait marche arrière. Visiblement, ils ont oublié quelque chose. Peut-être les papiers de Samuel, quelque chose du genre.

Quand l'auto arrive à ma hauteur, la mère de Samuel baisse sa vitre.

– Monte!

– Moi?

– Monte, vite.

Je saute dans l'auto. Surprise, tu dis? Complètement.

Je sais que la situation ne prête pas à la joie : une mère au bout de son système nerveux, Samuel dans une condition plus qu'inquiétante, une ambiance funeste…

Mais c'est plus fort que moi : je suis contente. Heureuse de ce geste de la mère de Samuel.

Elle est venue me chercher. J'étais certaine qu'elle me détestait depuis hier. Tu vois, la vie, des fois…

* * *

Ça ne parle pas beaucoup dans l'auto. Marc, le *coach*, tente de calmer madame Arsenault.

– Je sais que c'est le dos. Il n'a pas bougé d'un poil depuis dix minutes… Mais attendons. Les médecins vont le voir dès qu'il arrivera à l'hôpital. Attendons avant de conclure.

Je vais tenter de t'expliquer comment je me sens à ce moment-là. C'est très bizarre.

D'abord, je ne sais pas qui, de Marc ou de madame Arsenault, a décidé de venir me chercher dans le stationnement du Colisée. Je suis convaincue qu'elle ne m'aime pas, qu'elle me voit comme une petite groupie. C'est pour ça que je ne parle pas. Ou presque. Ne pas parler, c'est tout un défi pour une Rouge bavarde comme Emma Lauzon.

Ensuite, je sais des choses qu'ils ignorent. Je n'ai pas besoin de te donner plus de détails, tu sais ce que je veux dire.

Tu peux imaginer pour quelle sorte de folle je passerais si je disais, par exemple : « Ne vous en faites pas trop, j'ai vu une mousse entrer dans l'ambulance. La mousse, c'est ma sœur, et elle va s'occuper de tout. » Tu imagines ce qui se passerait si je disais ça, tout bonnement !? C'est presque drôle.

Si ce n'était pas vrai, ce serait drôle, en effet.

Mais c'est vrai.

Nous arrivons à l'hôpital. J'ai su finalement que c'est Marc qui a décidé de venir me chercher. Comment j'ai su ? Juste en dessous de son miroir, sur le tableau de bord, il y a un petit cadre aimanté : une photo de lui et sa blonde. Sa blonde a un chat sur les genoux. Je ne te décris pas le chat, je sais que tu sais.

Dans la situation actuelle, je ne sers à rien. J'ai juste de la peine. Personne ne sait ce qui se passe.

Samuel est entré à l'urgence. Je ne l'ai pas vu, parce que nous sommes arrivés après, mais j'imagine que le personnel hospitalier s'est rué sur lui.

J'ai bien vu qu'il est une personne célèbre, malgré ses seize ans. Mais là, dans la cohue, je me rends compte que c'est beaucoup plus gros que je pensais. Crois-moi, c'est vrai : il y a au moins dix journalistes autour de nous à l'urgence. Je crois devenir folle. Ils sont fatigants, insistants. Les parents de Sam sont mal à l'aise avec cette troupe de vautours. Je vois bien qu'ils voudraient qu'ils s'en aillent.

C'est alors que la Rouge s'énerve. Je sais que je me mêle de ce qui ne me regarde pas, mais je ne peux pas me retenir.

– Allez-vous-en ! que je lance aux journalistes. Quand il y aura des nouvelles, vous le saurez. Maintenant, montrez un peu de savoir-vivre et allez-vous-en ! Du respect, merde, un minimum de respect, non ?

Madame Arsenault s'approche de moi. Elle me dit merci en pleurant. Ça me fait plaisir. Les journalistes foutent le camp. Je crois qu'ils n'ont pas eu le choix. Une Rouge en colère, ça ébranle même les plus braves.

Nous nous installons ensuite dans la salle d'attente.

Lentement, lentement, les secondes passent.

Et dans mon esprit, peu à peu, s'infiltre une idée terrifiante : c'est moi qui ai poussé Samuel à participer au match de cet après-midi. Sur le moment, je me sens terriblement responsable, comme au moment de l'accident de Sarah. C'est un sentiment horrible, ça fait très mal… Puis ma main, machinalement, touche la broche que m'a donnée ma sœur aujourd'hui. Et je comprends que tout est bien. Que rien n'arrive pour rien. Que Sam s'en sortira.

* * *

Vendredi 10 août, 18 h

Samuel est aux soins intensifs. La seule chose que nous savons, c'est que son cerveau cognitif n'est pas atteint. Il pense, il entend, il réfléchit. Il parle.

C'est son corps qui a des problèmes. Il ne peut pas bouger ses jambes. Mais ce n'est peut-être pas permanent. Les médecins, dont un neurologue, ont choisi de le laisser se reposer pour l'instant. Ils reprendront le travail demain matin. Le premier scan n'a rien révélé de précis, a dit le neurologue.

– Il y a inflammation grave à deux endroits sur la colonne et il est impossible d'évaluer clairement l'état de sa moelle épinière. Ici, à l'hôpital, nous ne sommes pas équipés pour pousser plus loin les tests. On n'exclut pas l'idée de l'envoyer au centre neurologique de l'Université McGill. Il faut attendre que l'inflammation diminue. Et on ne peut pas savoir combien de temps ça peut prendre.

Je suis retournée chez Lyne. C'est le père de Samuel qui m'y a conduite. Il m'a assuré qu'il me donnera des nouvelles dès qu'il en aura, et m'a remerciée d'envoyer des «ondes positives» à son fils. Nous avons échangé nos numéros de cellulaire.

Ce n'est pas à son fils que j'envoie des ondes positives, mais bien à Sarah… C'est la même chose, tu le sais.

Pour souper, Lyne a fait un spaghetti collé, que maman cuisine aussi. La recette est simple : tu prépares un spaghetti avec de la sauce tomate, sans viande. Ensuite, tu le fais sauter dans un poêlon avec un peu de beurre et du fromage parmesan. Il est comme grillé. J'aime beaucoup habituellement, mais ce soir, je n'ai presque pas mangé.

J'ai raconté à Lyne ce qui s'est passé au Colisée. Mais elle le savait déjà. Elle l'a entendu à la radio de Moncton. Samuel est réellement une superstar.

Tout de suite après avoir soupé, je me suis retirée dans ma chambre. Sur Facebook, plein de gens parlent de l'accident de Samuel. Plein de gens commentent. Ce qui me rassure, c'est que tout le monde s'entend pour dire que c'est un accident. Que ça n'a rien d'un coup salaud. Quelqu'un a filmé la scène sur son téléphone et l'a publiée sur YouTube. L'image n'est pas très claire, mais on voit que Samuel a voulu tourner rapidement vers la droite et qu'il a perdu pied pour s'écraser le dos contre la bande. Le joueur derrière lui l'a touché, mais sans intention malveillante. Quelques fanatiques blâment ce joueur, mais même moi qui ne connais rien au hockey, je vois bien que c'est un accident. Il y a plein de messages d'encouragement.

J'ai recherché tout ce que j'ai pu sur les blessures au dos. Rien de très rassurant. J'ai lu l'histoire d'un acteur (Christopher Reeve) qui s'est blessé en tombant de cheval. Un accident en apparence anodin, mais qui l'a rendu quadraplégique. Il est mort en 2004 d'une crise cardiaque ; il a passé les dix dernières années de sa vie en fauteuil roulant.

C'est surtout cette histoire qui a retenu mon attention, pour une raison simple et un peu stupide, je te l'admets : cet acteur était juste trop beau. C'est lui qui jouait Superman au cinéma. C'est quand même spécial, avoue. Le type joue Superman et devient quadraplégique à la suite d'un accident banal…

J'ai lu plein d'autres histoires. Puis j'ai téléphoné à maman. Elle aussi était déjà au courant de l'accident de Samuel. Au début, je croyais que c'était Lyne qui l'avait appelée, ce qui aurait été logique.

Elle avait une tout autre explication.

Nous n'avons pas un grand terrain derrière notre logement à Villeray, mais comme je te l'ai déjà dit, on fait pousser des tomates italiennes. Maman était dans son potager cet après-midi, et sans même qu'elle se penche, elle a eu une soudaine douleur au dos.

— Je sais que c'était lui, Emma, m'a-t-elle dit au téléphone.

— Je te crois.

— Le beau jeune homme avec qui nous avons mangé la nuit dernière, à Amsterdam. Comment il va ?

— Je ne sais pas, quand j'ai quitté l'hôpital il était encore aux soins intensifs.

— Sarah est avec lui. Elle est là.

Bon. Ça y est. Maman sait tout.

– Je sais pour la mousse dans l'ambulance.

– J'ai de la peine, maman…

– Tout ira bien, Emma. Repose-toi et reste calme.

– Tu sais que ce gars-là, il est venu me chercher…

– Tu dis?

– Il fait battre mon cœur.

– Il est quelle heure, maintenant?

– Bientôt 21 h.

– Couche-toi. Tu as une grosse journée demain.

– Je t'aime, maman.

– Je t'aime aussi, ma Rouge.

Je sais qu'elle a raison. Je devrais me reposer. Mais j'ai le cœur tout à l'envers.

Je descends à la cuisine. Lyne regarde la télévision avec Salomon. Monsieur Brienz est dans sa chambre avec son chat. Je leur dis bonne nuit et je retourne dans mon lit. Juste avant, je vais dans la chambre que Samuel occupait hier soir, et je prends l'oreiller.

Il sent Sam.

* * *

La nuit du vendredi 10 août

Tornade et tragédie à Morocco, Indiana

Je rêve.

Je ne sais pas où je suis. Il vente fort. Il pleut sans arrêt. J'ai trouvé refuge dans une espèce de remise souterraine, un caveau qui sent les pommes de terre, avec une grosse trappe en bois. J'entends le vacarme que le vent fait au-dessus de moi.

C'est épeurant.

C'est évident que c'est une tornade.

Il faut que j'attende. Il fait noir, mais je vois tout quand même, dans le caveau.

Sarah arrive, essoufflée, mais pas du tout mouillée (?).

– Tiens. Je suis allée chercher des vivres et un journal.

Elle me donne une *slotche* bleue et un sac de croustilles au ketchup. Dans le sac de croustilles, une photo : un ours noir à qui il manque une partie d'oreille.

– Il faut attendre que ça se calme.

Elle me donne le journal. Dans mes rêves, maintenant, c'est toujours le journal qui m'indique où je suis et quand. Ma sœur n'oublie jamais le journal. Cette fois, c'est le *Kentland Democrat*. Daté du 22 avril 1912.

Nous sommes dans un village qui s'appelle Morocco, terrées dans notre trou. Faut que je m'habitue. Après tout, je ne suis qu'un pétale ou un parfum. Je me fie sur ma Fleur, sur ma mousse de pissenlit.

– Je t'ai vue entrer dans l'ambulance, Sarah. Comment va-t-il ?

– Tout est correct. La vie est ainsi faite : la terre entière trace le destin d'un homme. Puis, il y a un revirement brusque. Tout le monde panique. Mais ce changement de cap est vital pour la suite des choses. La vie est plus grande qu'on croit.

– Tu parles bizarrement, Sarah.

Nous mangeons nos croustilles et buvons notre jus bleu.

– Tu sais que je suis amoureuse de Samuel…

– Est-ce que le pape est catholique ? Est-ce que le ciel est bleu ? Est-ce que le spaghetti collé de maman est bon ?

– Arrête de rire de moi.

– Mais oui, je sais que tu l'aimes. Et je te jure que tu ne l'aimes pas dans le vide. Car lui aussi t'aime.

Au bout de quelques minutes, il n'y a plus de bruit au-dessus de nos têtes. Juste de la pluie. La tornade est passée. Je jette un regard dehors, en soulevant la trappe.

Samuel est là, avec maman. Il n'a pas de bonnes nouvelles.

– Une famille a été décimée, nous raconte Samuel. Sept personnes sont mortes, dont quatre enfants. Juste là, regarde, en face. Il y avait une maison de ferme avant. Elle a été rasée. Je n'ai rien pu faire. Le village au complet a été dévasté, mais il n'y a pas d'autres victimes.

Maman et Samuel repartent vers les décombres de la maison. Un chien jappe. Une grosse charrette a été renversée, une roue grince. Il pleut moins fort. On voit la foudre qui frappe encore et on entend le tonnerre au loin sur la plaine. Sarah et moi, nous restons planquées dans le caveau humide.

– Est-ce que Samuel va demeurer handicapé?

– Je ne sais pas, mais il n'est pas malheureux.

– Peut-être qu'il ne comprend pas encore ce qui lui arrive…

– Laisse-lui quelques jours, on aura des réponses. Mais je t'assure qu'il n'est pas malheureux.

Nous n'avons pas bougé, mais l'environnement a changé. Je m'habitue, même si c'est spécial. Ce n'est pas moi qui bouge, c'est tout le reste autour.

Nous sommes dans un grenier. Je ne sais pas où. Ni quand. Ce n'est pas important. Nous sommes assises chacune sur une chaise berçante, le chat vache est sur les genoux de Sarah.

– Quand rentres-tu à la maison ? me demande-t-elle.

– Je comptais repartir de Moncton demain ou après-demain. Mais avec ce qui se passe, je ne sais plus.

– Quand tu y retourneras, je veux te faire rencontrer quelqu'un…

– Qui ?

– Mon Maître.

– Hans ? Le vigneron d'Alsace ?

– Non. Pas Hans. Lui, c'est mon Guide. Il a le même Maître que moi. Celui que j'aimerais que tu rencontres.

– Où ?

– Je te le dirai. Pas loin de chez nous.

– Est-ce que lui aussi est un ancien vivant ?

– Tu verras. Tu vas le reconnaître facilement.

On entend des pas et des voix. C'est maman et Samuel qui reviennent. Ils nous ont retrouvées dans le grenier.

Maman nous donne les dernières nouvelles de la famille décimée. J'aime tant ma mère. Elle est en grande forme, et rien ne lui fait peur. Je comprends pourquoi elle a une étoile sous le pied.

Maman demande à Sarah :

– Tu sais qui est cette famille ?

– Oui. Je les connais. Ne t'en fais pas, ils ont continué leur chemin.

– Tu as su qui sont les morts, maman ?

– Une toute jeune femme, Beulah, et ses deux enfants : Bernie, trois ans, et la petite Ethel, dix-huit mois. Ils étaient en visite chez les beaux-parents de Beulah, Charles et sa femme, qui ont aussi deux enfants, Geneviève, huit ans, et la petite Bernardine, deux ans et demi. Il y a aussi le garçon de ferme, l'employé de Charles, Martin Graves, vingt-deux ans.

– Et le mari de Beulah ?

– Il n'était pas avec elle. Parti dans une autre ville, Galesburg, en Indiana, pour tenter de décrocher un emploi de rêve. Il s'appelle Edgar.

– Il y a beaucoup de dégâts. On a retrouvé des pièces d'équipement agricole et des meubles jusqu'à un kilomètre plus loin, ajoute Samuel.

– Ils sont tous morts ?

– Non. Le plus vieux, le propriétaire, Charles, est encore vivant, mais il est dans un état épouvantable. Il est cassé de partout. Il n'en a pas pour longtemps, c'est sûr. Il a de la difficulté à respirer. Des voisins l'ont recueilli. C'est le père d'Edgar.

Samuel reste avec moi pendant que maman et Sarah vont faire une marche. Je pense qu'elles veulent nous laisser seuls.

Je regarde Samuel dans les yeux. Nous ne parlons plus.

Une musique de film se fait entendre.

Il y a une clarinette et une guitare aux cordes de nylon. C'est doux. Je pense que Samuel veut m'embrasser. Moi aussi, je veux. Il a une si belle bouche.

Nos têtes se rapprochent.

Je saisis sa main.

* * *

Le matin du samedi 11 août
La plupart du temps, quand je rencontre Sarah la nuit, c'est dans des circonstances bizarres, surprenantes, mais somme toute agréables. Mais cette tornade qui a décimé

une famille, ça n'a rien d'agréable. Sarah veut me dire quelque chose à travers cette tragédie. Mais quoi? Pourquoi je passe d'une cache creusée dans la terre, qui sent les patates et l'humidité, à un grenier au-dessus de tout, qui sent l'ancien temps et la cire?

Je regarde sur mon iPhone. J'ai sept messages. Tous des gens que je ne connais pas. Sûrement des journalistes qui m'ont retracée. Que veux-tu que je leur dise? Je ne sais rien.

Ça me donne envie d'appeler tout de suite le père de Samuel, pour avoir des nouvelles. Lui dort sûrement… Mais non, Rouge. Bien sûr qu'il ne dort pas.

Je l'appelle.

Il est bien réveillé, en effet. Il est encore à l'hôpital. Je m'excuse de le déranger et je lui explique que les gens de l'hôpital n'ont pas voulu me parler, par crainte que je sois une crieuse publique, une journaliste. Il me dit qu'il va donner mon nom aux responsables, pour les autoriser à me donner des nouvelles.

Puis il me donne des nouvelles de Sam. Ça ressemble aux nouvelles de Sarah, c'est-à-dire pas grand-chose. Il est conscient, il parle, mais ne peut pas bouger ses membres inférieurs. La bonne nouvelle : ses bras et ses mains ne sont pas touchés. Ce qui est très bon signe.

Il subira des examens toute la journée, aujourd'hui et demain. Il est de plus en plus question qu'ils l'envoient par hélicoptère dans un centre hospitalier. Un centre hospitalier de la rue Université, à Montréal, qui est rattaché à l'Université McGill. À la fine pointe, qu'on dit. Ils vont décider en après-midi.

Le père de Samuel m'explique ensuite que la mère de Samuel est très affectée.

– C'est normal. Mais elle revient à elle, tranquillement. Il me demande comment j'ai connu son fils.

Oups…

Je m'imagine mal lui dire la vérité! «C'est simple, ma sœur, qui est dans le coma, a voyagé dans un monde parallèle et a abouti dans l'inconscient de votre fils suicidaire. Elle m'a envoyée en mission pour le sortir de sa torpeur. Aussi simple que ça… Maintenant votre fils n'a plus envie de se tuer et il voyage dans les rêves.» Je crois qu'il appellerait la police ou l'hôpital psychiatrique. Je lui mens donc. Pas le choix. Je lui dis que je l'ai connu par les journaux et par ma «tante» Lyne.

Il est jasant ce matin, monsieur Arsenault. Je ne sais pas trop pourquoi, mais il se sent bien à l'aise de se vider le cœur. Il me dit que, selon lui, le hockey est sûrement terminé pour son Samuel à cause de la gravité de sa blessure. Je voudrais lui dire que son fils a frôlé la fin, mais pas de la façon qu'il imagine… Tu sais ce que je veux dire. Je pense que ce n'est pas le moment. Je pense que ce ne sera jamais le moment.

Je termine la conversation en lui expliquant que je compte retourner à Montréal très bientôt, mais que je garderai contact avec lui.

Après, je vais à la cuisine. Il n'y a que Salomon. Lyne est partie faire un peu de course à pied et monsieur Brienz est au travail.

– Veux-t-t-tu une r-r-r-rôtie?

– Oui, c'est gentil.

J'en mange finalement trois. Avec de la confiture de mirabelles, comme hier. En fouillant dans le frigo de Lyne, j'ai trouvé de la «tête fromagée», un genre de creton dont maman raffole. Sarah et moi, on a toujours aimé manger de cette tête. Même si le nom est un peu, comment dire, dégueu.

Salomon part à l'université, tandis que Lyne revient de sa course.

— J'ai eu des nouvelles de Samuel, que je lui annonce. Ça aurait pu être pire. Il est conscient, réveillé, il parle. Ses jambes ne répondent pas, mais il n'y a aucun problème avec ses bras et ses mains. Il va subir des examens, aujourd'hui et demain. Ils pourraient l'envoyer dans un centre neurologique à Montréal.

— Comment tu vas, toi?

— Je suis correcte. Je pense que je vais retourner chez moi demain, vu qu'ils pensent transférer Samuel à Montréal bientôt. Je vais voir l'horaire des autobus.

— C'est comme tu préfères. Mais tu peux rester ici tant que tu veux.

— Merci.

* * *

Dimanche 12 août
Lyne m'a amenée au terminus. Mon autobus part à 13 h. J'arriverai à Montréal pendant la nuit, à 1 h du matin.

J'ai appelé maman. Elle m'attendra là-bas.

Chapitre 12
Le voyage de retour

Avant de partir, j'ai voulu donner un peu d'argent à Lyne, mais elle a refusé. Je m'y attendais. Mon billet d'autobus est déjà payé. Il me reste cent quatre-vingts dollars sur les deux cents que maman m'a donnés. J'aurais peut-être dû lui acheter un petit souvenir. Un t-shirt, genre. Pas pensé. On va faire une halte à Québec, à la gare, je verrai s'il y a une boutique et, si oui, je prendrai quelque chose pour Sarah aussi. Une petite réplique du Château Frontenac, ou un petit Bonhomme Carnaval, peut-être.

Je n'ai pas envie de dormir, je ne suis pas fatiguée. Le voyage d'aller était de nuit, celui du retour est de jour. Je suis en compagnie de mon fidèle iPhone et de ma fidèle fenêtre d'autobus qui me montre le beau pays.

Je joue à Angry Birds. C'est con, je sais, mais ça passe le temps.

Je repense à tout ça.

À quel point ma vie a été chamboulée depuis le 23 juin dernier. Mon cerveau est tellement sollicité par les événements, il ne laisse plus de place à mes émotions. J'aime ma sœur, je ne comprends pas pourquoi je ne passe pas mes journées à pleurer.

Puis, je réfléchis, et je vois plus clair.

Sarah a ouvert une porte qui donne un sens à ma vie, à mon existence même. On se demande tous ce qu'on fait ici, sur la terre. À quoi on sert ? On arrive au hasard, dans un contexte qu'on n'a pas souhaité, qu'on n'a pas voulu, on file un certain temps sur un chemin qu'on découvre au fur et à mesure, et crac ! Le voyage s'arrête et c'est fini.

Certains le font dans l'opulence, d'autres dans la misère, d'autres dans la maladie, d'autres dans la gloire et la reconnaissance, d'autres dans le plus total anonymat. Sans trop comprendre ni pourquoi, ni où, ni comment.

On croit en ceci, ou en cela. On est religieux ou athée, fataliste, optimiste ou pessimiste. On se croit tous au centre de l'univers. Et tu sais quoi ? Peut-être qu'on l'est ! Peut-être que chacun de nous est au centre d'un univers sans limite. Ça en fait, des univers, ça, ma chère.

Je regarde l'étoile qui est apparue dans le fond de ma main. Comment veux-tu que je me sente ?

Je me sens ignorante et petite.

Qu'est-ce que c'est cette étoile ? Je connais par cœur sa description. *J'aime et j'aide. Je suis droit et travailleur. Je réussis, je suis efficace. Je suis différent, je suis sensible. Je sais, je comprends. Je suis loyal, je fais mon devoir. Je suis optimiste, je suis heureux. Je suis juste, je suis fort. Je suis bien, calme et facile à vivre.* Par cœur, je te dis. Mais ça me mène où ?

Il n'y a rien comme un long trajet en autobus, le front collé à la vitre, pour faire voyager l'esprit. Mes pensées filent à la vitesse de la lumière, même si mon regard semble calme.

Dimanche 12 août, 16 h 30
On arrive à la frontière du Québec. Je n'ai pas fermé l'œil et je ne suis même pas fatiguée.

Je pense à Samuel. Je pense à Sarah. À maman. J'ai encore reçu trois appels de journalistes. Ça m'en fait quand même une bonne douzaine au total. Je les ai tous effacés.

Ping! Je reçois un courriel. C'est maman.

Ma belle Emma,

Je t'attendrai comme promis au terminus. Mais avant que nous nous retrouvions, j'ai quelque chose à te dire. Hier, pendant la nuit, souviens-toi quand je suis partie avec Sarah pour vous laisser seuls, Samuel et toi…

Je voulais raconter une histoire à Sarah. Je l'ai fait hier. Je veux que tu saches aussi cette histoire. Tu as seize ans, ma grande, Sarah aura le même âge dans quelques jours. Il est temps que tu saches d'où vient ta sœur. Tu sais qu'elle est une Assiniboine de la Saskatchewan. Tu sais que sa mère biologique a fait un long voyage pour accoucher à Montréal, même si elle n'avait pas d'argent. C'est un autre Assiniboine, Stanley, qui a payé son voyage aller-retour. Ce que tu ne sais pas, ce que je n'ai pas voulu vous dire, ni à toi ni à ta sœur, c'est la suite de l'histoire. C'est une histoire très dure.

La mère de Sarah s'appelait Pearl. Quand elle est tombée enceinte, elle n'avait pas ton âge. C'est troublant, je t'avertis: elle a été violée par deux hommes. On n'a jamais su qui ils étaient. Elle a été abandonnée, toute nue, laissée pour morte dans un fossé aux abords d'un champ. C'est un guide de chasse qui l'a retrouvée et qui l'a amenée chez lui. Stanley, c'est lui.

Stanley était un vieil ermite. Je ne sais pas s'il est encore vivant. Il a discrètement enquêté au village et tenté de savoir qui était cette jeune femme. Il a appris beaucoup de choses, surtout que Pearl était en danger, comme des centaines d'autres jeunes Amérindiennes de l'Ouest. (Cherche un peu sur le Web, tu verras qu'il y a plus de mille jeunes femmes amérindiennes qui sont disparues sans laisser de traces. Pearl était destinée à devenir l'une d'elles.)

Stanley l'a fait monter dans un train, lui a expliqué ce qu'elle devait faire à Montréal. Même s'il était solitaire et n'avait jamais mis les pieds dans une école, Stanley savait lire et il lisait beaucoup. En anglais et en français. Les gens à qui il servait de guide lui ont toujours apporté des livres, toutes sortes de livres. Stanley préférait la lecture à la vodka. J'ai su qu'il enterrait tous les livres qu'il lisait. Après les avoir lus, il les déchirait page par page et les dispersait sous la terre, dans sa forêt, pour engraisser cette terre et retourner le papier à son lieu d'origine. C'est un étonnant érudit.

Je sais tout ça parce que, quelques mois après la naissance de Sarah, je suis allée avec Diane en Saskatchewan, sous le prétexte d'une recherche. J'avais déposé un faux projet au MAI (le ministère des Affaires indiennes) et j'ai passé trois semaines là-bas.

Pearl avait disparu.

Stanley l'avait recueillie comme prévu à son retour, à la gare de Saskatoon. Quelques semaines plus tard, elle avait voulu retourner à Montréal pour chercher Sarah, et elle a disparu sans laisser de traces.

Quant à Sarah, je t'avoue que j'ai triché. J'étais responsable des adoptions au ministère. C'est moi qui rencontrais les parents qui posaient leur candidature pour devenir les gardiens de ces enfants abandonnés. Mais je voulais la garder, cette petite. Alors j'ai faussé les dossiers et j'ai dit à mon patron que je n'avais trouvé personne qui convienne, et que je me portais volontaire pour en prendre soin. Il avait une totale confiance en moi, et il a accepté. À partir de ce moment, il n'était plus question que qui que ce soit ne me la prenne. Elle était déjà MA fille.

À ce jour, on ne sait toujours pas ce que Pearl est devenue.

Tu comprendras pourquoi cette petite fille, ma Sarah, est si précieuse... Je voulais que tu connaisses son histoire. Tu la connais maintenant.

Fais bon voyage.

Maman qui t'aime

Xx

Je suis soufflée.

* * *

Toujours le front étampé sur la fenêtre de l'autobus, perdue dans mes pensées et dans l'univers de maman et de Sarah. Un autre « ping ». Mon iPhone est très sollicité, ça a l'air. C'est Samuel.

Chère Emma,

De l'incident sur la patinoire, je n'ai rien retenu, ou si peu. Il y a la rondelle devant moi, je vais la chercher... Puis rien. Je n'ai mal nulle part, je suis juste étourdi. Mon père est là. Marc est là. On me transporte sur une civière. Je te vois du coin de l'œil. Je n'ai plus la notion du temps... Ça a duré cinq heures, ou cinq minutes, ou cinq secondes ? Je ne sais pas.

J'ai fini par reprendre mes sens. Je suis dans une chambre blanche. Mon père est toujours là, ma mère aussi. Une infirmière. Un médecin dit que tout est mis en branle. Je ne peux pas sentir mes jambes, mais j'ai le plein contrôle de mes mains, de mes bras et de mes épaules. Pour mes jambes, je ne sais pas.

Le même médecin m'a dit qu'il était beaucoup trop tôt pour conclure quoi que ce soit. Le choc a été dur, dit-il, mais rien ne permet d'établir un diagnostic définitif, pour l'instant.

Je pense que je suis fou.

Il y a trois jours, j'étais en pleine forme physiquement, mais j'étais au bord du gouffre psychologiquement. Aujourd'hui, mes jambes ne bougent plus. Qui sait, peut-être que toute ma vie est compromise... Mais je suis bien dans ma tête.

Il y a trois jours, ma mère, que j'adore, était aux oiseaux devant son célèbre fils. Elle me regardait comme si j'étais le sauveur de l'humanité. Aujourd'hui, dans son regard, je ne vois que de la souffrance, de la douleur, du gris foncé.

Il y a trois jours, je ne pensais à personne, sauf à moi-même et à ma satanée maladie de l'âme. Aujourd'hui, une fille aux cheveux roux se promène dans ma tête et fait glisser sa main dans mon dos. Tu la connais bien.

Il y a trois jours, je pensais que la vie était une ligne plus ou moins droite, comme sur un graphique, qui plongeait vers le bas. Aujourd'hui, je sais que la vie a des dimensions mille fois plus complexes et vastes. Mille fois plus captivantes, envoûtantes, importantes.

Il y a trois jours, j'avais juste hâte d'arriver au terminus de ma vie. Aujourd'hui, je sais qu'il faut que je revoie Ion Ludovic et sa famille de Roms qui chantent et dansent autour du feu, il faut que je revoie Annelies Marie, la petite fille de l'auberge à Amsterdam, il faut que je retourne à Morocco, où la tornade est passée en laissant tout ce dégât derrière elle. Il faut surtout que je revoie ta sœur Sarah. Et Marie-Andrée, ta mère.

J'ai regardé ma bague. Je l'ai retirée un peu pour voir. Mon étoile est toujours là. Ce n'était pas un rêve.

Maman ne pleure pas, au pied de mon lit. Mais je vois bien qu'elle est atterrée. Mon père l'est aussi, mais son attitude est bien différente. Je crois qu'il est fâché. Non, fâché n'est pas le bon mot... Il est en mode « bagarre ».

Le médecin nous a parlé. Je partirai pour Montréal après-demain, en hélicoptère.

Je sais que ça n'a aucun sens, mais quand il nous a dit ça, à mes parents et à moi, mon réflexe intérieur a été de me dire : « Yeah ! Un tour d'hélicoptère ! »

Le médecin ne peut rien confirmer, quant à mon état.

— C'est très bon signe que le haut de ton corps soit à 100 %. Ça nous laisse à penser que le bas de ton corps, tes jambes, pourraient aussi revenir. Mais ici, à l'hôpital de Moncton, nous ne sommes pas équipés pour pousser plus loin les investigations.

Ma mère a posé la question qui lui brûlait les lèvres :

— Va-t-il pouvoir rejouer au hockey ?

— Madame, on ne peut même pas dire s'il pourra un jour retrouver l'usage de ses jambes. Le hockey est très loin dans la liste des priorités. Prenons les choses un jour à la fois. Pour l'instant, les nouvelles sont positives. Restons calmes.

Papa ne l'a pas dit, mais j'ai vu dans son regard qu'il avait trouvé la question de maman inappropriée.

Si je vais un jour retrouver l'usage de mes jambes ? Il n'y a même pas à se poser la question. C'est certain. Je le sais.

En attendant, j'ai juste hâte de monter dans l'hélicoptère. Je l'ai vu. Il est jaune, à la façon des véhicules d'Urgences-Santé. C'est ridicule, je sais. Mais je sais aussi qu'au bout du voyage, il y aura une jolie rousse. Et peut-être une main qui glissera le long de mon dos...

J'ai le goût de te parler. De rien. Juste le goût d'entendre ta voix ricaneuse.

Il est 22 h 30. L'autobus s'est arrêté pour une halte d'une quinzaine de minutes à Québec. Je suis descendue. J'ai faim. Je n'ai pas soupé. Je me suis acheté un sandwich aux œufs et un jus de légumes. J'ai eu envie de m'acheter des croustilles au ketchup. Je me suis retenue. Puis je suis revenue sur mes pas et j'ai cédé. L'appel des croustilles au ketchup était trop fort.

Tiens, je n'y pensais même plus! Il y a une carte de la série «Les animaux du Canada» qui représente deux chevaux appaloosas. Ça, c'est un coup de ma sœur, c'est sûr. Pour deux raisons.

D'abord, les appaloosas sauvages vivent principalement au Nouveau-Mexique. Ils ne vont pas tout à fait dans la catégorie «animaux du Canada»! Surtout, ce sont les deux chevaux que nous avons montés il y a quelque temps, une nuit en Arctique.

Ensuite, la collection des animaux contient quarante-huit cartes. C'est bien écrit sur le sac. Pourtant, celle-ci porte le numéro 49.

Salut, Sarah. Tu me fais rire.

J'ai aussi acheté un stylo à l'effigie des Nordiques. Maman va être folle de joie.

J'ai mangé toutes les croustilles en un temps record. Ça fait du bien. J'ai tellement le goût de parler à Sam…

Le chauffeur d'autobus (son nom est Jean-Louis, c'est écrit sur son uniforme) compte les passagers, pour être bien certain que tout le monde est à bord. Quand il arrive à ma hauteur, il me demande si tout va bien.

– Tout est parfait.

– Vous faites bien ce que vous voulez, mais, si j'étais vous, je l'appellerais.

– De qui vous parlez, monsieur?

– Vous savez de qui je parle, mademoiselle…

Puis il me fait un clin d'œil.

J'appelle Samuel.

– Emma?! Où es-tu?

– À Québec, je serai chez moi dans quelques heures. Comment vas-tu?

– Mieux. Tu as eu mon courriel?

– Oui! C'est super, ce tour en hélicoptère pour venir jusqu'à Montréal!

– Je ne sais pas à quelle heure je serai là, mais je sais que j'y vais. Dans un centre spécialisé en neurologie.

– Comment est ton humeur?

– Super. Je ne sais pas comment ça se fait, mais je n'ai pas peur. Mais tellement pas.

– Tes parents sont avec toi?

– Ils sont partis prendre une bouchée. Je suis seul, mais le médecin doit revenir me voir bientôt. Il a l'air très positif. Moi aussi. Mais j'ai la tête ailleurs.

– Où ça?

– À Morocco, en Indiana.

– Quoi?

– La nuit dernière, Emma.

Je m'en souviens très bien. Samuel et moi, on est venus à un quart de seconde de s'embrasser.

– Je suis dans un lit d'hôpital à Moncton et toi dans un autobus à Québec. Ferme les yeux, je ferme les miens.

– J'ai les yeux fermés.

– Je m'approche de toi et je te serre dans mes bras. Ça me fait tellement de bien.

– Embrasse-moi.

Il y a un incroyable silence. J'aurais aimé que ce silence dure pour le reste du temps. Mon cœur bat.

Au bout de ces inoubliables secondes, Samuel termine la conversation.

– Une infirmière vient d'entrer, je ne peux plus te parler.

– Appelle-moi quand tu auras plus de détails sur ton départ et surtout sur ton arrivée à Montréal.

– Bye.

L'autobus est reparti. Je ne m'endors pas, mais je sens que je vais bientôt plonger dans le sommeil… Je veux juste continuer à étirer le moment.

J'ai recommencé à fureter sur mon iPhone. J'ai googlé Morocco, Indiana. J'ai suivi le fil. J'ai pu reconstruire la dernière nuit.

Je vais de surprise en étonnement.

Tu sais, la nuit dernière quand nous étions terrés dans un caveau, pendant une tornade dans le Midwest? Eh bien, cette tornade a eu lieu pour vrai. Et tout ce que je t'ai raconté de mon rêve est réel! Moi qui pensais que ce n'était qu'un rêve…

C'était le 21 avril 1912, fouille sur le Web, tu verras. Le jeune père de famille, Edgar, qui s'était absenté pour tenter de décrocher un emploi… eh bien, c'est vrai! Il a été plus tard connu sous le nom de Sam Rice. La suite de son histoire est renversante. Il a fait une dépression en constatant ce qui s'était passé en son absence, avec sa famille et ses parents, tous emportés dans la mort. Puis, dans les années qui ont suivi, il a eu un destin sidérant, une vie mémorable : il est devenu un célèbre joueur de baseball. Il est même immortalisé au Temple de la renommée du Baseball, dans l'État de New York. Lui… un simple fils de fermier, sans éducation !

* * *

La nuit du dimanche 12 août

Métamorphoses

Je rêve.

Je suis au coin d'une rue, dans un quartier résidentiel que je ne reconnais pas, et j'attends. J'ai le cœur gros. Je suis anxieuse. Je sais que j'attends un autobus scolaire. J'attends une petite fille, je sais qui est cette fillette, mais je ne sais pas à quoi elle ressemble. Elle aura une fiche à son petit chandail, avec son nom.

L'autobus jaune arrive. Il s'arrête juste devant moi et la portière s'ouvre. La petite fille en descend. Étrange, c'est la seule enfant dans l'autobus. C'est Annelies Marie, je la reconnais, la même petite fille que j'ai vue à Amsterdam il y a quelques nuits. Elle me fait un beau sourire.

Le chauffeur me dit que la petite a été très sage et qu'elle n'a pas pleuré du tout. « Un ange ! » dit-il.

C'était son premier jour d'école.

Je regarde la fiche agrafée sur son chandail, et c'est bien écrit : « Sarah. » Ce n'est plus Annelies Marie. La fillette s'est métamorphosée en Sarah.

Nous marchons je ne sais trop vers où, ce n'est pas clair. C'est Sarah qui mène la marche, je la suis. Je remarque que plus on marche côte à côte, plus elle grandit et vieillit. Ce n'est plus une enfant, elle est devenue Sarah, l'actuelle Sarah. Même qu'elle est plus grande que moi, alors que dans la « vraie vie », je suis plus grande qu'elle. Je le lui dis.

– Hey, Poca, je suis plus grande que toi, tu sauras.

– Plus maintenant, Brindace.

– Tant pis, je boude.

Nous rions.

– Où on s'en va ?

– Je veux juste te montrer un palais que tu n'as jamais vu, un endroit plein de lumière.

– Au bord de la mer, au nord du Nord ?

– Oh. Madame rit de moi ?

– Ça fait du bien.

Je sais où on est. Même si je n'y suis jamais allée, je le sais.

Nous sommes en Corse. Je le sais parce que partout sur le chemin, il y a des cochons sauvages noir et blanc sale sur le bord d'une route étroite, et il y a aussi plein de châtaigniers en fleur. Les cochons bouffent de l'herbe et ne s'occupent pas de nous. Plusieurs sont couchés et digèrent à l'ombre des châtaigniers. Nous voyons une maman truie avec ses huit petits, tous noir et blanc sale. Zéro agressifs.

Encore des animaux noir et blanc. Je crois que je verrai bientôt des zèbres. Ou des pingouins. Ou des dalmatiens.

Je m'arrête de marcher et je fais à ma sœur un formidable câlin.

Je me souviens, il n'y a pas si longtemps, j'hésitais à toucher Sarah, parce que j'avais peur qu'elle n'éclate comme une bulle de savon. Je ne me gêne plus.

J'aime mon Assiniboine.

Nous continuons à marcher. De l'autre côté de la route étroite, je reconnais un marcheur qui vient en sens inverse, avec sa grosse casquette. Je ne veux pas qu'il me voie. Je me cache derrière Sarah.

— Oh non, pas lui…

— C'est qui?

— Erwin Rommel, avec ses deux gardes sans bouche et leurs grosses casquettes risibles.

— Le Renard du désert?

— Ouaip. Et il est bête comme c'est pas possible. Fie-toi sur moi, je le connais. Il m'a déjà crié après.

Il ne m'a pas vue. Ouf.

Je reconnais soudainement l'endroit devant lequel nous sommes : c'est la bibliothèque de mon quartier. Un autre changement de paysage soudain.

— C'est ça, ton palais?

— *Yes*. C'est là que tu rencontreras mon Maître.

— À notre biblio?

Sarah s'est encore métamorphosée. Elle est redevenue le chat vache au collier. Des fois, ma sœur est difficile à suivre.

Le chat vache prend la clé des champs, il se sauve.

Comme toujours.

Damné chat vache.

* * *

Je me réveille.

Il est presque minuit, l'autobus traverse Trois-Rivières. J'arriverai bientôt.

Je suis bien consciente que je ne rêve plus comme avant. Avant, je savais que, quoi qu'il se passe la nuit derrière mes yeux fermés et entre mes oreilles endormies, c'était de la fantaisie. Ce ne l'est plus, bien au contraire. Ma «vraie vie» est là. Mon destin est là. Et je sais que ça ne fait que commencer.

Je vis maintenant dans un monde sans limites, sans frontières, sans temps.

Je vais voir maman dans à peine plus d'une heure. J'ai hâte.

Samuel m'a envoyé un texto.

C'était le silence le plus extraordinaire de ma vie.

Crois-moi, la Rouge est atteinte en plein cœur.

* * *

Il est 1 h. Nous sommes arrivés. Maman m'attend, je l'ai vue tout de suite en descendant de l'autobus. Le chauffeur s'affaire à sortir les quelques valises de la soute, sous le car. Il me salue.

— Tu l'as appelé?

— Oui.

— Parfait, bonne idée.

— Merci pour le voyage, monsieur.

— De rien.

Depuis que je suis montée dans l'autobus à Moncton, son visage m'était familier. Je viens de le reconnaître. C'est Ion Ludovic Roman, le chef des Roms.

Après les baisers et câlins d'usage, maman me demande les dernières nouvelles de Samuel.

— Il va arriver à Montréal après-demain, en hélicoptère.

— Je sais.

– Tu sais ?

– Je sais. Qu'est-ce que tu veux que je te dise ? Sarah est bavarde.

– Samuel est certain qu'il sera sur pied bientôt.

– Je sais qu'il a raison.

– Comment peux-tu savoir ?

– Sarah est bavarde, je te dis…

Même si nous sommes au milieu de la nuit, je demande à maman de me conduire au centre, je veux voir Sarah. Je veux la toucher.

Pour te dire à quel point les choses ont changé : je lui aurais demandé ça il y a à peine quelques semaines, elle aurait tout fait pour me faire changer d'idée. Ce soir, elle ne me pose aucune question et ne s'objecte pas du tout. Elle m'amène au centre. Je n'apporte que mon sac à dos, avec mon pyjama et l'oreiller sur lequel Samuel a dormi. Bon, OK, je l'ai rapporté de chez Lyne, mais je le lui ai dit, alors ce n'est pas voler…

Je ne sais pas ce que j'ai avec les oreillers…

Je laisse la valise carrée à maman, avec mon linge dedans.

Le nouveau gardien de sécurité du centre me demande des pièces d'identité. Je lui explique qui je suis et j'entre sans problème. Pascalina est contente de me revoir. Je lui raconte mon court séjour au Nouveau-Brunswick. Elle me parle de ma sœur.

– Elle respire bien, son pouls est régulier. Sa tension aussi, elle a juste perdu un peu de couleurs, mais c'est normal. Ses signes vitaux sont très corrects. Il faut qu'elle fasse ses exercices au moins deux fois par jour. Pour ses muscles, ses articulations.

– J'ai hâte de la voir.

Nous allons dans sa chambre. C'est vrai qu'elle est un peu plus pâle que d'habitude.

– Je lui fais des massages moi-même, Emma. J'ai suivi un cours en massothérapie.

– Il me semble que ses cheveux repoussent?

– Oui. C'est exact.

Je lui masse les pieds et les mains. Je lui fais faire un peu d'exercice. Plie les genoux, Sarah. Plie les bras, Sarah. Délie les poignets, Sarah. Tourne tes chevilles dans tous les sens.

Quelqu'un lui a fait une manucure.

Je me couche dans mon petit lit, juste à côté; il n'a pas bougé, toujours là. Les gens du centre sont mes *best*.

Il est 2 h. Je suis fatiguée. La tête sur l'oreiller magique, je m'assoupis.

* * *

Je rêve.

Le lobe frontotemporal gauche

Je ne sais jamais quand le rêve commence. Chaque fois, on dirait que j'y suis déjà. Je ne sais pas d'où je viens ni pourquoi j'y suis. J'y suis, et je fais avec. Les pourquoi et les comment s'imposent d'eux-mêmes, au fur et à mesure. Souvent, pour ne pas dire toujours, sans réponse.

Après avoir marché très longtemps, même couru, Sarah et moi arrivons dans un gigantesque sous-sol aux plafonds très hauts, quelque chose comme des plafonds de dix étages. C'est un vaste complexe de studios de tournage. On y tourne des dizaines de films, séries, commerciaux, émissions.

Nous avons rendez-vous dans un de ces studios, mais je ne me souviens pas si c'est le numéro 35 ou le numéro 38. C'est pour une série Web qui porte sur le quotidien d'une série Web documentaire (!). Bizarre, non? Une série Web qui porte sur une série Web.

Je ne sais pas pourquoi on a fait appel à nous. Je ne suis pas une actrice, Sarah non plus. Je ne sais pas qui nous a contactées. Mais je sais que nous y sommes attendues et que nous sommes nerveuses. Moi plus qu'elle.

– Qu'est-ce qu'on fait ici, Sarah?

– On est des actrices.

– Des actrices?

– On joue deux jeunes journalistes.

– Est-ce qu'on a des répliques à dire?

– Tu les sais par cœur, ne t'en fais pas.

– Mais non, tu te trompes. Je ne sais rien. Je vais avoir l'air fou.

– Je te dis que tu les sais par cœur. Fais-moi confiance.

Au-dessus de nos têtes, dans le centre du vaste complexe, passé l'entrée, il y a plein d'indications avec des flèches, des chiffres et des titres de projets. On cherche les numéros 35 et 38. Je trouve le 35. «Les animaux du Canada». Ce n'est pas ça. Puis je vois le 38. «Le lobe frontotemporal gauche». Le visage de Sarah s'éclaire.

– C'est notre studio! s'exclame-t-elle.

– Mais, le «lobe frontotemporal gauche», c'est quoi?

– C'est une partie du cerveau qui renferme la mémoire et toutes les fonctions cognitives.

– Excuse-moi, Pocahontas, mais c'est quoi une fonction cognitive?

– C'est la place dans le cerveau où tu accumules ce que tu sais, ce que tu retiens et ce que tu comprends. Tes déductions, tes idées.

– Et ils font une série Web là-dessus?

– Ça a l'air.

– J'aime mieux *Quart de vie*.

Nous n'allons pas tout de suite à notre lieu de rendez-vous. Sarah veut d'abord que nous nous asseyions à une petite table, dans ce qui ressemble à une aire d'attente.

– Le cerveau est bizarre, me dit-elle. Il arrive qu'à la suite d'un choc, d'un accident, une personne développe soudainement un talent exceptionnel. Cet accident affecte toujours la même région du cerveau. Je pourrais te donner beaucoup d'exemples. Kim Peek, tiens. Il est né autiste, avec une anomalie à son lobe frontotemporal gauche. Il a lu douze mille livres. Eh bien, il les connaît tous par cœur. Il y a Leslie Lemke, adopté comme nous. Sa mère avait déjà cinq enfants. Il ne pouvait pas se tenir debout jusqu'à l'âge de douze ans. Ne savait même pas avaler. Un jour, quand il avait seize ans, il a entendu à la télévision un concerto pour piano de Tchaïkovski. Il a été capable de le jouer parfaitement dans les minutes qui ont suivi, et il n'avait jamais touché à un piano de toute sa vie. Il a donné plein de concerts partout dans le monde. Et tu vas beaucoup aimer Gottfried Mind. Il est né au XVIIIe siècle et était très faible. Il dessinait très bien, mais avait un caractère étrange. Ses parents l'ont envoyé à un professeur de dessin. Son professeur a dessiné un chat. Gottfried s'est fâché et a crié: «Ce n'est pas un chat!!» Il a pris crayons et pinceaux et a dessiné un chat si réaliste que c'en était hallucinant. À partir de ce moment, tous les chats autour ont été aimantés par lui. Ils s'assoyaient, se couchaient sur lui, lui tournaient autour, constamment, les vieux chats comme les chatons, et chaque fois qu'un être humain s'approchait de lui, les chats le chassaient. Il y a plein d'exemples comme ça. Tu regarderas sur le Web.

— Ah, pas encore le Web! Tu es pire qu'un professeur de maths, avec tous les devoirs que tu me donnes à faire!

— Aimerais-tu mieux faire des cornets de crème glacée?

Nous nous sourions, puis nous reprenons notre marche dans le complexe aux mille corridors vastes. Nous voyons tant de choses. Une bagarre entre un gros gaillard et un homme beaucoup plus petit, les deux portent le même uniforme. Le plus petit bat le plus gros, qui, en plus, est armé d'une dague, il y a cohue autour d'eux. Une fille nous suit, s'accroche à Sarah et n'arrête pas de lui dire qu'elle est sa cousine. Je ne la connais pas. Il y a aussi une vieille dame, en apparence très riche, pleine de bijoux avec les cheveux teints en quatre couleurs, qui sent le patchouli. Elle a un visage plutôt osseux et presque pas de seins. Des ascenseurs partout, mais aucun en état de fonctionner. On se risque à en prendre quand même un. Nous devons rester en équilibre sur une corde en nous accrochant à de vieilles lanières de cuir. Nous aboutissons sur un terrain de cailloux et de terre.

En sortant de l'ascenseur, on n'a aucune idée de l'endroit où nous sommes. On demande notre chemin à quelques travailleurs casqués.

— Vous êtes à Téléville, qu'ils disent.

Téléville? C'est quoi, Téléville? C'est où?

Nous arrivons finalement au studio 38. Un gardien nous attend à la porte. Il a les cheveux roux légèrement frisés. Il me semble le connaître, son visage m'est familier. Il est dans la jeune vingtaine.

— Entrez vite, la réunion est commencée.

C'est gênant d'entrer dans une réunion qui est déjà commencée, tout le monde nous regarde. Ils sont une trentaine, autant de filles que de garçons. Ils prennent une photo de groupe. Ils sont tous très légèrement habillés en blanc.

Un homme d'une trentaine d'années, qui semble être le patron, est assis au bout d'une immense table. Il nous a vues entrer, il jette un coup d'œil sur ses notes et pose une question à Sarah, en anglais :

— *What is your ticket to ride? Answer, please : what is your ticket to ride?*

Je ne sais pas pourquoi, mais ça frustre Sarah. Elle lui répond bête.

— Ça, monsieur, ça ne vous regarde pas !

Elle me fait un signe.

— Viens-t'en, Emma, on s'en va. On ne reste pas ici.

Je ne comprends rien.

Nous quittons le studio.

— Qu'est-ce qui se passe, Sarah ?

— Ce gars-là n'est pas une bonne personne.

— Comment tu le sais ?

— Son regard. Ses yeux. La texture de sa voix.

— Ce que maman a raconté sur Pearl, ta mère à toi, ça te fait quoi ?

— J'ai eu une mère courageuse à un si jeune âge. Je m'arrangerai bien un jour pour lui dire merci.

— Pourquoi je n'en doute pas ?

Je me suis réveillée. Il est 3 h 35. Je sais que je me rendor-
mirai dans quelques minutes. Je suis tellement fatiguée.
Mais je suis troublée, surtout, de plus en plus. Je regarde
ma sœur, toujours immobile dans son lit, juste à côté…

Ma belle Sarah. Mon autochtone. Ma Pocahontas.

Je m'étends près d'elle, en faisant bien attention de ne
pas toucher à ses tubes et à ses fils. Elle en a une dizaine sur
elle. Elle ne bouge pas, bien sûr. Mais je sens que si je me
colle tout près d'elle, je pourrai comprendre un peu plus ce
qui se passe avec moi.

C'est très difficile pour moi, pratiquement impossible,
de te faire comprendre, de te décrire ce que je vis dans
l'autre monde, dans le monde de l'inconscient. Comme
Sarah me l'a déjà dit, je ne peux pas comprendre, personne
ne peut comprendre. Essaie juste de multiplier cinquante
milliards par cinquante milliards. Même le plus grand ma-
thématicien au monde ne peut pas concevoir ça. Il aura la
réponse mathématique, c'est sûr, mais il ne pourra pas
concevoir cette réponse. Il ne pourra pas la visualiser dans
sa tête. Trop gros. Trop vaste. Trop abstrait. Juste pour que
tu saches, ça donne 25 000 000 000 000 000 000. C'est
une approximation humaine du nombre de planètes habi-
tables dans l'univers. Et quand on sait que cet univers est
continuellement en expansion… Je ne voudrais pas être
responsable du recensement!

Si le plus futé des hommes de chiffres ne peut saisir l'am-
pleur de cette opération, alors, imagine une petite rouquine
qui fera son secondaire cinq l'an prochain. Et pas très forte
en maths.

Ça paraît que les préposés (en particulier Pascalina) ont continué à mettre mon parfum à Sarah. Elle sent moi. J'ai mis mon nez dans son cou, quelques secondes.

Je sens le sommeil me gagner lentement, je retourne dans mon petit lit. Dehors, juché sur le rebord de la fenêtre de sa chambre, le chat vache.

Le même.

* * *

Un endroit parfait
Je rêve.

Je suis dans un autre studio de cinéma. Mais celui-ci très différent. Celui d'avant était un labyrinthe de méga-studios, tous séparés, qui fabriquent et produisent chacun leur film, leur émission, leur documentaire, alors que ce nouveau studio est encore plus gros que l'ensemble des autres.

On dirait une ville. Des centaines et des centaines de techniciens et de techniciennes y travaillent. Maquilleuses, photographes, ouvriers, peintres, architectes, scientifiques chercheurs, sonorisateurs, spécialistes des décors. Des milliers.

Il y a tellement de gens partout, tous occupés, que Sarah et moi, on se promène parfaitement incognito. Tous sont à leur affaire et personne ne semble nous voir, ni ne porte attention à nous. Quand on s'adresse à l'un ou à l'autre, ils nous répondent toujours avec sourire et affabilité. Tous aimables, tous gentils.

Partout, l'air sent la fleur d'oranger.

Mais il y a un problème. Je sens quelque chose d'anormal. Un malaise, un inconfort. Je le perçois dans leurs regards. Qui ne manquent ni de douceur, ni de gentillesse, mais… Je ne sais pas comment l'exprimer, c'est comme s'ils étaient tous dans la lune. Ils ne sont pas « focus », tu vois ce que je veux dire ? Ils sont là : ils me regardent, me parlent, mais en même temps, ils ne sont pas *là*. Comme des faux vivants. Ils n'ont rien à voir avec les zombies qu'on voit dans les films d'horreur, au contraire. Ils ne font pas peur du tout.

Sarah m'explique où on est. Ce n'est pas un studio, ce n'est pas un film que ces gens-là préparent, c'est un milieu de vie, comme une planète particulière. Un milieu de vie tout neuf. On y accueille les nouveaux habitants et les nouvelles familles qui vont poursuivre ici l'aventure de la vie. Très peu de ces gens sont nés ici, la grande majorité vient d'ailleurs.

Tous ces gens que je croyais être des travailleurs et des travailleuses du cinéma sont en fait une gigantesque mémoire. Leur mandat, c'est de capter et de classer en dossiers virtuels chaque parcelle du quotidien de la vie de chacune des personnes qui vivent dans ce lieu.

– Veux-tu faire une visite de la place ? suggère Sarah. J'ai un contact.

Elle interpelle un monsieur d'origine asiatique, aux cheveux blonds et bouclés, qui conduit un tout petit véhicule silencieux, genre voiturette électrique. Juste une note sur cet Asiatique blond frisé : il n'est pas blond bouclé parce qu'il est passé chez le coiffeur, il l'est naturellement. Sur son véhicule, il est écrit qu'il fonctionne à l'énergie cérébrale.

– Seriez-vous assez gentil pour nous conduire au Centre des Véhicules Volants ?

– Certainement, montez.

Le véhicule vole à un mètre du sol. Je suis encore à La Ronde de mon enfance.

Nous arrivons à un centre de décollage, là où il y a des centaines d'hélicoptères qui ne font aucun bruit, même en marche. Un de ces hélicoptères est pour nous. Le pilote, avec son casque et ses lunettes, a ouvert la portière.

Que Sarah soit louée : c'est Samuel !!

Il a un sourire tout doux, il sait qu'il nous a surprises. Il a deux sacs de croustilles (tu connais leur saveur…) et du jus de légumes. Nous montons à bord.

Il nous fait faire un tour. Cet endroit, c'est comme un pays de rêve, ceux qu'on décrit dans les livres pour enfants. Il y a la campagne avec ses champs et ses belles fermes, avec des agriculteurs qui travaillent sous le ciel bleu. Il y a des villages avec des petits magasins et de la crème glacée, des vieux et des vieilles assis sur leur galerie, qui regardent passer les autres et discutent entre eux. Il y a la ville, toute propre avec plein de personnes en belles robes et en beaux habits.

– Ce n'est pas réel, tout ça, c'est trop parfait.

Samuel sourit. Sarah intervient avec une petite étincelle dans l'œil.

– C'est pourtant vrai, Emma.

– C'est mon imagination. C'est sûr.

– Et ton imagination, Fifi Brindace, elle n'est pas réelle ?

– Tu sais ce que je veux dire, Poca… Mon imagination crée des choses qui ne sont vraies que dans ma tête.

– C'est ce que tu penses. Tu as beaucoup à apprendre. Tu sous-estimes ton imagination.

– Je sais que je t'aime, Sarah. Et ça, ce n'est pas mon imagination.

– Je t'aime aussi, Emma. Plus que quiconque.

Samuel, concentré sur son pilotage, rajoute sa petite épice :

– Et moi ?

– Tu le sais que je t'aime, la star… J'ai juste hâte que tu m'embrasses.

Je ne me crois pas moi-même. Est-ce que je lui ai réellement dit ça ?

Nous continuons notre tour du paysage et rien ne se dément. C'est un pays comme dans un livre de contes. Paix, bonheur, soleil, vent chaud, céréales et petits moutons bruns frisés.

Je me rends compte que je n'ai même pas ouvert les deux sacs de croustilles que Samuel nous a apportés. Je m'exécute sans tarder. J'y trouve des cartes pour continuer ma collection. Une mouffette et un huard. Noir et blanc.

Tout concorde.

* * *

Le matin du mardi 14 août
Je me suis réveillée à 7 h 45.

C'est l'anniversaire de Sarah aujourd'hui. Elle me rejoint dans la course contre le temps. Elle a seize ans, comme moi.

Du centre, où j'ai dormi les deux dernières nuits, j'ai appelé maman. Je ne suis même pas retournée à la maison hier. J'ai passé la journée au chevet de ma sœur, à lui raconter mon voyage, à lui raconter Samuel, à lui raconter à voix haute tout ce que j'ai vécu dans les derniers jours.

Je pense que sans m'en rendre compte, je me suis beaucoup ennuyée de Sarah… De la Sarah de la «vraie vie», on s'entend.

Maman était déjà debout.

– Tu viens déjeuner à la maison, Emma ?

– C'est sûr.

– Je vais faire des crêpes au jambon.

– *Yes!*

– C'est la fête de Sarah, tu y as pensé ?

– Ça a été ma première pensée en me réveillant.

Les crêpes au jambon de maman sont géniales. Avec du sirop d'érable, encore plus.

Pascalina s'apprêtait à quitter le centre en même temps que moi, car elle travaille de nuit cette semaine. Elle a une vieille Toyota que sa riche grand-mère lui a donnée. Elle m'a offert de me ramener chez nous.

Quand je suis entrée dans la maison, mon nez a sauté au plafond tellement ça sentait bon. Tout en mangeant, maman et moi, on a discuté de mon séjour au Nouveau-Brunswick. De l'arrivée prévue de Samuel au centre neurologique de McGill, aujourd'hui.

– À quelle heure il arrive ?

– Je ne sais pas, il va me texter.

– Quand iras-tu à la bibliothèque ?

Maman sait que je dois y aller pour rencontrer le Maître de Sarah.

– Tout de suite. Le temps de défaire ma valise.

– Laisse faire ta valise, je m'en suis déjà occupée.

– Je vais prendre un bon bain, et je vais y aller. Je sens que je vais me creuser la tête toute la journée…

– Te creuser la tête ?

– C'est qui, le Maître? Sarah m'a dit que j'allais le reconnaître.

– Alors, fais-lui confiance…

– J'allais oublier le plus important. Je t'ai rapporté un souvenir. Tiens.

Je lui ai donné son stylo des Nordiques.

– Un stylo des Nordiques, exactement ce que je voulais depuis des années! s'est moquée maman. Mon souhait le plus cher!! Comment tu as fait pour deviner?

Nous avons ri, puis je suis allée prendre un bon bain. Question de sentir la pastèque à plein nez. Après tout, je m'apprête à faire une rencontre importante.

Chapitre 13
Le Maître

Maman m'offre de me conduire à la biblio, mais j'aime mieux y aller à vélo. À peine deux kilomètres. Ça va me faire du bien.

Je connais toutes les femmes et les filles qui travaillent à la bibliothèque, et je sais qu'elles me connaissent aussi. Je ne sais pas leur nom, par contre. «C'est là que tu rencontreras mon Maître», m'a dit Sarah. Tout un indice! Tu vois, il y a plus de cent mille livres à la bibliothèque. Dans chacun de ces livres il y a plein de personnes, des vraies, des fictives, des experts de ceci ou de cela. Et je ne compte même pas les encyclopédies et les dictionnaires! Et son Maître est là, dans cette foule innombrable...

Je m'assois devant un ordinateur, sans trop savoir par où commencer ma recherche. D'un autre côté, je sais bien que Sarah ne m'a pas envoyée là pour rien, devant cet impossible labyrinthe, à m'arracher les beaux cheveux roux.

«Tu vas le reconnaître.»

J'essaie de repasser dans ma tête toutes les conversations nocturnes que j'ai eues avec Sarah depuis le 23 juin. J'ai relu toutes mes notes sur mon iPad. A-t-elle laissé traîner un indice ici? Ou là?

Comme elle m'a dit que j'allais le reconnaître, j'ai éliminé de l'équation toutes les personnes que je ne reconnaîtrais pas. Ça en fait, du monde. Mais il reste plein de gens que je reconnaîtrais. Léonard de Vinci? Ronaldo? Barack Obama? Beethoven? Justin Bieber peut-être? Le général de Gaulle? Al Capone? Jean-Paul II? Charlie Chaplin? Marie Curie? Robert Kennedy, l'ancien sénateur dont je lisais le livre à Las Vegas?

Qui?

Mes pensées filent à toute allure vers je ne sais pas où…

Une vieille dame vient d'entrer dans la bibliothèque, suivie de François, l'homme-enfant qui y «travaille». Elle discute quelques secondes avec Marie-Josée, une des bibliothécaires, derrière le comptoir de réception, lui remet un petit sac, puis repart. François donne un baiser sur la joue de la bibliothécaire et se dirige vers le fond de la salle.

Comme je suis figée devant l'ordinateur depuis mon entrée, Marie-Josée vient me voir.

– As-tu besoin d'aide?

– Non, non, ça va. En fait, oui, juste curieuse: c'était qui la dame avec François?

– C'est Yvonne, sa vieille mère. Elle vient le conduire trois matins par semaine et revient le chercher vers midi.

– C'est quoi la maladie de François, au juste? Je le vois depuis toujours, mais je n'ai jamais su. Est-ce que vous le savez?

– Il a le syndrome de Williams. Il est encore un enfant, malgré ses cinquante et un ans. Mais, comme c'est toujours le cas avec les «Williams», il peut parfois se montrer prodigieux, savant. François est un expert en musique classique, en politique internationale, et il connaît par cœur le nom de toutes les personnes qui ont perdu la vie dans le naufrage du *Titanic*, le 15 avril 1912.

Pendant que la bibliothécaire me parlait, je me suis souvenue de la mère de François, Yvonne. Maman la connaît. Je suis même déjà allée chez elle avec Sarah et maman, quand j'étais enfant. J'en ai un souvenir vague.

Quand nous avons commencé à fréquenter la bibliothèque, François y travaillait déjà. Sarah et moi, on le trouvait bizarre et un peu inquiétant. Il n'est pas beau, François, mais il est gentil. Il me regarde toujours en souriant.

Tant qu'à rester bloquée devant l'ordi, je fais des recherches sur le syndrome de Williams. C'est un peu ce que je croyais, entre l'autisme et la trisomie 21. La bibliothécaire m'a expliqué que François doit manger des fruits tous les jours à 10 h 15 exactement. C'est ce qu'il y a dans le sac que sa mère lui a donné.

— Nous sommes habitués à François, me dit-elle. Il est comme dans sa famille ici. On prend soin de lui. Et il est si gentil. Il sourit vingt-quatre heures sur vingt-quatre. Je le soupçonne de dormir avec un sourire aux lèvres.

— Mais il fait quoi ici ?

— Il s'occupe de la section des livres pour enfants. Quand les gens les retournent, il les remet à leur place. Il va chercher le chariot avec les livres retournés et il les range dans les rayons. Aussi, il remplace les revues et les magazines périmés par les nouvelles parutions.

— Il ne se trompe pas quand il replace les livres ?

— Jamais. Il a une telle mémoire pour certaines choses… Il est encore plus efficace que nous. Fais le test. Va chercher un livre, prends-le où tu veux, dans la section pour enfants.

Demande-lui d'aller le reporter; il ira exactement au bon endroit, sans même avoir à y penser.

— Wow.

— Tiens, regarde-le.

François s'affaire dans la section des livres jeunesse, avec son chariot. Et c'est vrai. Il prend les livres, un par un, ne regarde même pas le numéro d'identification et se dirige exactement au bon endroit. Il recommence le manège pour chacun des livres. Il a une démarche malhabile. Il sautille un peu et marche sur le bout des pieds. Il est tout petit. Très concentré. Dans son monde.

— Est-ce que François sait lire?

— Un peu. Il peut lire des phrases simples et écrire son nom. C'est tout. Par contre, comme je te dis, il connaît plein de choses étonnantes. C'est notre petit mystère sur deux pattes. Il est adorable. Il aime beaucoup les filles, aussi. Il pourrait facilement te charmer, fais attention!

— C'est drôle.

— Tu lui as déjà parlé?

— Je lui dis bonjour et comment ça va, c'est tout.

— Parle-lui, tu vas voir, il n'a pas la conversation la plus profonde, mais il est intéressant. Attends. Je vais aller le chercher.

Elle va le chercher dans la section jeunesse. En arrivant près de moi, François me tend la main.

— Bonjour, Emma.

— Tu te souviens de mon nom?

— Ben oui. Tu as des beaux cheveux.

— Merci. C'est gentil.

La bibliothécaire nous laisse seuls.

— Qu'est-ce que tu fais?

– Je fais des recherches.

– C'est le *fun*. Qu'est-ce que tu cherches ?

– C'est un peu compliqué…

– Ah.

Il n'a pas de sous-question.

– Ça fait longtemps que tu travailles ici, toi. Je le sais : quand j'étais petite, je venais avec ma mère et ma sœur et tu étais déjà là. Tu aimes ça, ton travail ?

– Ben oui. C'est mon travail.

Je constate qu'il a en effet une conversation très simple.

– La bibliothécaire m'a dit que tu aimais la musique ?

– Marie-Josée. C'est mon amie. Elle est belle.

– Elle m'a aussi dit que tu aimais les filles…

– Ben oui. Je les adore. J'ai trois sœurs : Danielle, Jocelyne et Sylvie.

– As-tu des frères ?

– Un. Alain. C'est un ingénieur pour les avions. Toi tu as une sœur, c'est Sarah.

– Tu te souviens d'elle ?!

– C'est mon amie.

– Comment, c'est ton amie ?

– C'est mon amie.

– Tu sais qu'elle a eu un accident ?

– C'est pas grave.

– Elle est dans le coma, que je précise.

– Le quoi ?

– Le coma… C'est un genre de maladie.

– Ah.

– Elle va sûrement s'en sortir.

– C'est sûr. C'est mon amie. C'est quoi la maladie ?

– Elle est comme toujours endormie.

– Elle ne se réveille pas ?

– Non. Elle reste endormie. Mais elle n'est pas morte. Elle respire. Et son cœur bat.

– Est-ce qu'elle mange ses fruits ?

– Disons que oui. Les médecins et les infirmières la nourrissent. Moi je lui masse les mains et les pieds, et je lui fais faire des petits exercices.

En parlant avec François, j'ai soudain une révélation : le Maître, c'est lui. C'est François, j'en suis certaine. Un enfant de cinquante ans. Est-il conscient qu'il est le Maître ? Je sais que je ne me trompe pas.

Quand Sarah m'a dit que j'allais le reconnaître, j'ai moi-même compliqué la donne. Je croyais que la phrase «Tu vas le reconnaître» s'appliquait à une image, une photo, une définition. Mais non, c'était encore plus simple. Je sais que c'est lui, le Maître de Sarah. Aucun doute. Il me regarde avec un sourire un peu croche, mais avec les yeux qui pétillent. Un regard très attendrissant, plein de douceur.

– Quel âge a ta mère ?

– Je ne sais pas. Elle est plus vieille que moi.

Je sais comment faire pour confirmer mes soupçons.

– François, j'ai quelque chose à te montrer.

– Quoi ?

– C'est un secret. Tu vas le garder pour toi, oui ?

– Un secret, c'est un secret.

– Regarde.

J'ouvre ma main et je lui montre mon étoile.

– As-tu déjà vu cette étoile ?

– Ben oui. C'est mon étoile.

– Tu en as une, toi aussi ?

– J'en ai deux.

– Elles sont où?

– Ici.

– Je peux les voir?

– Oui.

J'attends qu'il me montre ses deux étoiles. Il ne bouge pas. Il est difficile à comprendre, François.

– Tu peux me les montrer?

– Oui.

Il ne fait toujours rien. Il me regarde avec son même sourire malhabile. Je ne sais plus quoi lui dire. Peut-être qu'il n'a pas compris.

– J'aimerais beaucoup les voir, tes étoiles, François.

– Tu peux les regarder, si tu veux.

– D'accord, je te remercie. Tu es gentil.

– Merci. Toi aussi. Tu as des beaux cheveux.

Il ne fait toujours aucun geste. J'essaie de comprendre. Je ne veux pas insister et créer un malaise… quand soudainement tout s'éclaire : en le regardant droit dans les yeux, elles me sautent en pleine face.

Elles sont dans ses yeux! Merde! Elles sont dans ses yeux!!

– Approche un peu, François.

Il s'approche, et moi aussi. Cette fois, c'est clair! Il a une étoile dans chaque œil. Son iris a exactement la couleur de l'émeraude, et on peut distinguer les neuf branches de l'étoile. C'est minuscule. Impossible à voir, si on ne sait pas d'avance.

– Elles sont merveilleuses, tes étoiles.

– Merci.

Je suis à l'envers.

D'un seul coup, j'ai mille questions à poser à Sarah. Pourquoi lui, est-ce qu'elle le sait? Comment un homme simple d'esprit peut-il être un Maître de l'inconscient? Je suis perturbée, je ne sais plus quoi lui dire. Et je suis certaine qu'il ne joue pas de jeu. Il ne fait pas «l'innocent».

Il est celui qui est en contrôle du voyage de ma sœur hors du temps et de l'espace. Sidérée. Je suis sidérée.

Marie-Josée, la bibliothécaire, revient près de nous, interrompant ma stupéfaction.

— François, il est 10 h 15, dit-elle. Il faudrait que tu manges un fruit.

— Est-ce que je peux manger mes raisins?

— Certain. Ils sont dans le frigo comme d'habitude. Je vais aller les préparer. Viens.

Je me permets une petite question:

— Comment tu prépares les raisins?

— Je les coupe en quatre, me répond Marie-Josée. Avant, c'est la mère de François qui le faisait. Mais je lui ai offert de m'en occuper. Yvonne a quatre-vingt-sept ans. J'essaie de lui donner un petit coup de main.

— Pourquoi il faut couper ses raisins en quatre?

— François a un tout petit œsophage. Il ne faudrait pas que tu t'étouffes, hein François?

— Faudrait pas que je m'étouffe.

Ils s'éloignent vers le petit bureau derrière, où il y a une table, quelques chaises, le frigo, etc. Je regarde marcher François, abasourdie: on dirait qu'il flotte.

Je retourne sur le Web et je lis avec plus d'attention ce qui concerne le syndrome de Williams, j'essaie d'y voir un peu de lumière. Je suis dans la lune, impossible de me concentrer. Ça doit t'arriver des fois quand tu lis. Tu lis, tu lis et tu ne retiens rien. Alors tu recommences, mais il n'y a rien à faire, tu es incapable de retenir quoi que ce soit… Quand ça m'arrive, j'abandonne.

Je ferme l'ordi et reste assise en attendant le retour de François.

Au bout de quelques minutes, il revient à son chariot de livres pour enfants. Je me lève pour aller lui dire au revoir.

— Tu reviendras, Emma, hein?

— C'est sûr.

— Est-ce qu'on est des amis pour la vie?

— Évidemment.

Il me tend un bout de papier.

— Mon numéro de téléphone, tu peux m'appeler si tu veux. J'aime beaucoup jaser au téléphone.

Je prends le papier et le mets dans ma poche.

Dehors, j'enfourche mon vélo, la tête pleine de questions. Marie-Josée sort de la bibliothèque et me crie:

— Emma! Tu as oublié ton sac à dos!

Mon sac à dos? Mais je n'avais pas apporté mon sac à dos! Elle a pourtant un sac dans les mains.

— C'est François qui l'a vu. Tiens. Je lui dirai merci de ta part.

Elle retourne à l'intérieur. C'est le sac à dos de Sarah. Je ne repars pas tout de suite, trop curieuse de voir ce qu'il y a dedans.

Il est vide. Ou presque.

Une petite mousse s'en échappe et prend le large, virevoltant dans les airs. Le chat vache va sûrement réapparaître quelque part bientôt…

* * *

En après-midi, puisqu'il fait super beau, je décide d'aller marcher dans le quartier. Trop de choses dans ma tête, comme c'est courant ces temps-ci… J'ai besoin d'air. De me promener sans but en attendant des nouvelles de Samuel.

Je marche depuis près d'une demi-heure. J'arrive au parc quand mon iPhone sonne. Long message de Samuel. Je m'assois aussitôt près d'un arbre pour le lire.

Salut Emma,

Il est 13 h 15. Je te raconte mes dernières aventures.

Je me sens comme un homme politique important ou une superstar. Avec mon hélicoptère privé. Nous avons roulé en ambulance à peine trois kilomètres, avec sirène et phares d'urgence. L'hélicoptère m'attendait, déjà démarré, avec les pales qui tournaient à pleine puissance.

Nous sommes cinq. Il y a une préposée, le conducteur de l'ambulance, mon père, une infirmière et moi. Je suis en fauteuil roulant et il y a une civière dans l'appareil. Je ne voulais pas passer le voyage couché, à ne rien voir. J'ai demandé à rester assis dans le fauteuil contre une des vitres. L'infirmière a accepté, et l'hélicoptère s'est envolé.

Nous serons à Montréal dans un peu plus de trois heures. C'est excitant. Je n'ai jamais volé de ma vie. Sauf la nuit dernière, dans le vaste pays de l'inconscient.

Je ne sens toujours pas mes jambes, mais, va savoir pourquoi, je ne m'inquiète pas.

Sur mon cell, j'ai dû recevoir deux cents appels. Journalistes, fans, amis, etc. Je n'ai rappelé personne, sauf toi.

Tu as vu mon Instagram? « Superstar qui s'envole. » Je viens de voir le tien. À vélo devant une bibliothèque.

Je n'avais jamais réalisé à quel point le pays est magnifique. Il est vert, avec plein de forêts, de champs, de clairières et de petites rivières qui se fraient un chemin à travers tout ce vert. Les routes sont comme de longs rubans. Certaines droites comme des flèches, d'autres qui improvisent des mouvements flous et imprévisibles. C'est beau. Personne dans l'hélicoptère ne semble ému par ces images créées par les hommes et la nature qui se dessinent tout en bas, comme sur un tableau géant. Moi, je le suis. Faudrait qu'on y retourne un jour.

L'hélicoptère survole Québec.

Mon père m'a montré le Château Frontenac tout en bas, sur un cap. Je l'ai déjà vu, je me souviens, c'était il y a quelques années lors d'un tournoi de hockey. Vu du ciel, il est encore plus majestueux. Il règne sur son cap. Dommage que je ne puisse pas me pencher davantage pour mieux voir, à cause de mon collet cervical.

L'infirmière m'a dit que nous allions arriver à Montréal dans moins de quatre-vingt-dix minutes. J'ai le front tout contre la vitre de l'hélico, mais je suis un peu fatigué d'être assis. Je vais demander qu'on m'aide à m'étendre un peu.

Je réalise que Samuel est comme moi : il est devenu, à son tour, accro aux rêves, aux bizarreries nocturnes. À la suite de son courriel, je lis ceci :

Faut que je te raconte le rêve que j'ai fait.

Je suis dans le vestiaire de mon équipe. Le match vient de se terminer et Marc, le coach, *nous parle. Il est de mauvaise humeur. Nous avons perdu la partie. Une cinglante défaite. Il s'adresse à moi, en furie.*

— Sam ! Comment peux-tu laisser tomber tes coéquipiers de cette façon ? Tu as toujours été un joueur exemplaire, avec un cœur gros comme ça. Depuis deux matches, dans ton foutu

fauteuil roulant, on dirait que tu n'es plus capable d'avancer sur la glace. Tu traînes toujours derrière! Je ne sais pas ce qui se passe dans ta tête, si c'est une fille ou quoi, mais quelque chose cloche. Sais-tu combien de lancers au but tu as obtenus, ce soir? Le sais-tu? As-tu compté? Eh bien nous, derrière le banc, on a compté, pas très difficile: tu en as eu zéro!! Zéro! Tu penses qu'on va aller où si notre supposé leader, notre supposé meilleur, n'a aucun lancer au but, aucune chance de marquer?!

— C'est peut-être mon fauteuil roulant? Ce n'est pas facile de s'adapter...

— Bon, les excuses, maintenant! Je ne sais pas ce qui te monte à la tête, mais tu nous as habitués à plus que ça. Je te jure, mon buddy *: continue sur cette voie-là, et tu vas en subir les conséquences.*

Un de mes coéquipiers, Michael Levine, un colosse, se lève pour prendre ma défense.

— Coach! C'est pas des excuses, Sam est en fauteuil roulant et ne peut même pas tenir son bâton. Tu devrais lui donner une couple de jours de congé, non?

— Levine, mêle-toi de tes affaires, c'est moi qui gère cette équipe-là. Si j'ai besoin de ton avis, je te ferai signe, on s'entend!?

— Je ne suis pas d'accord.

— On s'en fout. C'est ma tête que vous voulez? Eh bien, j'ai des nouvelles pour vous, les amis... Je vais aller prendre l'air un peu, j'en ai besoin. Parlez-vous, trouvez une solution, parce que moi, je suis sur le bord d'exploser.

Après son discours vinaigré, il s'en va. Dans la chambre, tous mes coéquipiers m'appuient et sont solidaires. Michael me demande:

— As-tu des pneus à crampons ? Peut-être que ça t'aiderait ?
Et là, je me suis réveillé.

Quel rêve de fou, non ? J'ai toujours eu une excellente rela-
tion avec Marc, pourtant. Il faut que cette petite anecdote ait
un sens, mais je ne trouve pas lequel. Tu en penses quoi ?

On est à Montréal, une dizaine de minutes plus tard. Une
ambulance nous attendait à l'aéroport de Saint-Hubert. Je
devrais arriver au centre neurologique vers l'heure du souper.

Quand les deux ambulanciers m'ont transféré de l'hélicop-
tère à l'ambulance, un chat noir et blanc assistait à la scène,
bien assis.

* * *

J'ai encore François en tête. Ce petit bonhomme handicapé, cet enfant de cinquante et un ans. C'est mystérieux.
J'étais tellement certaine que le Maître de Sarah allait être
un génie… Peut-être en est-il un ? Qui je suis, moi, pour
évaluer le génie des uns ou des autres ? Ou peut-être que
« génie » n'est pas le bon mot… Je sais que j'ai encore beaucoup de chemin à faire pour tout saisir.

Samuel est donc arrivé à l'héliport de Saint-Hubert. Je
n'irai pas le voir tout de suite à l'hôpital, je vais lui laisser le
temps de s'installer. J'irai probablement demain matin.

Je sais que Sarah n'est pas loin de lui. Elle n'est jamais
très loin de ses amis étoilés, mon Assiniboine.

En revenant à la maison, j'ai une longue discussion avec
maman.

— Je connais le petit François depuis longtemps, me dit-
elle quand je lui révèle que le fameux Maître de Sarah, c'est
lui. Je l'ai même déjà gardé quand Yvonne, sa mère, avait

des rendez-vous médicaux. François est son cinquième enfant.

– Tu le gardais?

– Ça m'est arrivé une dizaine de fois. Elle avait confiance en moi.

– Ah oui. Je me souviens… vaguement…

– Vous étiez très petites. Une fois, je vous avais emmenées avec moi, Sarah et toi, il avait joué avec vous. Tu sais qu'il a des habiletés exceptionnelles? En musique classique, par exemple. Ses mains ne peuvent pas jouer, il a des problèmes de motricité, cependant il reconnaît non seulement des milliers de pièces, mais il peut identifier les orchestres et les solistes qui les interprètent. C'est impressionnant. Il connaît aussi les dates et lieux de naissance de centaines de gens célèbres ou importants: des scientifiques, des hommes et des femmes politiques, des écrivains de tous pays, des athlètes d'hier ou d'aujourd'hui, des inventeurs, des mécènes, des sociologues, plein d'autres. Sa mémoire est prodigieuse.

– C'est son lobe frontotemporal gauche.

– Pourquoi tu dis ça?

– Sarah en a discuté avec moi, il y a deux nuits.

– Mais c'est autre chose que je retiens de lui, surtout. Quelque chose qui dépasse sa fantastique mémoire: sa bonté. Je me souviens d'avoir entendu sa mère dire que François avait inventé la bonté. Il n'a jamais dit de mal de personne, ni de rien. N'a jamais même pensé du mal. Ne s'est jamais fâché. Il trouve tout le monde beau.

– Il aime mes cheveux, en tout cas.

– C'est sûr que l'inconscient de cet homme a quelque chose d'éclairant.

– Il est le Maître de Sarah… Tu imagines? C'est trop fort.

Elle hoche la tête.

– En effet, dit-elle. C'est fort. Mais est-ce que c'est vraiment plus surprenant que tout le reste?…

Nous échangeons un sourire.

– Et Samuel, il est arrivé à Montréal? me demande-t-elle ensuite.

– Oui, j'irai le voir demain.

– Il va mieux?

– Il est correct. En tout cas, dans ses textos, il ne semble pas du tout déprimé, malgré ce qui lui arrive.

Juste comme j'en parle, je reçois un texto de lui:

Bonne nouvelle, Emma : les orteils me piquent.

Il n'y a pas plus belle chose dans la vie que des orteils qui piquent.

* * *

Il est presque 22 h.

Ce soir, pour souper, maman est allée dans un petit resto grec pas loin de la maison. Elle en a rapporté deux salades, du houmous et un peu de tzatziki. Pour dessert, on a mangé un muffin aux bananes et aux noix. Maman en a cuisiné cet après-midi.

Je retourne coucher au centre. J'ai apporté quelques muffins, juste pour que Sarah les sente. Je sais que ma sœur adore l'odeur des muffins de maman. Et j'ai aussi apporté le vernis à ongles que j'ai acheté pour elle à la pharmacie de Moncton, ainsi que des draps frais pour mon petit lit.

Le centre est devenu un autre chez-moi. J'ai offert un muffin à Pascalina et à ses deux collègues de travail. Elles étaient contentes. Qui ne le serait pas?

Pour Sarah, c'est toujours la même chose. Elle respire bien, son pouls est normal, sa tension artérielle aussi. Les préposées lui font faire de petits exercices, toujours les mêmes. Elles la changent de position pour éviter les plaies de lit dégueulasses.

Juste avant de me coucher, je change son vernis à ongles. Je sais que je ne devrais pas, mais j'en profite. Si Sarah savait que je lui ai mis des paillettes sur les ongles, elle serait frue. Ce n'est pas son genre. Ni le mien, d'ailleurs. Mais il faut bien rire un peu quand même. Et puis, c'est son anniversaire aujourd'hui! Il faut bien la mettre belle!

Je lui ai fait sentir le muffin de maman.

Puis j'ai refait mon lit et mis les draps usés dans mon sac à dos, je les laverai demain. Je n'ose pas laver la taie d'oreiller de Samuel, ni celle de Sarah.

Tu sais ce qu'il y a de magique, quand je dors dans la chambre avec ma sœur? Je sais que je vais partir en voyage dans les minutes qui viennent et je n'ai jamais idée où. C'est comme si je me retrouvais dans un nouveau livre chaque nuit…

Juste avant de dormir, je texte Samuel.

Vais vérifier avec ton père, irai te voir demain, j'espère. Lâche pas. Bonne nuit. Bravo pour tes orteils.

Il me répond illico.

Bonne nuit à toi aussi, hâte de te voir, tu n'as
pas à vérifier avec papa. Salue bien Sarah. XX

J'adore les «X». Ils me font frissonner.

* * *

Jaipur
Je rêve.

Je ne sais pas si ça sent bon ou mauvais, mais ça sent fort
les épices et l'encens. J'entends une musique indistincte qui
vient de très loin. C'est comme si c'était plus une ambiance
qu'une mélodie. Une voix humaine étrangère, nasillarde et
lancinante. Je ne sais pas comment je fais pour l'entendre, il
y a tellement de bruit ici, c'est un peu stressant.

Comment décrire ce qui se passe autour de moi?
D'abord, je suis seule dans une foule bigarrée qui bouge
dans tous les sens. J'attends Sarah, assise par terre à côté
d'une vieille maison dans une rue achalandée, près d'un
carrefour tout embrouillé, au milieu d'une immense ville
pauvre et pleine de gens habillés de couleurs vives.

Cette ville est rose.

Il y a des carrosses sur deux roues, tirés par des hommes
maigrichons aux pieds crasseux. Il y a des chèvres noires
avec de grandes oreilles, des chiens sales et pouilleux, des
poules, des femmes portant des voiles colorés et des colliers, de vieilles autos qui klaxonnent dans un fouillis total,
qui arrivent dans tous les sens, et des dizaines de petites
motos.

C'est le chaos complet. Plein de vieillards et de gens sont assis en tailleur et boivent dans de minuscules tasses. Pour une fois, je ne comprends rien à leur langage; d'habitude, dans mes rêves je comprends les langues étrangères. Il y a de grands paniers remplis de fruits à vendre, des enfants aux pieds nus, par grappes de cinq ou six, qui jouent à se courir après.

Mon téléphone sonne. Un texto de Sarah.

J'arrive.

Les enfants me tournent autour et me tendent la main pour que je leur donne quelque chose. J'ai deux crayons. J'en donne un à un petit garçon, l'autre à une petite fille. Je n'aurais peut-être pas dû: les autres s'agglutinent autour de moi, pour en recevoir chacun un, j'imagine. Avec des signes, je leur fais comprendre que je n'ai plus rien. Ils restent quand même un peu, suppliants, mais finissent par aller voir une autre personne.

J'aurais dû apporter les muffins de maman avec moi.

Toujours assise, je sens qu'on me frôle le bas du dos. C'est mon chat vache! Une seconde, même moins, et Sarah apparaît juste à côté.

– Où étais-tu?

– Je suis juste allée voir un peu plus loin. Viens.

Sarah sait où on s'en va. Je la suis.

– On est où?

– Nous sommes à deux endroits en même temps.

– Sarah, ne commence pas avec tes réponses que je ne comprends pas. Prends pitié de mon petit lobe frontotemporal gauche.

– Nous sommes à deux endroits, je te dis. Nous sommes dans l'inconscient de maman, dans sa tête, dans son rêve, et nous sommes à Jaipur, en Inde.

– Jaipur ?! La ville où elle veut nous emmener ! Est-ce que c'est la vraie ville de Jaipur ? Ou juste le Jaipur de son imagination, comme Moncton ?

– Quelle est la différence ? Regarde les gens, respire les odeurs, écoute tout le bruit ambiant et la musique qui vient de loin…

– Qu'est-ce qu'on est venues faire ici ?

– Voir Janine.

Janine, je te le rappelle, c'est la mère de maman. Elle a quatre-vingt-cinq ans et vit ici, à Jaipur, en Inde, depuis plusieurs années. Ma grand-mère que je n'ai jamais vue.

– Suis-moi, m'enjoint Sarah. Nous n'avons pas beaucoup de temps.

– Tu sais où elle est ?

– Oui. Il faut qu'on arrive avant maman et Diane.

– Elles sont ici ?

Je sais très bien que Diane est décédée il y a huit ans, mais ici, dans l'inconscient, dans ce Jaipur créé par l'esprit, elle est encore bien là.

Sarah élabore :

– Janine n'est pas en forme. Elle souffre d'Alzheimer depuis plus de deux ans, et là, elle en est à la fin du chapitre. Elle vit dans une petite maison, avec une religieuse qui s'est occupée d'elle depuis le début de la maladie et une jeune Québécoise, arrivée à Jaipur il y a six ans. Janine a plein d'amies ici. Elle a été si bonne pour tant d'enfants et de gens miséreux.

– La jeune Québécoise, c'est qui ?

– Elle s'appelle Dominique, elle a trente ans. Elle est partie de sa banlieue, au nord de Montréal, pour un voyage sans but, et elle s'est arrêtée ici après avoir fait le tour de la planète pendant deux ans. Une voyageuse qui a trouvé ici une raison de respirer. Elle s'est improvisée éducatrice et a connu Janine par l'entremise des religieuses.

Nous accélérons le pas.

Bientôt, nous arrivons à destination. C'est un bâtiment qui ressemble à un vieux couvent délabré transformé en petit hôpital pauvre. La porte est ouverte. Sarah prend les devants. Ça paraît qu'elle connaît la place. Nous grimpons au second étage et juste là, à droite dans un petit corridor, se trouve une chambre. On y va.

Une vieille dame est couchée dans un lit. Près d'elle, comme Sarah l'avait prédit, deux femmes ; une vieille religieuse avec un voile bleu pâle et Dominique, qui a de longs cheveux attachés et des petites lunettes rondes. Elles nous sourient.

– Vous êtes Sarah et Emma ? demande Dominique.

– Je suis Sarah et c'est ma sœur Emma. Nous sommes venues dire au revoir à notre grand-mère.

– Elle vous attendait.

Comment peut-elle nous avoir attendues ? Elle n'a conscience de rien et a les yeux fermés. Elle dort. Elle fait pitié, la pauvre, toute maigre et grise.

Sarah me demande si j'ai toujours la chaînette en argent, choisie dans l'immense boutique sur le bord de la mer. Celle qu'elle m'avait recommandé de prendre pour « une personne que j'aime, mais que je ne connaissais pas encore ».

– Je l'ai toujours.

– Tu te souviens, je t'avais dit de prendre une bague et une chaînette en argent « pour une personne que tu aimes, mais que tu ne connais pas encore ». C'est elle. C'est grand-maman.

J'extirpe la chaînette du fond de ma poche et la pose délicatement autour du cou de ma grand-mère.

— Vous n'avez pas eu de difficulté à trouver l'endroit? s'enquiert Dominique. Jaipur, c'est immense, il y a plus de trois millions d'habitants.

— Pas du tout, je suis déjà venue tantôt, dit Sarah.

— Je ne t'ai pas vue.

— J'étais sur le bord de la petite fenêtre.

— C'était toi, le chat noir et blanc?

— Oui, c'était bien elle, je peux le confirmer, dis-je avec un sourire. Ma sœur est un chat. Entre autres. Elle est plein de choses, mais elle est surtout un chat noir et blanc.

— Quelle jolie chaînette, quelle belle petite étoile. C'est tellement gentil. Votre grand-mère est une femme extraordinaire...

Nous l'embrassons et faisons un câlin aux deux femmes. Avant de partir, Sarah se tourne vers Dominique:

— Je vais donner de tes nouvelles à tes parents, à Montréal.

— Merci. C'est gentil.

— Tu veux que je leur rapporte une mèche de tes cheveux?

Elle prend de petits ciseaux de couture sur la table de chevet de bambou et coupe une toute petite mèche des cheveux de Dominique. Sarah la place ensuite dans une petite feuille de papier bien repliée.

— Tu sauras où trouver mes parents?

— Bien sûr.

— Merci encore.

Nous reprenons les escaliers, Sarah toujours devant. Juste avant d'ouvrir la porte pour sortir, elle se retourne vers moi.

– Es-tu prête?

– Toujours, Pocahontas, comme un scout!

Elle ouvre la porte et on se retrouve dans un local que je n'ai jamais vu avant.

Complètement ailleurs.

Bye-bye Jaipur.

11th Precinct, Manhattan

Ça sent la sueur mâle et la fumée de cigarette. Encore une fois, on dirait un décor de cinéma. Un grand bureau plein de gens qui travaillent en chemise, sans veston. Ils sont occupés. Ils fument tous. Les bureaux, les chaises et même les filières sont en bois, les éclairages sont chaleureux. Les sonneries de téléphone font driing, driiing, comme au XXe siècle. Ce sont surtout des hommes avec les cheveux très courts et graisseux qui travaillent ici. Personne ne s'occupe de nous. Nous sommes dans une banque peut-être. Une compagnie d'assurance?

Nous allons nous asseoir sur un banc en bois, dans une salle d'attente, pour ne déranger personne. Un jeune homme vient à nous. Il a peut-être dix-huit ans, pas beaucoup plus. Il me semble le reconnaître.

Il s'adresse à Sarah.

– Bonjour, mademoiselle.

– Bonjour, monsieur.

– Qu'est-ce qu'on peut faire pour vous?

Je réalise que Sarah et moi avons rajeuni. Nous sommes des enfants de dix ans.

– On s'est fait voler notre chat.

Alors, nous sommes dans un vieux poste de police! Celui du « 11th Precinct ». Il y a un journal juste sur une petite table devant moi. Le *New York Bugle*. Je suis curieuse de connaître la date : nous sommes le 12 juin 1942.

Tu parles ! Le jeune homme, c'est Pierre, mon Pierre, l'ami de Diane et maman ! Je suis dans un film ! J'adore ce monde. Pierre ne nous reconnaît pas, évidemment. Quand Sarah lui dit que notre chat a été volé, il sourit.

— Peut-être que votre chat s'est juste sauvé, il va revenir, sans doute. On ne peut rien faire.

— Il ne s'est jamais sauvé avant.

— Les chats, on ne sait jamais ce qu'ils ont dans la tête. Je peux vous rassurer : on ne peut pas voler un chat. C'est impossible. Il va revenir ou non. C'est lui qui décide. Il ira continuer sa vie ailleurs, peut-être.

— Mais monsieur, c'est mon chat et je suis certaine que quelqu'un l'a volé, insiste Sarah.

— On ne peut rien faire, mademoiselle. C'est un poste de police, ici, en plein Manhattan. Nous avons d'autres chats à fouetter. Il faudra retourner chez vous et attendre qu'il revienne.

— Est-ce qu'on peut au moins vous donner sa description ?

— Bon, puisque vous y tenez. Il a l'air de quoi, votre chat ?

— Il est noir et blanc et il porte un collier spécial, serti d'un petit bijou vert. Il n'a pas de nom, mais on l'appelle chat vache.

— Si jamais je le croise, je le ramène ici. Laissez-moi vos coordonnées…

Sarah obtempère. Juste avant de sortir du poste de police, elle me glisse à l'oreille :

— Annelies Marie a treize ans aujourd'hui.

— La petite fille d'Amsterdam, aux cheveux noirs, que Samuel aimait bien ! Dommage, je n'ai plus de bijou… Tu aurais dû me le dire avant. On aurait pu aller lui donner un cadeau.

— Son père lui a offert un petit calepin. Elle est bien contente, elle adore écrire.

— Tant mieux.

* * *

Nous passons à peine la porte que déjà nous sommes dans l'allée d'un wagon de train. Je marche devant et j'ai du mal à garder mon équilibre.

Sarah s'assoit près d'une fenêtre et regarde le décor défiler devant ses yeux. Un décor un peu monotone d'ailleurs : des champs de blé à perte de vue. Des oiseaux qui dansent en groupe, des étourneaux ou des vachers. Une fois de temps en temps, un bâtiment de ferme, des chevaux, des vaches, un chien.

— Sarah, laisse-moi la place près de la fenêtre, s'il te plaît…

Nous changeons de place.

Le train ne s'arrête pas, nous traversons un petit village et, plus tard, un autre. À un croisement de chemins, un petit attroupement d'enfants regardent le train passer en nous envoyant la main. Chapeaux de paille, pieds nus. Ils sont Noirs. Je les salue, mais c'est certain qu'ils ne m'ont pas vue. Il me semble que je reconnais le paysage. Mais il ressemble à tant d'autres. Je ne sais plus.

De l'autre côté de l'allée, un peu derrière nous, assis seul, un jeune homme d'une vingtaine d'années. Il ne regarde pas dehors mais devant lui, dans le vide. Clairement, il a les yeux rouges, comme quelqu'un qui a beaucoup pleuré. Il a le visage triste.

Sarah veut aller lui parler. Quand Poca veut faire quelque chose, bonne chance à celui ou celle qui voudra l'en empêcher… Mission impossible. Elle se lève et va vers lui. Comme l'homme ne parle presque pas et n'a aucun désir de faire la conversation, elle revient à mes côtés.

– C'est qui?

– Je ne sais pas. Il a à peine prononcé quelques mots. Il est triste, ça se voit. Mais je n'en sais pas beaucoup plus.

– Où il va?

– Il s'en va en Virginie sur une base militaire, à Richmond. Tout ce qu'il a, c'est un bâton et un vieux gant de baseball. Il est écrit « E » sur les deux objets. Presque pas de bagages, un petit sac de cuir.

Le train s'arrête à une gare au milieu de nulle part, un peu comme au début du film *Il était une fois dans l'Ouest*, ce grand western de Sergio Leone, un des films favoris de Pierre et de maman. Je me souviens de ce film parce que ces deux-là nous avaient presque forcées à le regarder… Et ce fut finalement une très bonne idée.

Sarah me dit de prendre mes choses. On descend du train. Nous sommes arrivées. Où? Je ne sais pas. Mais si ma sœur me dit que nous sommes arrivées, c'est que nous sommes arrivées. On ne s'obstine pas avec une Fleur.

Nous saluons le jeune homme triste. Je ne sais pas s'il nous a vues, son regard est si vide. Impossible à dire. Il regarde, mais ne voit rien.

* * *

Le matin du mercredi 15 août

Deux infirmières viennent d'entrer en trombe dans la chambre de Sarah. Ça m'a réveillée. Il est 5 h du matin. Je ne sais pas ce qui se passe. Ça ne va pas bien.

– Le rythme cardiaque de Sarah s'est soudainement accéléré, me dit une des infirmières. La tension artérielle a augmenté sans raison apparente. C'est clair sur le moniteur au poste central.

– Elle est correcte?

– Elle a chaud. Son front est mouillé.

– Qu'est-ce que vous allez faire?

– Pour l'instant, juste veiller. Peut-être ajouter un peu de sérum, et lui mettre une compresse d'eau froide sur le front et dans le cou. Il n'y a rien d'autre à faire pour le moment, mais il faudra être alerte.

– Avez-vous appelé quelqu'un?

– Le médecin en résidence s'en vient.

– Je sais qu'elle a eu une nuit un peu difficile.

– Comment tu le sais, Emma?

– Je le sais.

L'infirmière a un doute dans le regard. Je dois élaborer un peu, inventer quelque chose.

– Il me semble l'avoir entendue respirer fort. Plus fort que d'habitude, elle a eu des spasmes.

– Tu es sûre?

– Non, mais il me semble…

– On va attendre le médecin.

L'infirmière quitte la pièce sans rien ajouter. Je ne me recouche pas.

Chapitre 14
Sarah en danger

Samuel m'a encore envoyé un long courriel.

Papa m'a dit qu'il n'arrête pas de recevoir des appels de journalistes et de reporters. Il a demandé à Marc de publier un tweet. Marc l'a fait en son nom : « Mon fils, Samuel Arsenault, montre des signes encourageants. Quand nous en saurons plus, nous vous aviserons. Merci de respecter notre intimité. » Je me sens comme un gros chapon bien juteux : tout le monde veut un morceau de moi... Mais je m'en fous, maintenant.

Je rêve beaucoup. Mes rêves sont de plus en plus longs et, surtout, de plus en plus clairs. J'ai mon iPad juste à côté, sur une petite table de chevet, et je fais comme toi : je note tout.

Cette nuit a été troublante. Tu étais là, avec Sarah. Lis ça.

J'ai baptisé ce rêve « La grande traversée ».

Je suis sur le bord de la rivière Opinaca, au printemps. Il y a plein de gens. C'est le spectacle de la crue des eaux. C'est majestueux et en même temps terrifiant. Le bord de la rivière est escarpé et dangereux, un faux pas et ça y est. En plus, c'est glissant et très étroit. Pas question de trop s'approcher. Le courant de la rivière est si puissant et l'eau a l'air si froide, je ne pourrais pas survivre si je tombais, je serais emporté je ne sais pas jusqu'où, les rochers semblent acérés. Et il y a certainement une chute au bout de la rivière, il y en a partout des chutes. Tout ça, ça fait beaucoup de bruit. Mais c'est beau. La nature est magnifique et puissante.

Sur l'autre rive, juste en face, il me semble voir un chemin, un large sentier entre les sapins et les rochers. Je vois des ombres furtives qui vont de gauche à droite et le traversent. Des loups? Des renards? Des ours?

Tous les gens avec moi regardent les torrents de la rivière. Je suis le seul dont le regard est attiré sur l'autre rive, pas sur les flots.

J'ai peur. Je suis sûr que c'est toi.

Je te texte.

Où es-tu? Es-tu avec Sarah? Inquiet.

Tu me réponds dans la seconde:

Je suis juste en face, de l'autre côté de la rivière. Je te vois.

Moi, je ne te vois pas, j'ai vu des ombres tantôt, mais je ne peux pas distinguer avec précision.

Même si je criais, tu ne pourrais pas m'entendre. Je suis exactement en face de toi. Sarah est blessée, elle s'est écorché une jambe.

J'ai un mauvais pressentiment. Il faut que je me rende de l'autre côté de la rivière, mais je n'ai pas de veste de flottaison. Je vois un homme, dans le groupe, qui en a une. Je lui demande de me la prêter.

— Je dois absolument traverser, mes deux amies sont en danger.

— Vous êtes fou ou quoi? Vous allez crever d'hypothermie. Vous avez vu le courant?

— Je n'ai pas le choix. Faut que je plonge.

— Je connais bien les rivières d'ici, jeune homme. Vous allez dériver sur plusieurs kilomètres avant de pouvoir toucher l'autre rive, et en plus il y a plusieurs chutes majeures en bas, jusqu'à la rivière La Grande.

Il me donne quand même sa veste.

— Vous courez à votre perte, jeune homme.

— Je nage très bien.

— C'est stupide.

Il y a un grand tronc d'arbre immobile au milieu du cours d'eau, emprisonné par deux ou trois têtes de rochers. Si je peux m'y rendre et reprendre mon souffle avant de continuer, je devrais arriver à traverser. Le type me donne aussi un étui étanche pour mon iPhone.

— Merci. J'apprécie.

— Ne faites pas ça, je vous dis.

Je deviens soudainement le centre d'attention. J'y suis habitué. Tous les gens me regardent. Je vois des têtes qui font non. Des mains devant des bouches. Je m'en fous.

Je me déshabille, et sous mes vêtements, surprise: une combinaison de plongée, un wetsuit. Les astres sont de mon côté. Je range mon cellulaire protégé dans la manche gauche de ma combinaison, et… à la grâce de Dieu!

Je saute dans l'eau.

Une sacrée chance que je sois en forme! Le courant est très fort, l'eau est glaciale, mais j'ai bien calculé mon saut: je réussis à m'accrocher au tronc.

Je fais signe aux gens sur le bord que je suis correct, mais il faut que je reprenne mon souffle. Je m'accroche à mon ami le tronc. Je n'entends rien, la rivière est trop bruyante. J'ai froid, c'est sûr, mais pas tant que je le craignais. Il faut que je me concentre pour reprendre mon air, mes sens et mes forces. Ma situation n'inspire pas la relaxation, au contraire ! Au milieu d'un enfer d'eau sauvage, les bouillons froids me foncent dessus et je sens leur force indomptable. Seul mon tronc peut résister.

J'ai les deux mains sur des restants de branches et je les agrippe de toutes mes forces. Mes jointures saignent. J'ai de la difficulté à voir de l'autre côté de la rivière. Je te cherche. Je ne ressens même plus la peur.

Je crie :

— Emma ! Emma ! J'arrive !!

Je crois entendre des cris. Mais il y a tellement de bruit autour de moi, je ne sais plus. J'entends : « ... tor ! Tor !! » Je ne sais pas ce que cela veut dire. « Tor ? » Soudainement, le tronc se met à bouger. Qu'est-ce que je fais ?! Je ne peux pas rester accroché à l'arbre et être emporté avec lui ! Le tronc bouge de plus en plus ! Je dois le lâcher et continuer à nager vers la rive.

Mais le tronc... n'est plus un tronc ! C'est un énorme alligator ! Qu'est-ce qu'un alligator géant fait dans une rivière du Nord ? Je n'ai pas le temps de me poser de questions. Je suis au milieu d'une rivière cauchemardesque, couché sur un alligator.

Tu l'as vu, Emma. C'est ça que tu me criais tantôt : « Alligator ! Alligator ! »

Juste comme je m'apprête à m'éloigner dans l'eau, l'alligator se met à nager. Il est plus fort que le courant et file presque en ligne droite vers la rive, avec moi sur son dos, bien accroché à son énorme cou. Il va me sauver ! Il va me sauver !

À quelques mètres de la rive, l'alligator devient soudain un gros ours noir. Il se lève sur ses pattes de derrière. L'eau n'est *plus profonde. Quelle énorme bête! Je suis toujours sur son dos et je le tiens par le cou. Une de ses oreilles saigne. Il grimpe sur la rive, se secoue et je tombe. Et si cet ours me prenait pour un gros saumon? Il va me bouffer!*

Je le regarde, effrayé. J'essaie de ne pas trop bouger, j'ai mal à une hanche. Il se secoue encore. Il me regarde.

D'un tronc d'arbre à un alligator, d'un alligator à un ours géant, et pour la quatrième fois en moins de cinq minutes, il se transforme encore. Il devient le joueur de hockey de Miramichi qui a subi une commotion cérébrale l'an dernier. Il parle seulement l'anglais, mais comprend très bien le français.

— You're okay, Sammy! You're okay!

— *Matthew!?*

— We don't have much time, hurry up, follow me!

— *Il faut que je retrouve mes amies, Matthew. Il faut que je rejoigne Emma et sa sœur!*

— I know! I know! Follow me.

J'ai confiance en Matthew. Il n'a peur de rien. Il veut vous rejoindre, lui aussi. Il semble savoir où vous êtes.

Le terrain est escarpé mais la forêt est claire. Il y a plein de moustiques, heureusement ils ne piquent pas, on ne fait que les entendre. Je n'ai plus ma combinaison étanche, je suis en jeans, avec une veste à carreaux. Je m'assure que j'ai mon iPhone, puis je dis:

— *Matthew, attends deux secondes, je vais texter Emma.*

— We don't have much time.

— *Deux secondes.*

Je t'envoie un message texte.

Je suis là. Où es-tu?

Sans réponse. Ce n'est pas normal, tu me reviens toujours en quelques secondes. J'ai peur. Je n'ai pas peur pour moi, mais pour vous, les filles. Quel cauchemar!

C'est difficile de courir dans cette forêt, mais Matthew sait où il s'en va. Je le suis. Au bout d'une vingtaine de minutes et avec quelques égratignures superficielles, nous arrivons à l'endroit précis où vous vous trouviez.

Vous n'êtes plus là. Par terre, il y a une tuque verte. Je la prends. C'est certain que c'est ta tuque, il y a des cheveux roux pour l'attester. Et la tuque sent ton odeur.

Je crie de toutes mes forces:

– EMMA!!! EMMA!!!

Mon rêve se termine ainsi parce qu'une préposée est entrée dans la chambre, en criant:

– Samuel! Samuel! Réveille-toi, tu fais un cauchemar. Réveille-toi.

Je me suis réveillé tout en sueur. Je suis trempé. C'est un peu normal. Dans la rivière Opinaca, l'eau est mouillée!

* * *

J'avais à peine terminé la lecture de cet étrange épisode que mon téléphone a sonné. Un autre texto de Samuel.

> Je sais que je te réveille. Je veux juste savoir si tu es correcte. Où es-tu?

Je lui ai répondu tout de suite.

> Je suis au centre avec Sarah. Je viens de lire ton cauchemar. Je ne dormais pas. Ce n'est pas une très bonne nuit…

On s'appelle demain matin.

OK.

Juste une question : as-tu une tuque verte ?

Oui. C'est Sarah qui me l'a tricotée.

Elle est ici, ne la cherche pas. Sur un petit crochet juste à côté de la porte de ma chambre.

Quoi ?!

Je l'ai. La préposée est revenue avec un de ses collègues. Ils m'ont essuyé partout, ont changé mon linge de nuit, m'ont transféré de lit. Ils ont refait mon lit avec des draps secs et m'y ont réinstallé. J'ai demandé à la préposée de m'apporter la tuque verte. Elle me l'a remise. Je l'ai bien regardée et j'ai trouvé ce que je cherchais. Un long cheveu roux. Je connais juste une rousse, c'est toi.

Je suis restée assise avec Sarah. Je lui ai fait un massage de mains et de pieds. Cette écorchure, la nuit dernière sur le bord de la rivière Opinaca, c'était à la jambe droite. J'ai regardé, en relevant sa jaquette. Elle a une bonne ecchymose. Comment est-ce possible ?! Elle n'a pas bougé d'un iota !

Je n'ai pas voulu le demander à l'infirmière. J'essaie toujours de ne pas mêler la nuit et le jour. Le conscient et l'inconscient. Ce n'est pas évident, crois-moi. Je suis moi-même souvent mêlée.

À 7 h, j'appelle maman. Je lui dis que Sarah a connu une nuit mouvementée. Elle s'en vient.

Le docteur dit que sa tension artérielle et son rythme cardiaque ont encore un peu augmenté. Je sais que ça signifie que ça ne va pas bien. Le docteur remarque l'ecchymose sur sa jambe. Il demande à l'infirmière ce qui s'est passé. Elle ne sait évidemment pas. Elle se tourne vers moi. Je lui réponds par un haussement d'épaules.

Entre toi et moi, elle a juste glissé sur une pierre et s'est éraflée…

Le médecin demande qu'on ajoute un nouveau médicament à son soluté afin de faire baisser la tension, et il exige des infirmières qu'elles soient bien attentives au moindre indice.

Avant qu'il ne parte, je lui demande s'il y a matière à s'inquiéter.

— Pas pour l'instant, mais il faut être vigilant. C'est difficile de savoir quoi que ce soit quand le patient ne peut pas répondre à nos questions.

Je suis inquiète. J'ai des idées noires. Un mauvais pressentiment.

Une heure plus tard, on m'annonce qu'on ramène Sarah à l'hôpital Sainte-Croix. Aussitôt mon cœur s'emballe. Des infirmières et des préposés, suivis du médecin, arrivent pour préparer Sarah, et moi je me retrouve, inutile, à les regarder faire dans un coin. Maman arrive au centre à ce moment. On nous demande de sortir de la chambre.

Maman veut savoir ce qui se passe. Le médecin lui dit qu'il faut que Sarah retourne passer des tests à Sainte-Croix. Que la nuit dernière, elle a montré des signes «préoccupants». Il ne veut prendre aucun risque.

— J'ai fait appeler le docteur Aldermann, précise-t-il. Il n'était pas supposé se rendre à l'hôpital aujourd'hui, car il doit prononcer une conférence à l'Université McGill. Il a reporté sa conférence pour venir voir Sarah. Son cas l'intéresse beaucoup. Le docteur Aldermann est une personne exceptionnelle, madame. J'espère que vous le savez. C'est un homme de grande valeur.

– Je sais. Mais ma fille n'est pas une souris de laboratoire.

– Ne me dites pas que vous pensez que le docteur Aldermann prend Sarah pour un cobaye…

Maman soutient son regard un instant, puis elle soupire en se frottant le front.

– Je m'excuse, docteur. Je n'aurais pas dû dire ça. Je suis stressée. C'est ma petite. Excusez-moi.

* * *

L'ambulance s'éloigne vers Sainte-Croix. On a placé toutes sortes de fils et de tubes sur Sarah. On l'a bien attachée à la civière. Maman et moi, on suit l'ambulance.

Sur place, le docteur Aldermann est là. Il s'approche d'abord de nous.

– Je pense que vous devriez rentrer chez vous. Sarah doit passer des tests et ça risque d'être long. Il y a des choses que je veux voir. Vous devriez aller vous reposer. Soyez sans crainte, nous vous tiendrons au courant de tout changement.

Je déteste la situation. J'ai peur.

– Docteur Aldermann, vous êtes inquiet, je le vois bien, lui dis-je. Que maman ou moi soyons inquiètes, c'est normal, on ne connaît rien. Mais vous, de vous voir inquiet comme ça, ce n'est pas rassurant…

– Je comprends. Mais dis-toi que je ne suis pas tant inquiet que préoccupé. Cependant, je ne peux rien dire avant d'avoir obtenu les résultats des tests. Cette hausse soudaine de la tension artérielle, son rythme cardiaque qui s'accélère, cette blessure à la jambe qui est apparue sans explication... Il faut pousser l'enquête plus loin, et vite.

– Est-ce que ma sœur va mourir?

– Laissez-moi faire mon travail. Et faites-moi confiance. Votre sœur Sarah est le cas le plus captivant que j'aie eu de toute ma carrière.

Maman n'aime pas entendre le mot «cas». Sarah n'est pas un «cas», c'est sa fille.

– Pour l'instant, je vous en prie, allez vous reposer.

Il faut lui faire confiance.

Nous restons encore quelques minutes, le temps de voir les préposés transporter Sarah de la civière de l'ambulance à la salle d'examen, et nous rentrons chez nous.

Maman me demande ce que je veux manger. Je n'ai pas faim. Je croque quelques Mini-Wheats, c'est tout. Maman non plus ne mange presque pas: un petit morceau de fromage feta sur des Melba et un petit jus de tomate.

On ne parle pas. Enfermées chacune dans nos craintes.

* * *

Au milieu de l'après-midi, comme nous n'avons pas de nouvelles de Sarah et que le temps prend trop son temps à mon goût, je vais voir Samuel au centre neurologique de McGill. Seule la famille a droit de visite. Je dis à l'infirmière du poste central que je suis sa blonde. Elle me laisse entrer.

Il est content de me voir. Presque autant que je le suis de le voir, lui. Il est ma pause dans la tourmente. Je l'aime. Il est tellement beau et doux.

Je lui raconte la dernière nuit. Il sait évidemment que tout ne tourne pas rond pour Pocahontas…

– Pour pouvoir venir te voir, j'ai dit que j'étais ta blonde. Ça te dérange?

– Tu as dit que tu étais ma blonde?

– Oui…

– Je déteste mentir, Emma. J'en suis incapable. Alors, on n'a pas mille solutions, on en a deux. Soit tu retournes chez toi, soit tu deviens ma blonde. Ton choix.

J'ai un sens de l'humour formidable.

– Très bien. Alors je retourne chez moi. À l'avenir, je te texterai.

Je l'ai déstabilisé.

– Quoi?

– Pour être ta blonde, il faut que je t'embrasse. C'est dans le règlement.

– Alors. Puisque c'est la règle…

L'instant que j'attendais depuis Moncton.

Je voudrais bien te décrire chaque fraction de fraction de seconde de ce moment éternel, mais je ne finirais plus.

Au printemps dernier, dans un *party* d'école, j'avais embrassé un gars. Joël, qu'il s'appelait. Mais je l'avais fait juste pour prouver à mes amies que je n'étais pas attardée. Cette fois, je n'ai personne à impressionner, je suis juste envahie. Envahie par une émotion plus forte que le courant de la rivière Opinaca.

Je regarde Samuel. Il est plus beau que dans un roman. J'ai la chair de poule. Il me parle très doucement, à voix basse.

— Tu sais que si j'en étais capable, je bondirais sur toi. J'ai tellement envie de t'embrasser. Je voudrais t'envelopper au complet, comme une grande couverture de laine. Je sais que tu te lèveras et que tu viendras tranquillement vers moi. Je veux garder ce moment en moi toute ma vie. Je veux pouvoir le décortiquer en millisecondes. Prends ton temps, Emma.

Je me lève en le fixant dans les yeux. Je me penche sur lui et lui prends la tête délicatement entre mes mains. Il passe ses mains dans mes cheveux et saisit doucement ma tête.

Il m'embrasse.

Je ne sais plus quoi te dire. J'aime mieux ne pas essayer de décrire cette intensité. Je ne sais pas combien de temps ça a duré. Peut-être une vie au complet. Et en même temps ça a duré moins d'une nanoseconde. Un flash éternel. En même temps qu'il voulait me sortir de la poitrine, mon cœur a cessé de battre, deux extrêmes qui se rejoignent dans une dimension qui n'existe pas. Je suis si bien. Je suis trop bien.

Il me dit je t'aime.

Je me dis que si la vie était parfaite, elle s'arrêterait là, tout de suite. Je ne veux pas le paradis, ni l'Éden. Je ne veux pas l'éternité. Je veux juste Samuel. Je veux sa bouche, sa main dans mes cheveux et mon cou, je veux son regard. Cette seconde qui n'en finit plus de ne pas finir. Je déteste le temps qui court après la prochaine minute. Cesse de courir ! Tu es arrivé.

Mais le temps est têtu.

Il nous faut revenir sur terre. Le voyage est fini. C'est le côté sombre de tous les voyages : ils doivent un jour se terminer.

– Est-ce que je suis ton amoureuse?

– Tu es ce que tu veux être, Emma. Est-ce que je suis ton amoureux?

– Tu es mon amoureux.

– Nous sommes nos amoureux…

Je l'embrasse encore. Je suis en feu. Lui pas moins.

Soudain, un bruit nous ramène définitivement à la réalité. Le père de Samuel entre dans la chambre. En nous voyant enlacés, il cesse de marcher.

– Oh. Excusez-moi.

J'avoue ressentir un léger malaise. Comme un enfant qui se fait prendre la main dans le pot de biscuits. Toutefois, je pense qu'il est encore plus mal à l'aise que moi.

Mon iPhone vibre. Un texto de maman.

> Le docteur Aldermann m'a appelée. Sarah doit
> aller au Minnesota. Appelle-moi.

– C'est ma mère, dis-je à Sam. Ils veulent envoyer Sarah dans un hôpital aux États-Unis. Je dois la rappeler.

Selon ce que m'apprend maman, Sarah présente des signes qui préoccupent de plus en plus le docteur Aldermann. Son pouls a encore augmenté et sa tension grimpe toujours. L'activité de son cerveau ne ralentit pas non plus; au contraire, elle est de plus en plus frénétique. Comme si Sarah était stressée. Tout ça est incompréhensible aux yeux du médecin.

Il a communiqué avec un de ses confrères à la clinique Mayo, à Rochester, au Minnesota. Il lui a envoyé les résultats des derniers scans. Son collègue, un neurologue en résidence à la clinique, le docteur Fontenot, ne comprend pas plus. Par contre, tous deux s'entendent sur une chose: il faut transférer Sarah le plus vite possible.

Maman hésite. Je ne sais pas quoi en penser. Samuel non plus ne sait pas.

— La nuit dernière, Emma, me dit-il, je te jure, j'ai eu un étrange pressentiment. Une inquiétude.

— Même chose pour moi.

Je décide d'aller rejoindre maman à la maison.

En sortant de la chambre, je salue le père de Sam. Il est tellement mal à l'aise. Plein de répliques me viennent en tête, du genre : « Votre fils embrasse comme un dieu », ou : « Faudrait bien se rencontrer vous et moi et discuter mariage », ou encore : « Ce n'est pas moi, c'est lui ». Mais je me calme la créativité.

— J'aime votre fils, monsieur Arsenault, lui dis-je plutôt.

C'est plus simple comme ça.

* * *

Je rejoins maman à la maison. Nous ressortons tout de suite pour faire une longue marche, toutes les deux. Je lui raconte mon baiser avec Samuel. Je lui avoue que je suis amoureuse pour la première fois de ma vie.

— Tu comprendras que j'ai la tête ailleurs…

— Je comprends, Emma, me dit-elle en me caressant les cheveux. Je suis heureuse pour toi, mais ce qui arrive à Sarah… J'ai peur, j'ai si peur !

— Est-ce que le docteur Aldermann a l'intention d'accompagner Sarah là-bas ?

— Oui. Si j'accepte, il ira. Mais je veux avoir plus de détails avant d'accepter. Sarah n'est pas une souris de laboratoire. Le docteur m'a dit qu'il fallait faire vite. Je dois le rappeler avant la fin de l'après-midi.

Je n'aime pas la zone dans laquelle je me retrouve. Entre le paradis des bras de Samuel et l'enfer de l'état de Sarah. Entre une paix délicieuse et une insoutenable inquiétude.

* * *

Jeudi 16 août

Sarah ira au Minnesota.

Maman en a discuté avec le docteur Aldermann. Elle n'a pas eu toutes les réponses à ses questions, mais il l'a convaincue que c'était la seule chose à faire. Il l'a rassurée et l'a invitée à l'accompagner, aux frais de l'hôpital. Elle a accepté, évidemment. Il lui a dit que si Sarah reste ici, trop de questions resteront sans réponses, et on risquerait d'aboutir dans un cul-de-sac. Plus vite ils réagiront et plus vite ils auront des réponses, ou au moins des débuts de réponses.

Elle lui demande sans cesse si Sarah est en danger. Il ne le sait pas. Il ne veut plus répondre « Je ne sais pas ». Mais il n'a pas le choix : il ne sait pas.

Alors maman a fait une petite valise. Des vêtements pour quelques jours et les vêtements de Sarah. De l'aéroport, elle me texte. C'est notre entente : elle me donnera des nouvelles au fur et à mesure. Le docteur Aldermann les accompagne ainsi que deux infirmières, un préposé, le pilote et le copilote, un agent de bord. Ils sont dans un avion très rapide et presque mieux équipé qu'une salle d'opération d'hôpital. Il est de la dimension d'un autocar. Même plus gros.

Sarah me semble pâle, mais c'est peut-être juste moi. En tout cas, moi je le suis. J'ai juste le goût de pleurer.

Je lui réponds tout de suite :

Calme-toi, maman.

Je lui ai écrit ça, mais je suis tout sauf calme. Je suis moi-même au bord de la crise de nerfs.

Mon cell vibre. C'est Samuel. En répondant, immédiatement je fonds en larmes. Je te jure : je me suis retenue toute la journée. Tout va trop vite. Je suis au paradis des montagnes russes.

— J'ai peur, Samuel.

— La peur est le pire des ennemis, méfie-toi d'elle.

— Je sais, et d'habitude, je n'ai jamais peur. Ce n'est pas en moi. Mais là, je ne suis plus moi-même.

— Pense à cet après-midi.

— Je ne pense qu'à ça. Une chance qu'il y a ça. J'en ai encore des échos plein mon cœur.

— Moi aussi.

— Et tes jambes, Samuel ? Est-ce que les orteils te piquent encore ? Dis-moi oui.

— Ne t'en fais pas pour mes jambes, Emma. Elles se reposent, mais je vais les remettre au travail avant longtemps.

— Je veux que tu dises vrai, Samuel. Elles te piquent encore ?

— Oui, Rouge. Elles me picotent.

— Tu me trouveras idiote, je sais, mais j'ai une faveur à te demander.

— Je sais que tu es une satanée idiote, Emma. Rien de nouveau. Mais tu es si belle, alors j'accepte ton idiotie.

— Tu es con… Je veux rester au téléphone avec toi, mais sans parler, juste sentir ton souffle. Tu veux ?

Il ne répond rien. Il reste accroché à son iPhone, sans parler. Au bout de quelques minutes de ce délicieux silence, je lui dis :

– Je t'aime.

– Je t'aime.

Il n'y a rien à rajouter.

* * *

À peine une demi-heure plus tard, je reçois un long courriel de la part de maman.

Ma Rouge,

L'avion-ambulance est arrivé à RST (Rochester International Airport), qui est situé à quelques minutes de la clinique Mayo. Nous étions attendus à l'aéroport, et à la clinique. Tout s'est fait très rapidement. On voit que les gens ici sont habitués à ce type d'urgence. Ils avaient le dossier de Sarah, avec tous les détails.

À la clinique, le docteur Fontenot était là, sur un pied de guerre, accompagné de trois assistants, en plus du docteur Aldermann et de ses aides. Beaucoup de monde pour ma petite.

Il ne faut pas qu'il arrive quoi que ce soit à Sarah. Tu ne t'en remettrais jamais. Je sais à quel point tu l'aimes. Moi aussi.

Cette nouvelle vie dans laquelle Sarah nous a entraînés, toi, Samuel et moi, et à travers laquelle elle nous guide, m'a éclairée. En même temps, elle m'a profondément troublée. Je ne sais plus. Aurais-je préféré ne pas en faire partie ?

Ma vie a toujours été remplie de doutes, de blessures, de découvertes, de simples joies, de batailles gagnées et d'autres perdues. Ma vie a toujours été modeste, sans foi, mais pleine de lois que je me suis imposées.

Respect est le mot-clé.

Respect de tout ce qui existe. Du caillou à l'écureuil, de l'araignée au saint homme. Respect des autres, de leur vécu ou leurs croyances, de leurs défaites, de leurs problèmes, qu'ils soient dans la marge ou au centre de la cible de la morale.

Je ne suis pas et ne serai jamais religieuse. J'ai cherché le bonheur dans la simplicité de l'air, de l'eau, de la chaleur et des doutes. J'ai trouvé le vrai bonheur avec mes deux petites filles. Je vous vois encore « petites », Sarah et toi.

Je n'avais pas prévu vos présences. Vous êtes, depuis le premier jour, ma seule vraie récompense, ma seule vraie réussite. Vous êtes tout : tout ce que je veux, tout ce que je souhaite. Vous êtes tout. Je remercie la vie, je remercie le chemin qui m'a amenée à vous, et vous à moi.

Je remercie le sublime carrefour de nos voyages. Mais avec cette nouvelle réalité, à la suite du terrible accident de Sarah, je suis assaillie par le doute.

Je suis ici, à Rochester, Minnesota, « Land of 10,000 lakes », dans cette petite pièce qu'on m'a attribuée pour mon séjour. Un lit, une fenêtre, une chaise, un bureau et une toute petite commode. Je suis à quelques mètres de la salle d'examen où Sarah est couchée, sous la loupe des plus grands spécialistes.

J'ai bien vu qu'elle est plus pâle que d'habitude et je sais surtout que je ne suis pas ici par hasard. Si nous y sommes, Sarah et moi, c'est qu'il y a urgence. Je ne veux pas qu'elle meure. Je ne veux pas qu'elle capitule.

« Bats-toi, ma fille. Bats-toi. Ne capitule pas. Ne capitule jamais. Tu es mon guide. Alors, guide-moi ! Ne m'abandonne pas. » C'est ce que je lui répète à chaque instant.

* * *

Le silence de Samuel résonne encore dans ma tête. Ce long silence si chaud. Le plus envoûtant des silences. À travers ce silence qui m'enveloppe tout en douceur, il y a le souffle de ma sœur. Ce petit souffle qui me tient en vie, qui me donne espoir.

Je n'ai qu'une seule idée en tête : je veux retourner dans le monde de Sarah, dans son mystérieux petit coin de cerveau.

Autre échange de textos avec maman :

Il ont fait les tests. Durée : 95 minutes. Le docteur Fontenot, qui a un accent français, m'a dit qu'aux premières heures du matin, ils auront fini d'analyser les résultats.

Avait-il l'air inquiet ?

Il était juste sérieux. Pas alarmiste. Sérieux.

Tu me textes 24/24.

Va dormir.

Toi aussi, repose-toi. Je t'aime.

Sarah, ne m'abandonne pas.

Je suis chez moi, à Montréal, couchée dans son lit et j'attends le prochain texto de maman, celui qui me dira que tout est sous contrôle. Que ma sœur va bien, que tout ça, c'était une fausse alerte.

Reprends ta couleur, ma Pocahontas. Dors en paix.

Il est 23 h.

Chapitre 15
Trois cauchemars

La nuit du jeudi 16 août
Mon téléphone, posé sur la table de chevet de Sarah, émet un son. C'est Sam qui m'écrit son rêve.

Mais je ne le lirai pas tout de suite.

Je dors profondément.

Le fil

Je suis encore sur le bord d'une rivière, à l'orée d'une forêt où les arbres sont courts et clairsemés. Il y a surtout de la toundra. J'ai déjà vu ce paysage. Il ressemble à celui de mon rêve d'avant-hier, au bord de la rivière Opinaca. Dans mon sac à dos, il y a une gourde de cuir pleine d'eau fraîche, un petit sac de graines de tournesol (pourtant, je déteste les graines de tournesol) et un mince fil d'acier de cinquante centimètres, avec une poignée à chaque extrémité.

Assis sur une vieille souche d'épinette, j'attends un homme que je n'ai jamais vu, je ne sais même pas à quoi il ressemble. Je sais juste que c'est un vieux guide de chasse assiniboine qui s'appelle Stanley. Pour une raison que j'ignore, je suis enragé. Je ne sais même pas de quoi, ni de qui, mais je veux me venger. Une grande colère me brûle le ventre.

Dans le vent froid, une mésange virevolte autour de moi. Je la regarde. Je n'ai rien de mieux à faire. Elle se pose sur une branche de cèdre quelques secondes, puis repart danser avec l'air. Je sais qu'elle veut attirer mon attention. Elle danse pour moi, cette mésange. Une musique l'accompagne ; en fait, c'est plus un rythme qu'une musique proprement dite.

Elle parle.

— Tchika-di-di-di. Tchika-di-di-di. Tchika-di-di-di.

Assis sur ma souche humide, je regarde la mésange danser et chanter.

— Tchika-di-di-di. Tchika-di-di-di. Tchika-di-di-di.

Les graines de tournesol dans mon sac à dos, c'est pour elle. J'en sors quelques-unes et les dépose par terre. Elle les survole sans les prendre. Alors, j'en mets quelques-unes dans le creux de ma main et les lui tends. Elle se pose sur mon pouce, en saisit une et va un peu plus loin pour la décortiquer. Elle revient et en prend une autre. Elle mange dans ma main, la séductrice.

Cette scène d'une grande douceur devrait pourtant m'apaiser. Mais non. J'ai toujours cette rage en moi.

La mésange revient dans ma main une troisième fois. Elle prend encore une graine de tournesol. Je crois que nous sommes devenus des amis. C'est ma première amie à plumes !

La mésange repart et je n'entends plus rien. Pas de vent qui siffle entre les branches des épinettes et des cèdres. La rivière immobile se repose, silencieuse.

Puis au loin, la mésange. Je ne sais pas si c'est la même. Sûrement pas. Il doit y en avoir des centaines ici.

— Tchika-di-di-di. Tchika-di-di-di. Tchika-di-di-di.

Je décide d'aller à sa recherche. Ça vaut mieux que de rester assis sur une souche humide, la colère au ventre, et d'attendre.

Le chemin vers la mésange est fait d'un long tapis tissé. Un beau tapis tout neuf dont je ne vois pas la fin. Un mètre de large. Surpris de voir ce tapis au milieu d'un sous-bois, tout bien installé, dans un Nord quelconque et lointain, je me penche pour le toucher, je veux savoir d'où il provient. Je trouve une étiquette : « Made in Jaipur, India ». Tu m'as parlé de cette ville de l'Inde. C'est là où on taille des émeraudes. Tu y es allée avec Sarah, il y a quelques nuits.

L'oiseau revient vers moi, je lui tends une autre graine. Puis il continue à voler au-dessus du long tapis, et moi, je me remets en marche.

Quelques centaines de mètres plus loin, je commence à sentir de la fumée. Plus j'avance et plus l'odeur s'accentue. Il y a quelqu'un ici. La mésange me guide. De temps en temps, elle fait :

– Tchika-di-di-di. Tchika-di-di-di. Tchika-di-di-di.

J'entends des voix indistinctes et des rires. Des rires gras d'ivrognes. Juste devant, sur le sol, un objet luisant. Je m'approche. C'est une bouteille d'alcool vide. Je la mets dans mon sac.

– Tchika-di-di-di. Tchika-di-di-di. Tchika-di-di-di.

À une vingtaine de mètres, je vois deux hommes près d'un petit feu. Je réalise pourquoi je suis en mode vengeance…

La mésange est devenue un homme. Caché derrière un arbre, cet homme a imité la mésange et m'a fait signe d'aller le rejoindre. C'est un vieil autochtone au visage tout crevassé : Stanley. Il n'a pas eu à me le dire, son nom est tissé sur sa chemise à carreaux. Il me remet une vieille paire de jumelles.

– It's these two.

Il me montre les deux ivrognes. Puis, il tend le doigt vers un objet, à quelques mètres à droite du feu.

– Look closely.

Ce que je vois n'est pas clair, des formes sur le sol.

– What is that ?

– Cubs. Three little bears. They killed them, just to get to their mother. But they've done worse. Way worse.

– What have they done ?

Ces deux hommes, un père et son fils, sont responsables de la mort et de la disparition d'au moins une douzaine de jeunes femmes autochtones. Probablement plus. Des assassins.

Parmi leurs victimes : la mère biologique de Sarah, Pearl.

Il y a longtemps, Stanley s'est occupé de Pearl, me raconte-t-il. Mais il n'a jamais pu la sauver de sa triste fin. Elle a disparu dans la nature et on ne l'a jamais revue. Pendant qu'il me raconte tout ça, mes yeux fixent le sol. Je suis envahi de nouveau par un sentiment de vengeance. Cette fois, mon sang bout. Stanley cesse de parler. Je fixe toujours le sol. Le tapis a disparu. Stanley redevient une mésange.

– *Tchika-di-di-di. Tchika-di-di-di. Tchika-di-di-di.*

J'ai devant moi deux monstres. Et je dois les tuer. Je ne me suis jamais senti comme ça. Je suis pourtant un bon garçon, un éternel inoffensif. Mais j'ai une mission : venger ces filles et ces femmes disparues.

Stanley m'a laissé ses jumelles. Je vois que le plus vieux des deux monstres a quitté sa position près du feu, attiré par un son. Je sais quel est ce son. C'est un faux son. C'est la mésange qui imite un ours.

En silence, je m'approche du feu. Le plus jeune a saisi son fusil. Il l'a entre les mains, à l'affût de la mère ours. En un instant je suis derrière lui. Sans faire le moindre bruit, je dépose délicatement mon sac à dos près d'une souche. J'y prends le fil d'acier. Je réalise, en le saisissant, la raison de sa présence dans mon sac.

Une chance que le monstre est ivre. Il chancelle. Il crie à son partenaire :

— Joe ! What is it ?

— Shut up ! Just shut the fuck up !

Ça dure à peine quelques secondes. Je saisis l'homme par le cou avec mon fil d'acier. Il n'a pas le temps d'émettre le moindre son. Je serre de toutes mes forces.

Jusqu'à ce qu'il crève.

Mon cœur bat fort. Mais je n'y sens pas la moindre trace de remords. L'homme est mort. J'ai tué un homme.

— Tchika-di-di-di. Tchika-di-di-di. Tchika-di-di-di.

La mésange se pose sur mon épaule.

L'autre monstre, attiré par l'imitation de Stanley, se trouve à une centaine de mètres, avec sa carabine. Je marche sans faire de bruit dans sa direction. Chose bizarre : même quand, par mégarde, je mets le pied sur une branche sèche, il n'y a aucun bruit. Je suis comme un fantôme.

Le monstre revient vers le petit campement. Il ne me voit pas. Il passe juste à côté de moi. C'est la fin pour lui. Je le saisis par le cou avec mon fil d'acier, comme je l'ai fait avec le premier. Quelques secondes et ça y est. Il ne respire plus. Je suis fort, surtout des bras.

La suite est étrange. Je suis soudainement envahi par un doux sentiment de plénitude. De bonheur.

— Tchika-di-di-di. Tchika-di-di-di. Tchika-di-di-di.

Je donne à la mésange une autre graine de tournesol. Je la regarde en souriant, alors qu'elle se pose quelques mètres plus loin pour la décortiquer, en la frappant contre un gros caillou, et en bouffer la semence.

Je retourne sur mon chemin.

Le vent s'est levé et a recommencé à faire siffler les arbres. La rivière s'est aussi réveillée, je l'entends.

La mésange s'est de nouveau transformée et est redevenue Stanley. Il n'a plus de voix. Comme s'il avait trop crié. Par signes, il m'invite à m'approcher de lui. Il pleure, je le vois bien. Il a les yeux rougis et humides. Du revers de sa main gauche il essuie ses joues crevassées. À travers son filet de voix, il me dit quelque chose. J'entends un faible son, mais je suis incapable de distinguer ce qu'il me dit à travers ses sanglots. Je colle mon oreille sur sa bouche. Cette fois, j'entends :
– Sarah...
Il me dit juste ça. « Sarah. » Et il pleure. Je n'aime pas ça.
– Why are you saying « Sarah » ? Why ?
Il s'envole.

Je me suis réveillé tout en sueur.
J'ai regardé mon iPhone. Il était 3 h 15.
Emma, appelle-moi le plus tôt possible.

* * *

La vie est ainsi faite. Je dors dans la chambre de Sarah. Autour de moi c'est le silence, c'est la nuit. Pourtant ma vie n'a jamais été si intense.

Maman m'écrit. Ses rêves sont devenus sa vie, à elle aussi. Elle me raconte sa dernière aventure nocturne. Que je lirai demain au réveil.

Ma vieille mère malade, elle était si jolie !
Enfin, après toutes ces années, je suis à Jaipur avec Sarah et toi. Il y a si longtemps que j'en ai envie. Sarah et toi venez à peine d'avoir dix ans. Vous êtes si belles, si dégourdies, intéressantes, intéressées.

Les Indiens sont des gens très sympas. Serviables, polis, respectueux. On se balade dans les rues étroites d'un quartier pauvre de la ville. Pauvre, mais toujours coloré. Et surtout très peuplé. Toi et moi attirons les regards curieux des locaux. Je peux comprendre ; une tête grisonnante qui vient d'ailleurs et une petite tête rousse, ce n'est pas fréquent. Sarah se fond dans le décor. Elle pourrait à la rigueur passer pour une petite Indienne.

La ville est rose et elle sent fort les épices, avec une touche de monoxyde de carbone. Toujours cette musique de fond, typique, une voix qui se lamente. Les humbles marchands et marchandes alignent leurs présentoirs sur roues. Tissus, épices bien sûr, quelques fruits locaux, de la volaille, mille sortes de noix. Nous voyons une cartomancienne sans client, une vendeuse de stylos à bille. Des hommes discutent assis sur leurs chevilles, en buvant du thé. D'autres s'amusent avec de petits objets qui ressemblent à des dés. De petits garçons crient et sautent, pieds nus, jouent au foot avec un ballon dégonflé. Il y a des hommes cravatés en beau complet bleu, rayé, avec porte-documents, iPhone et iPad, qui discutent avec les gens de la rue.

— Avez-vous faim, les filles ?

— Oui !

Je sais que vous voudriez bien des céréales, comme à la maison, avec des rôties et de la confiture de fraises ou du Nutella. Mais on va déjeuner « local ». Un peu de chatni, tiens. C'est un petit bouillon de noix de coco avec des piments, feuilles de curry et graines de pavot. Aussi au menu du matin : du thé bouilli dans du lait avec du sucre, de la cardamome, du gingembre, des clous de girofle, de la noix de muscade et de la cannelle. Délicieux. N'est-ce pas, les filles ?

Pour faire un peu plus consistant : des galettes de naan frites dans un wok et gonflées comme de petits ballons, puis trempées dans un curry de légumes. On les appelle « pooris », un beau nom appétissant…

Une fois la panse bien pleine, nous partons voir ma vieille mère. Sarah nous guide. Elle sait d'instinct où la trouver dans ce labyrinthe que sont les boulevards, les rues, les ruelles, les chemins terreux et les passages de Jaipur. Comme si elle y avait grandi.

Je vais revoir ma mère.

Je sais qu'elle n'est pas bien. Ça me fait beaucoup de peine.

Elle a choisi une vie loin des siens, une vie marginale, selon les critères occidentaux. Je suis convaincue que si elle avait écrit un journal intime, je pourrais y trouver des trésors. Ma mère aura guéri ses propres blessures en guérissant celles des autres. Ce n'est pas rien.

Sarah se met à marcher vite devant. Trop vite.

— Va moins vite, Sarah, je ne peux pas te suivre ! Penche à ma anse.

Je sais que j'aurais dû dire « Pense à ma hanche ». Mais je suis sûre qu'elle m'a comprise. Pourtant non, elle accélère le pas. Merde. J'ai mal.

— Emma ! Dis à ta sœur de ralentir un peu.

— Laisse-la faire, maman, de toute façon, elle ne peut pas aller moins vite, elle glisse, comme avec des patins. Elle fait souvent ça. Comme si ses semelles avaient des milliers de petites billes. De toute façon, je sais où est grand-maman Janine.

— Comment peux-tu ?

— Calme-toi.

Quelques minutes plus tard, nous y sommes. Euphémisme : l'endroit est vétuste. Nous grimpons au second étage. Une jeune fille avec des petites lunettes rondes nous attend devant une porte. Une jeune Québécoise. À mon étonnement, tu la reconnais. Tu me la présentes, elle s'appelle Dominique. Elle te reconnaît aussi.

— Je savais que tu allais revenir, Emma.

Tiens, tiens. Tu es déjà venue ici.

— Est-ce que Sarah est arrivée ?

— Depuis longtemps…

— Comment va grand-maman Janine ?

— Il n'y a pas de progrès, elle est toujours inconsciente.

Je suis impatiente de revoir ma mère, après toutes ces années. Je veux lui caresser la tête. Je veux lui parler même si elle ne m'entend pas. Je veux lui dire merci. Ma vie n'aurait jamais été la même si elle n'avait pas été qui elle est. Elle m'a doucement obligée à me découvrir, à me trouver.

Dominique ouvre la porte de la petite chambre. Une vieille dame indienne, vêtue de bleu pâle, avec un foulard blanc sur les cheveux, veille à côté du petit lit.

Je vois une forme sous les draps blancs. Mon cœur bat.

Ma mère. Je vais revoir ma mère.

La vieille dame indienne bouge la tête de maman pour que je puisse voir son visage. Je le vois. Ma tête se met à tourner ! Et tourner, et tourner. Je n'ai plus de souffle.

Tu es juste derrière moi, Emma, tu tombes sur le sol en criant, saisie d'une douleur soudaine.

La personne dans le lit, ce n'est pas maman, c'est Sarah !

Une Sarah complètement transformée. Son visage est effrayant. Monstrueux. Elle est méconnaissable, hideuse. Toute rouge et difforme. Ses dents sont brunes et disparates, ses yeux sont boursouflés, son nez est aplati et angulaire. Elle ne parle pas.

Mais c'est elle, ma petite Sarah…
Ce n'est pas vrai! C'est impossible!! Quel cauchemar!
Tu te jettes sur elle.
– Sarah, mais qu'est-ce qui se passe?!

Je me suis réveillée toute en sueur. Je suis toujours dans la petite chambre à la clinique Mayo. J'ai regardé mon portable. Il était 3 h 15.
Appelle-moi, Emma.

* * *

Je dors toujours. Épuisée par l'inquiétude. Épuisée par mes tourments.

S'il fallait que Sarah…

Sarah, reste avec moi. Ne m'abandonne pas.

Le wagon

Je rêve.

Fin octobre 1944. Train de marchandises. Dans le wagon, l'odeur est insupportable. Le bruit des immenses roues de fer qui s'usent sur les rails dans un rythme infernal m'effraie.

Je suis avec Sarah et deux autres filles: Annelies Marie, que je reconnais d'Amsterdam, et Margot, sa sœur aînée. Quatre filles parmi des milliers d'autres, entassées dans des wagons de marchandises, comme des bêtes, sans air et sans lumière. J'ai entendu la rumeur: le train a quitté Auschwitz, une ville de Pologne, et arrivera dans quelques heures à Bergen-Belsen, en Allemagne.

Annelies Marie nous raconte des histoires à glacer le sang. Je ne pense qu'à une chose: m'enfuir.

Margot est malade et toute maigre, Annelies Marie est plus forte mais pas beaucoup. Il n'y a que des jeunes filles dans le wagon. Elles sont toutes misérablement habillées, sales, et la plupart sont pieds nus. Des Juives.

Je me sens mal, Sarah aussi, car nous sommes les deux seules dans une condition à peu près normale. Mais je n'ai pas moins peur. Je sais qu'on m'a fait monter dans ce sinistre wagon par mégarde.

Sarah m'attire dans un coin pour me parler à l'oreille.

— Il faut faire quelque chose, chuchote-t-elle.

— Mais quoi? J'ai peur, Sarah. Je ne veux pas mourir.

— Moi non plus, mais il faut réagir, et vite. Il nous faut un plan. Je sais que tu as un contact dans l'armée nazie. Celui qui était toujours accompagné de ses deux soldats sans bouche…

— Avec la grosse casquette? Rommel. Il n'est pas très sympathique.

— Il va nous aider.

— Mais comment veux-tu que je lui parle? Je ne sais pas où il est et je suis prisonnière ici…

— Je trouverai bien.

Le train s'arrête à une gare de campagne. Des soldats ouvrent l'immense porte du wagon. L'un d'eux monte à bord et en fait le tour en grimaçant. Il cherche quelqu'un. Arrivé devant moi, il me demande mes papiers. Je n'en ai pas. Qu'est-ce qu'ils ont tous à me demander mes papiers? Il insiste.

— Je n'ai pas de papiers!

Il m'ordonne de le suivre.

— Ma sœur doit venir avec moi, sinon je reste ici!

Il se met à rire. Il me saisit par le bras et m'entraîne de force vers la grande porte du wagon, toujours ouverte.

– Ma sœur! Ma sœur doit venir avec moi!

– *Stille! Schnell! Sich beeilen! Schnell!*

– Vas-y, Emma! me crie Sarah. Je vais me débrouiller, je te jure. Va rencontrer ton contact. Parle-lui. Je t'attendrai à Bergen-Belsen!

Je me tourne vers elle une dernière fois, avant d'être poussée hors du wagon par le soldat. Elle disparaît.

– Sarah! Sarah! Où es-tu?! Sarah!

Le soldat me serre la nuque de sa grosse main agressive. Je lui donne un coup de coude dans les côtes.

– *Aufhören! Stille!!*

Juste avant que ne se referme la porte du wagon, alors que la locomotive se remet à tousser, un chat saute du train en marche. Un chat noir. Merde, ce n'est pas Sarah. Le soldat, par impatience ou par pure cruauté, lui donne un violent coup de pied. Le chat heurte une roue du wagon. Il demeure au sol, assommé, ne bougeant presque plus.

Je suis hors de moi.

– Vous êtes fou ou quoi?! Je le dirai à vos supérieurs! Vous êtes un monstre! Allez-vous au moins le chercher? Vous allez le laisser là? Comme ça?

– *Stille!!*

Le soldat me force à monter dans une grosse voiture noire. Il y a un chauffeur et deux autres soldats, assis derrière. Ce sont des hommes importants, deux généraux sans doute. Leurs habits les trahissent.

J'ai tellement peur. Je ne sais pas ce qu'ils veulent faire de moi. Je ne parle pas l'allemand, mais je comprends tout ce qu'ils disent. Après avoir roulé quelques kilomètres, ils stoppent la voiture. Mon cœur bat. Je ne veux pas mourir.

— *Fräulein* Emma, je suis le général Wilhelm Burgdorf. Lui, c'est le général Ernst Maisel. Votre présence dans le train de Bergen-Belsen est une erreur. Nous en sommes désolés. Voici vos papiers. Trouvez un moyen de retourner chez vous. *Heil Hitler!*

Il me tend une enveloppe cachetée que je mets dans ma poche arrière. Je me fous de ces « papiers » de merde.

— Ma sœur est toujours dans le wagon! Elle s'appelle Sarah Lauzon, c'est une autochtone du Québec. Sortez-la de là. Et aussi, votre idiot de soldat a assommé un pauvre chat sans aucune raison.

— Vous savez à qui vous parlez, *fräulein*?

— Je m'en fous. Ma sœur s'en va à Bergen-Belsen par erreur. Libérez-la! Sinon…

— Sinon quoi, *fräulein*? me demande-t-il en ricanant.

— Vous n'avez pas fini avec moi. Croyez-le.

Les deux hommes éclatent de rire et repartent en trombe dans leur voiture, me laissant toute seule sur le bord de la voie ferrée, dans leur grossier nuage de poussière. Je hurle:

— Elle s'appelle Sarah! Elle va à Bergen-Belsen! Salauds!!

Je me mets à marcher sur un chemin de campagne, parallèle à la voie ferrée. Je veux revenir sur mes pas, retrouver le chat blessé. Je veux surtout trouver un moyen de rejoindre Sarah.

Il n'y a pas de maison, ni rien autour, que des champs, des cigales, des sauterelles et des arbres. Au bout d'un kilomètre, quelqu'un vient vers moi sur le même sentier. Il marche tête basse. C'est un homme. Pas un soldat. On s'approche l'un de l'autre. Il est jeune.

Arrivé à ma hauteur, il m'ignore. Il passe à côté de moi sans même me regarder. Pourtant, je sais qu'il m'a vue. Je l'interpelle.

– Hé, vous!

Aucune réaction. Je crie, cette fois.

– Hé!! Toi!!

Il se retourne et me regarde sans parler.

– Tu connais ce coin de pays? Peux-tu me dire combien de temps je dois marcher avant d'arriver à la prochaine gare? J'ai perdu mon chat. Il doit être là-bas.

– Désolé, je ne peux pas vous aider.

Il se remet à marcher, je le suis. Il semble être plus jeune que moi.

– Où vas-tu?

– Nulle part. Je marche.

Il a les yeux rouges.

– Tu pleures?

– Non.

– Mais oui, tu pleures. Pourquoi?

– Laissez-moi tranquille. Je veux juste marcher.

Il ne me connaît pas, ce garçon. Il ne sait pas que quand la Rouge pose une question, elle tient à avoir une réponse.

– Je peux peut-être t'aider… Quel est ton nom? Moi, je m'appelle Emma.

– Manfred.

– Manfred, c'est un beau nom. Qu'est-ce qui t'arrive?

– Mon père est mort.

– Oh. Je suis désolée.

– Il s'est suicidé pour me sauver la vie.

Qu'est-ce qu'on peut répondre à une phrase comme ça? Que dire à un adolescent qui se culpabilise pour une telle tragédie? Je reste sans mots quelques instants et il repart, tête basse, perdu dans sa tourmente.

Je repars à mon tour à la recherche de la gare. Cette rencontre m'a ébranlée.

Soudain, au milieu du chemin, juste en face de moi, à quelques mètres, il y a une chaise berçante. Elle m'appelle. La chaise m'appelle, littéralement.

– Assieds-toi un peu, dit la chaise. Reprends ton souffle.

La chaise a la même voix que Ion Ludovic, ce Rom rencontré il y a quelques nuits, tu te souviens? Juste au moment où je pose mes fesses sur le siège, j'entends un miaulement. Je me relève d'un bond et balaie le décor des yeux, de gauche à droite et de droite à gauche, nerveusement. C'est peut-être Sarah!

La chaise me parle encore.

– Calme-toi.

Je m'assois de nouveau.

Sous mes fesses, je sens l'enveloppe que Burgdorf et Maisel m'ont remise. Je l'ouvre : ce ne sont pas des papiers d'identité, c'est une lettre. Manuscrite.

Emma,

Je sais que tu es partie à ma recherche pour sauver ta sœur. Je sais que je ne te suis pas très sympathique. Ce n'est pas dans ma nature, d'être sympathique, je suis trop sérieux. Je vis pour mon métier, je suis un guerrier. Je suis un soldat.

Nous avons perdu la guerre aux mains des Alliés, et c'est impossible pour moi de l'accepter. Je suis habitué à la victoire. La victoire, c'est ma drogue. Nous avons perdu la guerre à cause de la stupidité, la cruauté d'un homme, sa vision étroite et maniaque, un idiot nommé Adolf Hitler, avec sa fameuse « solution finale ».

Je savais avant même le début de la guerre que cette fixation allait causer notre perte. Trop d'énergie, de temps et de cer-

veaux occupés au massacre des Juifs et des autres, alors qu'il y avait tant à faire sur le terrain des vrais affrontements.

Hitler et ses proches (Göring, Goebbels, Himmler, Eichman, Hess, Mengele et les autres) ont gaspillé leurs talents et leur temps à assassiner des innocents : vieillards, femmes et enfants. Je n'ai jamais approuvé cette sordide idée. Je n'ai jamais touché à un seul cheveu d'un Juif ou d'une Juive, ou d'un Rom, et je condamnais en silence tous ceux qui suivaient cette immonde directive. J'ai même comploté pour liquider le Führer et ses lieutenants. Je n'étais pas le seul, plusieurs pensaient comme moi.

Ça n'a pas marché.

Je sais pourtant que le peuple allemand approuvait, en silence, ma vision de son avenir. Le Führer aussi sait que le peuple était derrière moi. Alors, Hitler me déteste. Il veut ma peau.

Il y a deux semaines, deux généraux, Wilhelm Burgdorf et Ernst Maisel, sont venus chez moi. Ils ne m'ont pas laissé le choix : soit je me suicide, soit je suis jugé par les hautes instances du parti et assassiné. Si je choisis l'arsenic, ils laisseront ma femme et mon fils en paix.

J'ai choisi le poison.

Emma, ne t'en fais pas pour mon fils Manfred, il deviendra un grand citoyen aimé des Allemands, surtout à Stuttgart.

Occupe-toi de ta sœur Sarah. Elle est en danger.

Erwin Rommel, le Renard du désert

P.-S. — Mes hommes savent ce que je pense. Il ne faut pas qu'ils parlent. Alors, ils n'ont pas de bouche, c'est plus sûr ainsi.

Je relis la lettre une seconde fois.

Sarah est en danger. Je ferme les yeux quelques secondes pour puiser à l'intérieur de moi une force, une idée, trouver une main tendue, un espoir. Je n'ai plus peur, mais je ne suis pas bien. J'ai mal.

J'ouvre les yeux. Je ne suis plus sur le sentier, mais sur le quai de la petite gare de tantôt. Le chat n'est plus là. C'est peut-être bon signe. Il a dû se relever et aller lécher ses plaies. Comme un chat.

Dieu soit loué, je l'aperçois! Il n'est plus seul. Un autre chat est avec lui. Un chat tout blanc de la même taille, qui de la gueule le saisit par la nuque et l'entraîne vers un buisson, comme une chatte transporte un chaton.

Juste comme j'allais me lancer à leur poursuite, une clôture sort de terre, m'entourant de tous les côtés. Je suis prisonnière. Merde!

– Sarah!! Sarah!!

Ainsi j'ai vu un chat noir blessé à la patte arrière, et un chat blanc venu à sa rescousse. Chat noir + chat blanc = chat vache.

L'espoir.

* * *

Je me suis réveillée en sueur. Je suis toujours dans la chambre de Sarah, à la maison. J'ouvre l'œil et je regarde mon iPhone.

Il est 3 h 15.

* * *

À peine quelques minutes après mon cauchemar, où j'ai été forcée de laisser Sarah dans un train, direction la mort à Bergen-Belsen, mon iPhone sonne. C'est maman. Elle est dans tous ses états, elle respire fort et ses mots se mêlent, je sens la panique.

— Maman, qu'est-ce qu'il y a? Calme-toi.

— Emma! À peine quelques secondes après mon cauchemar où Sarah était défigurée et malade dans le lit de ma vieille mère à Jaipur, il y a eu cet appel général dans la clinique: « *Code blue, code blue in OR 1616.* »

— Qu'est-ce que ça veut dire?

— Sarah est en arrêt cardiaque et respiratoire! Je me suis levée en trombe, mais une préposée est arrivée et elle m'a obligée à rester ici.

— Sarah!

— Aide-moi, Emma, aide-moi.

— Sois forte, maman!

— Qu'est-ce que je peux faire?! Je veux faire quelque chose. Qu'on me dise quoi faire! Ma fille! Ma Sarah!

— Calme-toi, maman. Il faut être calmes pour Sarah. Rappelle dès qu'il y a du nouveau.

Je raccroche. Mon téléphone sonne aussitôt. Mais que se passe-t-il? C'est Samuel qui me texte:

Sarah m'a réveillé. Je suis sûr que c'est elle qui m'a réveillé, elle va mal, Emma. Maudites salopes de jambes! J'aurais voulu courir jusqu'à elle. Ne reste pas seule, viens-t'en tout de suite.

Je lui réponds:

J'arrive.

Il m'envoie un autre message :

J'ai reçu un texto d'une personne que je ne
connais pas. "Merci." C'est tout, avec un lien
vers un article du journal *Vancouver Sun* : «Bear
attack : two dead.» Deux chasseurs autochtones assiniboines ont été tués hier, attaqués et
égorgés par un ours noir, dans le nord de la
Saskatchewan. As-tu lu mon rêve ? Je les ai
tués, Emma!! Comme tu l'imagines, je n'ai pas
répondu à ce texto.

Je sais que nous sommes au beau milieu de la nuit. Je sais que
je ne devrais pas faire ça, mais je suis incapable de me retenir.

J'appelle François chez lui.

C'est le Maître de Sarah. Il sait ce qui se passe, c'est certain. Je vais réveiller sa vieille mère, mais je n'ai pas le choix.

J'ai fouillé dans mon sac pour retrouver le papier avec
son numéro. J'appelle. C'est Yvonne qui répond. Elle est
tout endormie. Dès son premier mot, je la sens stressée.
Recevoir un appel à cette heure de la nuit, c'est soit un
mauvais numéro, soit un appel urgent, inquiétant.

– Allo ?

– Madame Yvonne ?

– C'est moi. Qui parle ?

– C'est Emma Lauzon, la fille de Marie-Andrée. Je sais
que nous sommes au milieu de la nuit, ne vous inquiétez
pas. Je suis une amie de François. Pensez-vous que je peux
lui parler ?

– Pardon ?

– Je sais que c'est étrange, mais c'est important. Pensez-
vous qu'il soit possible que vous le réveilliez ?

— Pourriez-vous rappeler dans quelques heures ? François a besoin de bonnes nuits de sommeil…

Dans un soupir fébrile, je renonce à insister.

— Dites-lui qu'il m'appelle dès qu'il se lèvera. Il faut que je lui parle.

— Je vais le lui dire. Il a passé une journée particulière hier, mon François. Il était très fatigué.

— Il est correct ?

— François est toujours correct, toujours. Seulement, il est revenu à la maison avec deux petits chats dans le panier de son tricycle. Un noir et un blanc. Il veut absolument les garder. À mon âge, je ne peux pas m'occuper de deux chats… Mais bon. Je vais régler ça demain.

— Gardez-les, madame Yvonne ! que je m'exclame, un sanglot dans la voix. Je vous en prie, gardez-les.

À suivre…